CW00433427

La Résistance française :
une histoire périlleuse

Du même auteur

La Désobéissance.
Histoire d'un mouvement et d'un journal clandestins :
Libération-Sud, 1940-1944
Odile Jacob, 1995

Voler les Juifs.
Lyon, 1940-1945
(en coll. avec Bénédicte Gavand, Anne-Claire Janier-Malnoury)
Hachette Littératures, 2003

L'Histoire en débats

Laurent Douzou

La Résistance française : une histoire périlleuse

Essai d'historiographie

Éditions du Seuil

Ce livre est publié sous la responsabilité de Patrick Garcia
dans la série « L'Histoire en débats »
qu'il dirige avec Christian Delacroix et François Dosse

En couverture :

Pierre Brossollette, timbre émis en 1957,
dessiné par André Spitz (DR)
et gravé par Henry Schaeffer (DR)

Jacques Bingen et Simone Michel-Lévy, timbre émis en 1958,
dessinés par Albert Decaris (© ADAGP, Paris, 2005)
et gravés par Jean Pheulpin

Cinq martyrs du lycée Buffon, timbre émis en 1959,
dessiné et gravé par Raoul Serres (DR)

Mère Élisabeth, timbre émis en 1961,
dessiné par André Spitz (DR) et gravé par Jean Pheulpin

ISBN : 978-2-02-054112-1

Remerciements

Pour Catherine

J'exprime ma gratitude pour le concours éclairé qu'ils m'ont prêté à Jean Astruc et Anne-Marie Pathé. J'ai également pu compter sur la sollicitude de Maurice Agulhon, que je remercie vivement pour le soutien qu'il ne m'a jamais ménagé au fil des ans. Que soient aussi remerciés Claire Andrieu, Frédéric Bonnard, qui ont répondu à mes sollicitations. Je dois également beaucoup à Pierre Laborie, en compagnie de qui j'ai animé, deux années durant, un séminaire à l'EHESS où un certain nombre de pistes ont été explorées, ainsi qu'aux participants de ce séminaire auprès desquels j'ai testé certaines de mes hypothèses. Mes remerciements vont également, aux Éditions du Seuil, à Richard Figuier qui fut aux sources du projet, à Patrick Garcia et Martine Allaire qui l'ont accompagné jusqu'à son terme. Ces remerciements ne visent pas à faire subrepticement endosser ou avaliser par d'autres les positions défendues dans cet ouvrage, dont je suis seul responsable.

Introduction

> Relire indéfiniment les textes, en regardant les termes, l'organisation du récit, sa place, les échos internes. Quand on revient sans cesse sur un texte, ou bien les questions qu'on se posait se déplacent, ou bien elles deviennent pertinentes : tout d'un coup, on peut lire le texte en fonction justement de ces questions. On a alors l'impression de mieux comprendre, de voir des choses que d'autres, en les voyant, n'avaient pas mises à la même place, des choses auxquelles d'autres n'avaient pas donné la même importance [...][1].
>
> JEAN-PIERRE VERNANT

Depuis la *Bibliographie critique de la Résistance*, publiée à l'Institut pédagogique national, pour le vingtième anniversaire de la Libération, en 1964 par Henri Michel, aucun ouvrage portant sur l'historiographie de la Résistance n'avait vu le jour. Encore ce premier défrichage était-il en toute rigueur placé par son auteur sous le vocable de *bibliographie* et non sous celui d'*historiographie*. Dans les quarante ans écoulés depuis 1964, des réflexions ou synthèses de qualité, réalisées par des spécialistes de premier plan, ont cependant été proposées sous la forme d'articles ou de contributions à des colloques. En 1986, François Bédarida, alors directeur du jeune Institut d'histoire du temps présent, donnait à *Vingtième Siècle* un article en forme de bilan et de prospective[2]. En 1991, Donna Evleth publiait une bibliographie annotée relative à la France sous l'occupation allemande qui comprenait une section nourrie dédiée à la Résistance[3]. En 1994, Jean-Pierre Azéma et François Bédarida consacraient à la question un article dense dans un numéro de la revue *Esprit*[4]. Un an plus tard, Jean-Marie Guillon publiait une version remaniée de la communication fouillée qu'il avait présentée sur le sujet en 1993 lors d'un colloque tenu à Toulouse[5].

C'est assez dire d'emblée que l'histoire de la Résistance n'a pas été laissée de côté dans la montée en puissance, à dater des années 1970, des études historiographiques et des questionnements qui lui étaient liés. Entreprendre d'éclairer l'historiographie dense, inégale et complexe de la lutte clandestine menée entre 1940 et 1944 en France, c'est par voie de conséquence d'abord dire sa dette vis-à-vis de celles et de ceux qui ont œuvré pour comprendre et rendre intelligible une réalité historique qui défie volontiers l'analyse parce qu'elle ne se laisse pas si aisément ordonner. C'est aussi tenter de combler une lacune d'autant plus regrettable que le champ historiographique de la Résistance se caractérise par une masse considérable de publications qui forment un ensemble touffu au sein duquel un esprit curieux peut éprouver le plus grand mal à se mouvoir. C'est enfin mettre en évidence combien l'absence de synthèse historiographique est dommageable pour la réflexion historienne de façon générale dans la mesure où l'écriture de l'histoire de la Résistance condense en quelque sorte les écueils qui guettent toute recherche, singulièrement quand elle a trait à la période très contemporaine. Il n'existe donc toujours pas, à ce jour, d'analyse d'ensemble examinant les voies et moyens de l'élaboration de cette histoire qui n'a pourtant jamais cessé de retenir l'attention, bien au-delà du cercle étroit des spécialistes patentés.

Cet essai – c'en est vraiment un – est donc d'abord affaire de mise au point et de réflexion critique. Il s'agit de prendre la mesure et de saisir la signification d'une historiographie traversée de passion, de débats, de polémiques, tenaillée entre la nécessité de respecter une histoire où l'éthique a joué le premier rôle et l'obligation de mettre à distance et en perspective les événements qui l'ont jalonnée. Tout en tenant compte des contraintes financières propres aux droits afférents à la propriété littéraire, l'ouvrage donne la parole, selon le principe de la collection dans laquelle il vient s'insérer, aux acteurs, vivants et morts, qui l'ont modelée depuis plus de soixante ans maintenant. Parce que, comme disent les Kabyles, « citer, c'est ressusciter[6] ». Parce qu'il n'eût pas été bon de proposer une grille de lecture de cette historiographie sans que chacun fût en situation de juger sur pièces et de se forger une opinion. Il donne aussi une large place aux institutions mises sur pied pour bâtir l'histoire de la Résistance, dont le lecteur pourra penser que nous leur avons fait la part trop belle. C'est que les exemples n'abondent pas où des organes officiels ont joué un rôle aussi important dans le cheminement d'une historiographie. Cette configuration peu banale posait des questions que nous ne pouvions ni ne souhaitions éluder.

Il importe aussi de dire d'entrée de jeu ce que cet ouvrage n'est pas, à savoir une étude globale de la mémoire de la Résistance à travers les multiples canaux qui l'ont modelée. Notre propos est plus modeste en ce sens que nous avons voulu tenter d'analyser la production historiographique, en ignorant par conséquent, sauf cas d'espèce[7], des champs aussi importants que la littérature, le cinéma[8] mais aussi la vie associative et les impulsions politiques. Si on ne s'interdira pas, le cas échéant, de prendre en compte ces éléments, ils ne seront pas au premier plan de l'analyse. Comment historiens et acteurs ont-ils écrit, avec une double visée de transmission et d'élucidation, sur la Résistance ? Voilà l'objet de cette étude.

Évidemment, le survol raisonné d'une aussi abondante production supposait des choix. Mieux, il y obligeait. La vision proposée au lecteur dans cet essai traduit ces choix. Notre préoccupation a été tout à la fois de faire apparaître aussi clairement que possible les repères les plus importants du cheminement de la production historienne et d'attirer l'attention sur des écrits qui, pour être demeurés discrets, n'en sont pas moins représentatifs et révélateurs des apports et des tensions de cette histoire. De son attachante singularité aussi.

Ces choix concourent à dessiner une grille d'interprétation qui sera sûrement discutée tant il est vrai qu'aucune étude sur la Résistance n'échappe à la vigilante critique de celles et de ceux qui y prennent intérêt. La critique est d'autant plus loisible – et légitime – que la Résistance a donné lieu à quantité d'études et de récits. Dès 1964, Henri Michel répertoriait quelque 1 200 publications, se décomposant en 1 000 livres et brochures d'une part, 200 articles de revue ou de presse d'autre part. Il dénombrait alors 500 livres de souvenirs, 150 biographies « et seulement 100 études véritables, et 40 publications de documents[9] ».

Cette même année, celle du vingtième anniversaire de la Libération, la *Bibliographie annuelle de l'histoire de France* décidait d'incorporer dans sa recension les ouvrages et articles portant sur la période 1939-1945. Ses maîtres d'œuvre s'en expliquaient en des termes qui, en raison de l'impartialité historique qu'ils croyaient diagnostiquer dans la production historiographique du temps, laissent le chercheur rêveur à quatre décennies de distance :

> Vingt ans après la fin du deuxième conflit mondial, cette extension nous a semblé possible, car, avec le recul du temps, les livres tendent à l'impartialité historique[10].

Reste que nous disposons depuis lors, grâce à la *Bibliographie annuelle de l'histoire de France*, d'un remarquable instrument de mesure de l'activité éditoriale sur le champ de la Deuxième Guerre mondiale en France. Le dénombrement qu'il autorise démontre que cette activité a été intense même si les chiffres doivent être pondérés. D'abord en raison de l'hétérogénéité des publications retenues. Ainsi, dans la recension de 1964, un article d'Hervé Montjaret publié dans la *Revue de la France libre* était comptabilisé : il occupait les pages 7 et 8 du n° 148 de la revue et avait pour titre : « Une grande figure de la France libre, Jean Moulin, compagnon de la Libération »... Mais en même temps, Hervé Montjaret avait connu personnellement Moulin dans la clandestinité en travaillant sous ses ordres.

Ensuite, la *Bibliographie annuelle de l'histoire de France* ne recensait pas toutes les revues, en sorte qu'elle minora la quantité des publications : *Le Monde juif* ou *Historia* ne figurèrent pas immédiatement, par exemple, au nombre des revues dépouillées. Enfin, le laboratoire qui en assuma la charge[11] connut des vicissitudes qui fragilisèrent son travail. En 1996, le recul du nombre de références s'expliquait par la réduction de l'équipe à deux membres une partie de l'année. En 1998, rodant de « nouvelles façons de travailler », la *Bibliographie annuelle*, plus mince qu'à l'accoutumée, promettait de retrouver en 1999 « son épaisseur habituelle ».

Ces réserves faites, on ne peut manquer d'être frappé par la quantité de publications consacrées à la période 1939-1945. De 1964 à 2001 inclusivement, on dénombre plus de 11 600 publications sur la période 1939-1945. Sur ce total, plus de 3 600 dédiées à l'Occupation en général (vie quotidienne, récits de vie, journaux, etc.), 1 800 à la Libération, 1 300 à l'année 1940. Quant à la déportation, dans toutes ses composantes, elle ne représente pas plus de 620 publications. La Résistance intérieure est très au-dessus de cet étiage avec quelque 3 250 publications, soit tout de même 28 % du total. La France libre est forte d'environ 1 070 publications. Les deux Résistances fondues en une rubrique unique cumulent en conséquence 37 % de l'ensemble des parutions sur la période. Cette abondance même, qui dissimule de grandes disparités qualitatives et quantitatives, explique la difficulté de se frayer un chemin à l'intérieur d'un dédale où se côtoient l'ordinaire, le pire et le meilleur. Il fallait, au seuil de cet ouvrage, que cet écueil-là fût souligné, non à titre de sorte de mot d'excuse préventif, mais bien parce que quiconque s'aventure sur ce terrain encombré doit avoir conscience de l'humilité dont il ne doit pas se départir, mais aussi de la part d'engagement que recèle toute position de surplomb historiographique.

Comment procéder pour faciliter au lecteur l'accès à une historiographie aussi dense ? On aurait pu disséquer et dater les couches successives qui ont opéré la sédimentation de cette histoire. À une première phase, caractérisée par l'exaltation (1944-1951) puis par un reflux net (1952-1963), succéda une recrudescence des études et des témoignages (1964-1975), signe que la Résistance fonctionnait à nouveau comme un vivier de références non sans que parallèlement l'image d'une France majoritairement veule sous l'Occupation s'imposât à l'opinion, avant que l'étape de l'historisation de la Résistance fût franchie à la fin des années 1980. Cette scansion, mise en évidence de remarquable façon par Jean-Marie Guillon [12], aurait pu fournir le cadre de cette étude. Le parti que nous avons pris est différent, essentiellement parce qu'un strict découpage en périodes chronologiques nettement différenciées ignore ou minore le fait que les études historiques les plus poussées requièrent une longue phase d'élaboration. Il en résulte que le moment où elles sont portées à la connaissance d'un large public se situe très en aval de celui où elles ont été conçues et réalisées. Par exemple, le renouvellement de l'historiographie de la Résistance que de bons analystes ont observé au cours des années 1990 était dû, dans une large mesure, à des études entamées au moins durant la décennie précédente, c'est-à-dire dans une période d'apparent étiage des travaux dévolus à la Résistance. Ajoutons que, à scruter l'évolution de cette historiographie, on constate assez vite que les solutions de continuité n'ont pas constitué sa caractéristique majeure. Il y a eu de nombreux chevauchements entre les différentes générations qui ont pris la Résistance pour objet d'étude. Quant aux écrits des acteurs mués en témoins, si l'on peut y discerner, depuis la Libération, des inflexions notables, imputables à l'écoulement et à l'air du temps, ils ont souvent suivi le canevas des récits tel que la typologie s'en était élaborée au sortir de l'Occupation.

Ne pas chercher à enfermer cette historiographie dans une scansion périodique trop rigide, c'était aussi vouloir mettre l'accent sur le rôle majeur, à dire vrai central, joué dans cette historiographie par les acteurs mués en témoins. Directement ou indirectement, ils ont été au cœur du processus d'écriture de l'histoire de la clandestinité, contribuant au premier chef à la façonner. C'est là une différence fondamentale avec l'historiographie de la Grande Guerre [13], par exemple, et cette originalité a perduré, même si elle s'est affaiblie, jusqu'à ce jour : deux des ouvrages les plus stimulants récemment publiés sur la période ont eu pour auteurs Jean-Louis Crémieux-Brilhac, acteur et historien de la France libre[14], et Daniel Cordier, acteur et historien de la Résistance[15]. Comprendre pourquoi et comment les acteurs ont pesé sur l'historiographie de la Résistance, tel a été notre souci premier.

Le premier chapitre voudrait attirer l'attention sur le fait que, dès le temps de la lutte clandestine, certains de ses protagonistes engagés au cœur de la mêlée ont pensé leur action et envisagé ce que l'histoire un jour en retiendrait. Que cette histoire en train de se faire ait été soucieuse de l'histoire qu'on écrirait ultérieurement à son propos, qu'elle se soit volontiers pensée et représentée dès ce moment comme une geste épique, tout cela ne fut pas sans influence sur la façon dont, la Libération venue, on conçut ce chantier. C'est pourquoi le deuxième chapitre examine le cadre très inhabituel dans lequel on se mit au travail, celui d'une histoire précocement, activement et surtout officiellement enfantée. L'idée qui sous-tendit cette entreprise inusitée était que l'histoire clandestine menaçait de disparaître corps et biens si on n'accumulait pas prestement les éléments de sa survie mémorielle et de son élaboration scientifique, sans qu'on s'attachât à faire clairement la distinction entre ces deux aspects. Résistants, politiques et historiens professionnels étaient, en effet, mus par la conviction que cette histoire singulière ne pouvait être retracée que par celles et ceux qui l'avaient vécue et faite. Bon an mal an, cette façon de voir domina au moins jusqu'au début des années 1970. À cette date, les acteurs mués en témoins avaient pris la parole et la plume depuis la Libération, et ils multiplièrent les écrits de toutes sortes jusqu'au milieu des années 1970, sans autre souci que d'écrire au plus près de ce qu'ils avaient vécu : c'est cette production que le troisième chapitre essaie de caractériser. Parallèlement, les historiens, par ailleurs pour la plupart acteurs de la Résistance, s'étaient également mis au travail en choisissant un mode d'écriture et des approches que le quatrième chapitre décrit. Avec une belle constance, ils posèrent les fondements de l'écriture d'une histoire dont ils dirent, à de multiples reprises, qu'elle ne pourrait prendre véritablement forme avant longtemps. Dans le même temps, ils vécurent dans la hantise – ils l'écrivirent noir sur blanc – que les historiens qui leur succéderaient ne seraient pas en mesure de restituer cette épopée résistante dans toutes ses dimensions. Tiraillés entre la volonté d'amasser des matériaux et la conviction qu'eux seuls étaient à même de les agencer comme il fallait, ils cheminèrent confrontés à cette insurmontable contradiction.

Au milieu des années 1970, dans une France qui redécouvrait la complexité de la période de l'Occupation en exagérant sur un mode volontiers masochiste les turpitudes, les petites lâchetés facilement passées inaperçues ou oubliées, le bilan de trente années d'un labeur pourtant acharné fut mis en question. Quand, au début des années 1980, le Comité d'histoire de la Deuxième Guerre mondiale (CH2GM), qui avait eu la haute main sur les études consacrées à la Résistance, disparut, les doutes l'emportaient sur les certitudes. Qu'il y eût dans cette appréciation une part d'injustice, on le voit mieux à distance, quelque trente ans plus tard. Il demeure que, dans les rangs des historiens de profession, l'histoire de la Résistance fut de plus en plus suspectée d'avoir été pensée et écrite en majesté, et même, pour le dire crûment, d'avoir vu son développement entravé par le respect même qu'elle suscitait. De leur côté, les acteurs de la Résistance dirent publiquement, avec une netteté qui était nouvelle, qu'ils ne se reconnaissaient pas dans l'histoire telle qu'elle avait été écrite depuis la Libération et qu'ils n'y reconnaissaient pas davantage la réalité telle qu'ils l'avaient vécue et telle qu'ils se la remémoraient. Tandis que les questionnements sur l'État français de Vichy devenaient premiers et obsédants, le chantier de l'histoire de la Résistance parut marquer le pas. À la vérité, ses artisans s'interrogeaient, bénéficiant des nouvelles pistes qu'une histoire à dominante sociale et culturelle dessinait. Leurs approches en furent renouvelées, comme le montre le cinquième chapitre. À une conception qui privilégiait l'établissement des dates et des faits sans beaucoup s'interroger sur les registres d'écriture succéda graduellement une vision plus soucieuse de comprendre la Résistance dans l'opinion et dans les codes culturels si particuliers des années noires, dont la société clandestine était naturellement, à sa façon, partie prenante. Et puisque décidément on ne pense jamais le passé qu'à partir d'un présent qui dicte des questions pressantes, on s'intéressa à des aspects jusque-là traités conventionnellement et succinctement : les femmes, les étrangers, les Juifs trouvèrent une place plus à la mesure de leur contribution dans l'histoire pensée au cours des vingt dernières années du XXᵉ siècle.

Dans un paysage mental et social rongé par les doutes liés à un environnement économique, social et politique en profonde mutation, la Résistance ne pouvait pas ne pas être mise en question. La geste héroïque a-t-elle été écornée par ce mouvement de fond ? Il n'est pas de réponse tranchée à cette question que le sixième chapitre soumet à examen. En tout cas, c'est une Résistance plus humaine, moins intimidante en un sens, qui graduellement semble se dégager des études menées depuis les années 1980. A-t-elle perdu, de ce fait, de la beauté et de l'étrangeté que célébraient acteurs et historiens de la IVᵉ République et de la France gaullienne ? Rien n'est moins sûr. La Résistance continue d'irriter, de fasciner ou d'intriguer, c'est selon. Son histoire est à la croisée des chemins, et il serait bien présomptueux de dire, au point où nous en sommes, quel itinéraire elle empruntera. Il y a cependant fort à parier que la charge émotionnelle dont elle reste porteuse continuera à influer sur son écriture, ne serait-ce que parce que, si la génération des acteurs est en passe de disparaître, des veilleurs de mémoire prennent leur relais, qui ne sont pas moins soucieux que leurs devanciers de transmettre un héritage auquel ils sont passionnément attachés. C'est que la contemporanéité des faits historiques ne se définit pas exclusivement par leur proximité temporelle. Ainsi, Marc Bloch rapportait-il l'avertissement que lui avait donné le proviseur du lycée de Montpellier où il faisait ses premières armes de professeur : « Ici, le XIXᵉ siècle, ce n'est pas bien dangereux ; quand vous toucherez aux guerres de Religion, soyez très prudent[16]. » Il y a tout lieu de conjecturer que la Résistance appartient à ces épisodes historiques dont l'ombre portée, pour toutes sortes de raisons, continue à susciter de fortes passions longtemps, très longtemps après qu'ils ont apparemment rejoint les rangs de l'histoire révolue.

Le point de vue qui s'exprime à travers les pages que le lecteur va découvrir est celui d'un historien, né dix ans après la Libération, qui souhaiterait que l'histoire de la Résistance fût écrite de la manière la plus rigoureuse, en séparant le bon grain de l'ivraie, en se défiant des contes et légendes qui, loin de la servir, la rendent lointaine et inaccessible au commun des mortels au point qu'elle court le risque de perdre sa signification et son humanité. La rigueur ne saurait toutefois être assimilée à la cécité devant les caractères propres à une action engendrée dans des conditions telles qu'une dimension légendaire n'a cessé d'accompagner chacun de ses pas. Il faut donc bien tenter de tenir les deux bouts du fil, en alliant rigueur méthodologique et attention extrême aux représentations qui dictèrent aux résistants leur attitude. Faut-il défaire les pieuses légendes ? Sans doute. Faut-il faire fi du prestige considérable, source de légendes grandes et petites, que cette histoire, au moment où elle se frayait dangereusement et péniblement un chemin, acquit jour après jour ? En aucun cas. Le monde clos de la clandestinité, entouré de mystère, jouant du bluff comme d'une arme de premier choix, bruissant de rumeurs qu'il eût été illusoire de vouloir dissiper une fois pour toutes, constituait une étonnante caisse de résonance.

La position d'équilibre instable qui résulte de la volonté de concilier deux partis *a priori* inconciliables (la rigueur d'une part, la prise en compte des spécificités de cette histoire d'autre part) est vulnérable : ceux qui s'évertuent à la tenir peuvent apparaître comme des thuriféraires crédules ou d'incorrigibles naïfs. C'est égal. La compréhension et la restitution de cette histoire, que sa clandestinité rend particulièrement complexe, passent par un labeur exigeant mené tous sens en alerte, par un improbable alliage de rigueur et de sensibilité.

D'autant qu'en toile de fond de cette histoire se pose une redoutable question, celle de la définition même de ce qu'a été la Résistance. La question fut longtemps éludée parce qu'elle passait, comme on verra, derrière la nécessité, jugée criante par les contemporains, de travailler à sauvegarder les éléments (archives écrites, sources orales) qui permettraient un jour d'écrire cette histoire, mais aussi parce que la Résistance, au fond, apparaissait probablement, dans les années qui suivirent la Libération, comme un donné historique qui n'appelait pas d'autre définition que celle, intuitive, que chacun en avait spontanément. Il fallut attendre la première conférence internationale sur l'histoire des mouvements de Résistance, qui eut lieu en Belgique en septembre 1958, pour qu'Henri Michel esquissât, dans son rapport général introductif, une définition :

> La lutte menée d'abord clandestinement, puis au grand jour, par les peuples dont les territoires ont été occupés par les troupes de la coalition italo-germano-nippone ; cette lutte commence après qu'ont été défaites, voire détruites, les armées régulières ; elle se livre selon des méthodes qui ne sont pas celles de la guerre traditionnelle ; elle prend fin lorsque, des forces de la Résistance, ont surgi de nouvelles armées nationales qui retournent à un combat de type classique[17].

Précisant le trait, Henri Michel caractérisait la Résistance comme « une lutte patriotique pour la libération de la patrie » mais aussi, tenant compte de ce que l'occupant imposait l'application d'une doctrine niant des principes et des règles sur lesquels se fondent les civilisations, comme « une lutte pour la liberté et la dignité de l'homme, contre le totalitarisme[18] ». Volontairement large, la définition était moins succincte qu'un examen hâtif le laisserait supposer. En effet, Henri Michel voyait dans la Résistance « une attitude d'esprit qui fait désirer accomplir un acte, courir un risque », et il ne manquait pas de relever qu'elle avait été un combat clandestin et qu'elle avait pris « successivement, ou simultanément, des formes diverses[19] », insistant avec raison sur le fait qu'elle avait d'abord été « une réaction spontanée, individuelle[20] ».

Cette définition a, depuis lors, été mise en question, réexaminée et amendée. Au fur et à mesure que l'on saisissait mieux la portée du phénomène que fut la Résistance grâce à l'accumulation des travaux et à une réflexion théorique plus poussée, les enjeux que recèle sa définition ont été graduellement mieux perçus. Ma conviction, pas nécessairement partagée par tous, est qu'une approche de la Résistance qui serait et se voudrait purement et étroitement politique serait incapable de rendre compte de l'aspect multiforme que son histoire revêt. Comme d'autres, plus que beaucoup d'autres sans aucun doute, cette histoire met en jeu des représentations fortes et crée un univers mental, émotif, culturel qui ne se prête pas à une analyse en termes binaires : échec et réussite, réalité et mythe, etc. Limiter la Résistance à des approches politique (de quels projets fut-elle porteuse et avec quel [in]succès ?) ou militaire (quel fut son poids dans la Libération du pays ?), c'est laisser dans l'ombre un troisième aspect sans lequel elle demeure inintelligible : la nature même de ce phénomène, sa particularité et, par là, la nécessité de réfléchir aux outils dont on a usé et dont on doit user pour tenter de le cerner au plus près.

Il reste à dire ceci avec force au seuil de cet ouvrage : nul ne peut se targuer de connaître exhaustivement un champ aussi vaste que celui dont cet essai traite. Ai-je bien tout lu de ce qui a été publié sur la période ? Certes, non. Puis-je affirmer que ma présentation d'une historiographie foisonnante est dégagée de toute passion ? Pas davantage. Du moins ai-je eu constamment celle de comprendre[21] ; du moins, tout en essayant de traduire fidèlement les auteurs que j'évoquais, ai-je eu à cœur de clarifier mes options et mes préférences pour que le lecteur en soit averti, pour que je n'en sois pas dupe moi-même, certain que j'étais que l'anecdote rapportée par André Malraux à propos de Jung ne devrait jamais être absente de l'esprit de quiconque s'aventure, en se piquant d'objectivité, dans une entreprise aussi téméraire que celle de réfléchir à une historiographie sécrétée, jusqu'en ce début de XXIe siècle, autant par la mémoire que par l'histoire :

> Jung, le psychanalyste, est en mission chez les Indiens du Nouveau-Mexique. Ils lui demandent quel est l'animal de son clan : il leur répond que la Suisse n'a ni clans ni

totems. La palabre finie, les Indiens quittent la salle par une échelle qu'ils descendent comme nous descendons les escaliers : le dos à l'échelle. Jung descend, comme nous, face à l'échelle. Au bas, le chef indien désigne en silence l'ours de Berne brodé sur la vareuse de son visiteur : l'ours est le seul animal qui descende face au tronc et à l'échelle[22].

CHAPITRE 1

Une histoire soucieuse de son histoire (1940-1944)

Analyser l'historiographie de la Résistance, c'est d'abord constater que les soubassements en ont été posés dès la période clandestine. Les résistants ont, en effet, donné, en même temps qu'ils agissaient, leur version et leur vision de l'histoire qu'ils étaient en train de contribuer à façonner. Pour quantité de raisons, on lit rarement ces écrits pour ce qu'ils sont. Devenus introuvables de longue date quand ils ont été anciennement publiés ; confinés dans des malles privées d'où ils ne sortent qu'au prix de recherches assidues sans nécessairement éveiller l'intérêt des éditeurs ; ou alors, au contraire, trop accessibles et pâtissant d'une impression forte de déjà vu ou de déjà lu, ils passent facilement inaperçus. Joue aussi, dans cette incapacité à les lire vraiment, une raison sans cesse plus puissante au fur et à mesure que cette histoire s'éloigne temporellement de nous : il s'agit de la crainte grandissante, voire obsédante, de verser dans l'hagiographie, c'est-à-dire de renoncer à la dimension critique propre à la discipline historique à cause du sacro-saint respect, considéré dans cette optique comme paralysant, que la Résistance commanderait. Dès lors, il ne manque pas de bons apôtres pour souhaiter, publiquement ou tacitement, que vienne le temps où, selon un mot de Lucien Febvre, sur lequel on aura l'occasion de revenir, « les historiens pourront, toutes cendres refroidies, commencer à retirer sans se brûler les marrons tout cuits de la légende officielle[1] ». À cette aune, les discours, notes et écrits issus de l'univers souterrain de la Résistance vaudraient pour la beauté qu'ils exhalent, pour la passion qu'ils recèlent, pour le vécu tragique sur lequel ils lèvent le voile. Ils ne sauraient être à même de participer à l'œuvre d'élucidation de ce que fut l'expérience dont ils traitaient. Quant aux acteurs mués en témoins par l'écoulement du temps, ils finiraient par faire figure de gêneurs, d'empêcheurs de produire de la belle et bonne histoire. Ainsi s'explique peut-être que les textes du temps de la clandestinité ne soient, d'ordinaire, pas placés aux sources d'une étude sur l'historiographie de la période.

Quelles que soient les raisons pour lesquelles on tend à ignorer, à négliger ou à reléguer à la marge les écrits des clandestins, c'est un grave tort. Ils n'ont, en effet, pas été sans effets sur l'écriture de l'histoire de la Résistance, tant intérieure qu'extérieure, telle qu'elle s'est graduellement construite dès ce moment. Ils constituent bel et bien une épure de l'écriture d'une expérience historique dans laquelle ses protagonistes voyaient volontiers, par-delà tout ce qui les différenciait et même les opposait, l'accomplissement d'une geste. Ils nous disent comment les résistants se représentaient leur combat au moment où ils le menaient. Ils nous disent aussi comment ces mêmes résistants se figuraient la façon dont, un jour, on écrirait leur histoire. Que ceux-ci se soient trompés sur ce dernier point à cause des représentations qui dominaient au moment où ils furent conçus, qu'ils puissent nous paraître grandiloquents ou datés, qu'ils épousent un répertoire héroïque ou qu'ils se fassent l'écho de la banalité la plus quotidienne, un fait demeure : ils constituent un témoignage dont on ne saurait faire fi sans dommage. Ces écrits, qu'on retrouve au principe et tout au long de l'élaboration de l'historiographie de la Résistance, doivent être pris en compte ; ils constituent un mode privilégié de compréhension de la façon dont les résistants, pendant et après le combat, appréhendèrent leur propre histoire.

La légende contemporaine et constitutive de l'histoire

Témoin, le discours prononcé par Pierre Brossolette le 18 juin 1943 à l'Albert Hall de Londres à l'invitation de l'association Les Français de Grande-Bretagne pour célébrer le troisième anniversaire de l'appel du général de Gaulle. Ayant reçu, ce soir-là, pour mission de rendre hommage aux morts de la France combattante, Pierre Brossolette, après avoir fortement souligné qu'ils étaient tous des volontaires, poursuivait :

> L'histoire un jour dira ce que chacun d'eux a dû d'abord accomplir pour retrouver dans la France combattante son droit à la mort et à la gloire. Elle dira quelles Odyssées il leur aura fallu passer pour s'immortaliser dans leurs Iliades. Passagers clandestins des derniers bateaux qui se sont éloignés de la France terrassée, humbles pêcheurs franchissant sur des barques les tempêtes de la Manche, marins et coloniaux ralliant des convois ravagés par la torpille, risque-tout affrontant les Pyrénées, prisonniers évadés des camps de l'ennemi, détenus évadés des bagnes de la trahison, il a suffi qu'en ces jours de juin dont nous fêtons l'anniversaire, un homme leur ait crié : « Je vous convie à vous unir avec moi dans l'action, dans le sacrifice et dans l'espérance », pour qu'ils se lèvent tous, pour que ceux qui n'appelaient plus la mort que comme une délivrance accourent y chercher un accomplissement, et pour que d'un seul geste sortant du banal ils entrent dans le sublime[2].

« L'histoire un jour dira... » Cacique de la promotion littéraire de l'École normale supérieure en 1922, Pierre Brossolette conjuguait une solide culture classique avec une véritable formation d'historien. Rien d'étonnant à ce qu'il ait eu une conscience aiguë du fait que, tôt ou tard, l'histoire vécue dont il lui revenait d'évoquer un pan ce 18 juin 1943 deviendrait histoire écrite. L'étonnement provient de ce qu'il envisageait cette écriture à venir en puisant dans les récits mythiques de la Grèce ancienne. L'agrégé d'histoire n'empruntait pas au registre de sa spécialité d'origine. Il ne se conformait pas précisément, pour user d'un euphémisme, aux règles si clairement énoncées par les théoriciens de l'école méthodique. Il n'est jusqu'à la surprenante citation assortie de guillemets, qu'il plaçait dans la bouche de Charles de Gaulle, le 18 juin 1940, qui n'atteste cette volonté délibérée de transposition, cette espèce de souci hautain et surprenant de ne pas se laisser brider par cette valeur si prisée de ses maîtres, l'exactitude sourcilleuse. Les morts de la France combattante devenaient sous sa plume de purs et simples héros, au sens où les Grecs de l'époque classique entendaient le terme :

> Et voici maintenant que dans le ciel limpide de leur gloire, ils se parlent comme les sommets se parlent par-dessus les nuées, qu'ils s'appellent comme s'appellent les étoiles. Entrés déjà dans la légende ou réservés pour l'histoire, les morts prestigieux de Mourzouk et de Bir Hakeim répondent aux morts stoïques de la Marine marchande ; tombés sous le drapeau déployé d'El Alamein et d'El Hamma, les soldats de Leclerc et de Koenig répondent aux marins qui ont coulé, sous le pavillon haut de l'*Alysse*, du *Rennes* et du *Mimosa* ; foudroyés dans ce dixième de seconde où les yeux peuvent encore fixer les yeux de l'adversaire, les pilotes de nos groupes et de nos escadrilles répondent aux sous-mariniers du *Surcouf* et du *Narval*, à qui une lente agonie a fait attendre encore la mort après qu'ils l'eurent trouvée. Et là-bas, dans la nuit du martyre et de la captivité, la voix pathétique qui leur répond, c'est la voix des morts du combat souterrain de la France, élite sans cesse décimée et sans cesse renaissante de nos réseaux et de nos groupements, otages massacrés de Paris et de Châteaubriant, fusillés dont les lèvres closes sous la torture ne se sont descellées qu'au moment du supplice pour crier : « Vive la France ! »[3]

On fera peut-être valoir que, convié à prendre la parole dans une cérémonie solennelle et grave, Pierre Brossolette, animé par le souci de galvaniser l'énergie de ses auditeurs, pour la plupart engagés dans un combat difficile et dangereux, se faisait lyrique, ce qui était bien le moins. Ce serait faire trop bon marché de la vision de la lutte qui sous-tendait son discours ardent. Pierre Brossolette ne recourait pas par facilité ou emphase aux notions d'« Odyssées » et d'« Iliades », au terme « immortalité », pour faire surgir ces « morts prestigieux », « déjà entrés dans la légende » parce que « convoqués au banquet sacré de la mort ». Ces références étaient assurément choisies en pleine rigueur par cet esprit exigeant imprégné de culture classique qui avait dû, pour la circonstance, tourner sa plume dans l'encrier avant de finalement décider de la tremper dans le sang. Cherchant à donner à comprendre le type de combat mené en faisant ressortir ce qui pouvait fédérer tant de combattants aussi différents les uns des autres, il retrouvait comme naturellement la dimension de l'épopée et de la légende de l'Antiquité grecque. Car la légende, contrairement à ce que l'on voit affirmer aussi couramment que doctement, n'est pas nécessairement antinomique de l'histoire. Il peut même advenir qu'elle en soit partie intégrante. En sorte que, avant de décréter que l'histoire et la dimension légendaire ne font pas bon ménage, il faut en l'occurrence y regarder à deux fois. Ce que Brossolette suggérait, en 1943, c'était très précisément que les morts des Résistances intérieure et extérieure étaient entourés, en raison même des conditions dans lesquelles ils avaient disparu, d'un respect qui tenait pour une large part à la dimension légendaire que leur action avait prise chez d'autres acteurs, leurs camarades de combat, particulièrement bien placés pour mesurer pleinement le degré d'engagement, de surpassement de soi, qu'elle impliquait. Et de fait, on ne peut lire ce texte de Pierre Brossolette, qui prouve une connaissance intime des ressorts et des craintes des résistants de tous bords, sans penser à la « belle mort » de l'Antiquité grecque, telle que Jean-Pierre Vernant l'a ultérieurement décryptée :

> Pour ceux que l'*Iliade* appelle *anéres (andres)* : les hommes dans la plénitude de leur nature virile, à la fois mâles et courageux, il est une façon de mourir au combat, dans la fleur de l'âge, qui confère au guerrier défunt, comme le ferait une initiation, cet ensemble de qualités, de prestiges, de valeurs, pour lesquels, tout au long de leur vie, l'élite des *aristoi*, des meilleurs, entrent en compétition.

> Cette « belle mort » *(kalos thanatos)* [...] fait apparaître, à la façon d'un révélateur, sur la personne du guerrier tombé dans la bataille l'éminente qualité d'*ane agathos*, d'hommes valeureux, d'hommes de cœur. À celui qui a payé de sa vie son refus du déshonneur au combat, de la honteuse lâcheté, elle assure un indéfectible renom[4].

Certes, Jean-Pierre Vernant traite scientifiquement des mythes d'une époque révolue et se garde bien de sortir de son domaine de compétence. Il n'en est pas moins vrai que ce que son analyse ne dit pas explicitement, elle le suggère fortement. Pierre Brossolette et Jean-Pierre Vernant, réfléchissant à la mort au combat, établissent donc un parallèle entre deux épopées distantes de plusieurs millénaires alors même que tous deux sont mieux placés que beaucoup d'autres pour savoir que tout sépare les deux époques. Avec cinquante années de décalage, ils ont ainsi emprunté à une même veine dans leur effort commun d'intelligence pour saisir les représentations d'acteurs fortement et de leur plein gré impliqués dans des luttes à la vie à la mort. Jean-Pierre Vernant, il est vrai, n'est pas seulement spécialiste de l'anthropologie de la Grèce ancienne. Il est aussi, tout comme Pierre Brossolette, compagnon de la Libération, membre coopté d'un ordre dont le seul dénominateur commun est l'excellence dans la hiérarchie des mérites résistants. Son appartenance à la communauté souterraine des combattants, son expérience personnelle de la mort de camarades tombés à ses côtés dans la guerre clandestine, lui ont probablement soufflé la manière dont il présente l'intuition qu'il développe, mais il se trouve que cette intuition est en pleine phase avec tout ce qu'on sait des composantes et des caractéristiques de la mythologie grecque[5].

Il faut cependant y revenir. N'y avait-il pas, chez Brossolette, une grandiloquence, compréhensible et compréhensive, qui aurait haussé l'objet de son discours très au-dessus de la réalité des choses ? Sans doute pas, pour qui veut bien avoir présent à l'esprit que le conférencier à qui il revenait d'évoquer, ce 18 juin 1943, « les morts du combat souterrain de la France » rejoignit leurs rangs par son propre sacrifice peu de temps après, le 22 mars 1944. On pourrait ainsi soutenir que le résistant Brossolette a authentifié de son sang l'orateur Brossolette.

Au demeurant, ce texte était évidemment aussi une incitation à l'action, à la nécessaire poursuite d'une action. Il se voulait partie intégrante du combat en cours. En 1946, dans la transcription qu'en donnait un parent de Pierre Brossolette, René Ozouf, le discours se terminait sur une phrase qui a, depuis lors, disparu, sans doute biffée parce qu'elle pouvait paraître de faible intensité au regard de celles qui la précédaient : « Français qui êtes ici, debout pour les morts de la France combattante[6] ! » On peut imaginer le mouvement de l'assemblée attentive mais absente de la photographie prise ce jour-là qui ouvre le livre de René Ozouf. Cette phrase suggère à la fois le respect que commandent les morts et la continuité, la nécessaire continuation d'un combat.

Il faudrait pouvoir citer dans son entier le texte complexe et abouti que prononça Pierre Brossolette le 18 juin 1943. S'y donne, en effet, à voir une légende, propre aux combattants, en train de se constituer parallèlement à la lutte qu'ils mènent. Dominée par la haute stature d'un de Gaulle déjà érigé en légende vivante[7], la France combattante a dès ce moment ses figures emblématiques. Brossolette cite Honoré d'Estienne d'Orves, Gabriel Péri, mais aussi le père Savey et le lieutenant Dreyfus, dont il se borne à préciser qu'ils sont « compagnons de la même Libération ». Les deux premiers sont, aujourd'hui encore, connus et identifiés comme des hommes de la première rébellion, morts en héros sous les balles allemandes, éminents représentants des Résistances gaulliste et communiste. Le père Savey et le lieutenant Dreyfus, leurs pairs en juin 1943, ont été ensevelis dans l'oubli[8]. Seuls peut-être leur appartenance à la mince cohorte des récipiendaires de la croix de la Libération et le fait que Brossolette ait cité leurs noms pourraient les préserver d'une amnésie pleine et entière. Reste que, le 18 juin 1943, ils étaient suffisamment connus pour que Brossolette n'ait pas éprouvé le besoin de les présenter à ses auditeurs, qui partageaient avec lui une commune appartenance à une troupe qui demeurait encore peu nombreuse. S'appuyant sur quelques individualités mortes héroïquement, sur quelques hauts faits d'armes, sur le combat souterrain mené en France occupée – que Brossolette citait *in fine* dans une gradation voulue –, une sorte de légende s'était forgée. Elle participait intimement du type de lutte qui avait cours. Prendre en compte cette réalité, c'est se défier de l'idée séduisante selon laquelle le mythe et la légende auraient commencé leur œuvre une fois la libération du territoire français entamée. La vision héroïsée de l'action résistante n'a pas vu le jour avec le discours, resté fameux, du général de Gaulle, le 25 août 1944, à l'Hôtel de Ville de Paris :

> Paris ! Paris outragé ! Paris brisé ! Paris martyrisé ! mais Paris libéré ! libéré par lui-même, libéré par son peuple avec le concours des armées de la France, avec l'appui et le concours de la France tout entière, de la France qui se bat, de la seule France…

À bien y regarder, ce que le chef du gouvernement provisoire de la République française énonçait, ce jour-là, c'était effectivement la thèse d'une France unanimement résistante. Il n'établissait aucun lien de synonymie entre cette unanimité et un héroïsme qui aurait été aussi largement partagé. Pour preuve, il décida de sa propre initiative de clore définitivement la liste des compagnons de la Libération, en janvier 1946, à 1 038 individualités[9]. Si toute la France était donc présumée avoir pris part aux combats au cours des semaines de la Libération, toute la France ne s'était pas montrée héroïque durant les années de l'Occupation. Le général de Gaulle maintint cette distinction essentielle entre un état d'esprit potentiellement résistant et une action fermement et héroïquement conduite jusque dans l'expression de ses dernières volontés en demandant qu'il n'y eût « aucun emplacement réservé pendant la cérémonie [d'inhumation], sinon à [sa] famille, à [ses] compagnons, membres de l'ordre de la Libération, au conseil municipal de Colombey[10] ».

Au demeurant, la réflexion menée par les membres de la France combattante n'avait pas seulement trait au versant héroïque de leur lutte. L'épopée évoquée par Brossolette, le 22 septembre 1942 sur les antennes de la BBC, mêlant d'un même mouvement les combats menés « à ciel ouvert » et ceux qui avaient lieu « dans l'obscurité pathétique des cales », n'était qu'une facette d'une réalité composite et complexe :

> La gloire est comme ces navires où l'on ne meurt pas seulement à ciel ouvert mais aussi dans l'obscurité pathétique des cales. C'est ainsi que luttent et que meurent les hommes du combat souterrain de la France.

Si une vision légendaire prit graduellement corps au fil de l'action combattante au point de s'incarner dès 1943 dans quelques hauts faits d'armes et dans quelques noms, nul n'avait prévu ce phénomène dans les débuts tâtonnants et difficiles de la Résistance. Fermement décidés à se battre et à témoigner ainsi du refus de la résignation à la défaite, les premiers Français libres ne pensaient pas leur engagement en des termes héroïques. Témoin, cette notation de Claude Bouchinet-Serreulles couchée dans son journal à la date du dimanche 3 novembre 1940 :

> Un télégramme nous annonce la création par décret d'un ordre de la Libération. Consternation générale. Ne sommes-nous pas des volontaires et des rebelles ? Certains malveillants n'hésitent pas à dire que de Gaulle, si heureux en Afrique, joue les Malikoko, roi des nègres. Qu'il se prépare à distribuer des médailles, il ne manquait plus que cela ! Va-t-on sombrer dans le ridicule[11] ?

De la protestation ordinaire à la vision épique

Les textes émanant de résistants n'ont, en effet, pas toujours eu cette tonalité épique sur laquelle les discours talentueux et inspirés de Pierre Brossolette invitent à mettre l'accent. Loin s'en faut. De l'époque, si difficile à cerner, des origines de la Résistance, quand elle n'était encore qu'un sursaut moral peu sûr de lui-même et esseulé, les rares écrits qui soient parvenus jusqu'à nous se caractérisent par leur simplicité, celle de la forme comme celle du propos. Par exemple, les *Conseils à l'occupé* de Jean Texcier, rédigés et diffusés dans l'été 1940 à Paris, martelaient, parce que la chose n'allait pas de soi, la nécessité urgente d'un comportement qui restât digne à l'égard des occupants. Qu'on en juge à la lecture de ces quelques préceptes qui rendent bien compte de l'esprit qui animait leur auteur, rédacteur solitaire dont la plume courait sans doute au gré de scènes vues, transposées ou imaginées :

> 5. Si au café, ou au restaurant, il tente la conversation, fais-lui comprendre poliment que ce qu'il va te dire ne t'intéresse pas. [...]
> 7. S'ils croient habile de verser le défaitisme au cœur des citadins en offrant des concerts sur nos places publiques, tu n'es pas obligé d'y assister. Reste chez toi, ou va à la campagne écouter les oiseaux.
> 8. Depuis que tu es « occupé », ils paradent en ton déshonneur. Resteras-tu à les contempler ? Intéresse-toi plutôt aux étalages. C'est bien plus émouvant, car, au train où ils emplissent leurs camions, tu ne trouveras bientôt plus rien à acheter.
> 9. Ton marchand de bretelles a cru bon d'inscrire sur sa boutique : *Man spricht deutsch ;* va chez le voisin, même s'il paraît ignorer la langue de Goethe. [...]
> 12. Si la nécessité veut que tu t'adresses à une de ces sentinelles de bronze qui veillent aux Kommandanturs, ne te crois pas tenu de te découvrir, comme je l'ai vu faire. Porte sobrement l'index à la hauteur du couvre-chef. Sais ménager tes grâces. [...]
> 15. Abandonné par la T.S.F., abandonné par ton journal, abandonné par ton parti, loin de ta famille et de tes amis, apprends à penser par toi-même. Mais dis-toi que, dans cette désolation entretenue, la voix qui prétend te donner du courage est celle du Dr. Goebbels. Esprit abandonné, méfie-toi de la propagande allemande ! [...]
> 32. En prévision des gaz, on t'a fait suer sous un groin de caoutchouc et pleurer dans des chambres d'épreuves.
> Tu souris maintenant de ces précautions.
> Tu es satisfait d'avoir sauvé tes poumons. Sauras-tu maintenant préserver ton cœur et ton cerveau ?
> Ne vois-tu pas qu'ils ont réussi à vicier l'atmosphère que tu respires, à polluer les sources auxquelles tu crois pouvoir encore te désaltérer, à dénaturer le sens des mots dont tu prétends encore te servir ?
> Voici venue l'heure de la véritable *défense passive.*
> Surveille tes barrages contre leur radio et leur presse.

> Surveille tes blindages contre la peur et les résignations faciles. Surveille-toi.
> 33. Inutile d'envoyer tes amis acheter ces *Conseils* chez le libraire.
> Sans doute n'en possèdes-tu qu'un exemplaire et tiens-tu à le conserver.
> Alors, fais-en des copies que tes amis copieront à leur tour.
> Bonne occupation pour des occupés[12].

À mille lieues de tout héroïsme, ces *Conseils* portaient encore la marque du traumatisme de la défaite. Se tenir dignement, garder son quant-à-soi, ne pas se montrer servile vis-à-vis des Allemands, c'est tout ce à quoi ils invitaient leurs lecteurs. Ce programme d'action apparemment banal, voire insignifiant, commandait cependant que chacun émergeât en conscience pour se déprendre de l'accablement suscité par le désastre, que chacun se surveillât, que chacun prît de fermes résolutions. C'était modeste mais essentiel. Hormis quelques vagues références à une déconfiture ultérieure des occupants impressionnants de cet été 1940, les *Conseils* restaient muets sur l'avenir. La seule allusion nette au futur disait la frustration profonde de l'auteur :

> 11. Devant le marivaudage d'une de ces femmes que l'on dit honnêtes, avec un de tes occupants, rappelle-toi qu'au-delà du Rhin cette jolie personne serait publiquement fouettée. Alors, en la détaillant, repère soigneusement la tendre place, et savoure d'avance ton plaisir.

Pour le reste – mais ce n'était déjà pas si mal à aussi courte distance chronologique et psychologique de la cuisante défaite du printemps 1940 –, était susurrée l'idée qu'il y aurait des lendemains meilleurs sans que la chose fût précisée, et pour cause :

> 21. Étale une belle indifférence : mais entretiens secrètement ta colère. Elle pourra servir.

Avec plus d'un demi-siècle de recul, on peut s'étonner que ces *Conseils*, qui exaltaient la dignité, de peur que la population ne se vautrât dans une attitude toute de complaisance vis-à-vis de l'ennemi vainqueur, aient eu, dans l'instant comme plus tard, un si grand écho. Et pourtant, l'effet que produisit cette sorte d'hymne à la dignité n'est pas douteux. En témoigne la réaction d'Agnès Humbert, qui, membre de la petite équipe dirigeante du réseau du musée de l'Homme, précocement et résolument engagée dans une action résistante, relate ainsi l'impression que fit sur elle ce tract qui lui avait été « prêté » et qu'elle avait recopié séance tenante :

> Les rédacteurs des *33 Conseils à l'occupé* sauront-ils jamais ce qu'ils ont fait pour nous, et sans doute pour des milliers d'autres ? L'étincelle dans la nuit... Nous sommes sûrs maintenant de ne pas être seuls. Il y a d'autres gens qui pensent comme nous[13]...

Comment interpréter le gouffre séparant les thèmes développés par Jean Texcier des visions brûlantes de Pierre Brossolette ? Pour comprendre ce hiatus, il faut penser à la maturation de la Résistance dans un laps de temps extrêmement court. Au laborieux travail de reconquête entrepris dans l'été 1940 avaient fait place, trois ans plus tard, l'héroïsation de faits d'armes connus et inconnus et aussi une véritable réflexion sur la signification profonde de tant de sacrifices.

Les rebelles animés d'un esprit de sacrifice qui se définissait bien comme tel avaient à la fois affirmé bien haut leur volonté de se mesurer à la mort et montré qu'ils étaient déterminés à traduire ces paroles en actes. Les exemples abondent de cette mise en conformité des actes avec les paroles. Ainsi, le 23 février 1941, était inaugurée à Brazzaville, par le général de Larminat, l'école militaire Colonna-d'Ornano, destinée à accueillir des jeunes partis de France pour rejoindre l'Afrique française libre et reprendre le combat. Après une messe célébrée à la mémoire des morts sur le champ de bataille, les élèves défilèrent. Edgar de Larminat fut reçu dans la salle de réunion des élèves par le capitaine Béghin, commandant l'école. L'élève aspirant Dargent lui adressa cette allocution :

Mon Général,

Vous avez devant vous des hommes dont l'âme a enduré des épreuves dures et pénibles.
Pour la plupart, nous avons connu l'immense tristesse de l'étrave d'un navire jaillissant de l'écume, d'un grand départ, côtes de France s'éloignant à l'horizon.
Tous nous avons connu l'au-revoir moral à la France.
Nos âges sont dissemblables. Nos formations intellectuelles visaient à des buts différents. Nos vies furent dans le passé infiniment diverses.
Mais nous n'avons tous qu'un âge : celui dont nous ont marqué les épreuves passées. Nous n'avons plus qu'un but : servir. Nos vies suivront dans le futur des voies parallèles.
Nos corps sont prêts, nos âmes ont été modelées, taillées rudement par les chocs subis. Elles n'en ont acquis que de la fermeté.
La France peut nous demander beaucoup. Nos âmes comme nos corps répondront d'un élan pur, réfléchi, conscient, aux efforts demandés.
Nous sommes des jeunes qui ont une haute ambition : former une vieille garde.
Nous n'avons pas peur du danger : nous l'avons prouvé et saurons le prouver encore.
Nous n'avons pas peur des responsabilités. Cela encore nous voulons le prouver ; souvent, mon Général.
Car nous savons tous que ceux d'entre nous qui deviendront officiers, s'ils pourront espérer un peu de respect, auront surtout les sérieux devoirs du travail, de la patience, de l'ardeur, du courage, et la charge importante des lourdes responsabilités.
Les leçons d'une France blessée, l'admirable exemple de nos alliés et amis anglais nous aident puissamment dans la compréhension de nos devoirs actuels et futurs.
Nous ne sommes ni des surhommes ni des saints, mais nos devoirs envers notre Patrie, envers nos amis britanniques, envers nos chefs, envers nous-mêmes enfin, nous hausseront au-dessus de ce que nous fûmes.
Nous ne faillirons pas à nos devoirs.
Nous verrons un jour la proue de notre navire dirigée vers la France. Nous arracherons à nos ennemis et par les armes et par la force souveraine d'une volonté indestructible, les bonheurs qu'ils nous ont ravis.

> Nous partirons et prendrons chaque joie d'assaut.
> De victoires en victoires, nous parviendrons au bonheur suprême de la résurrection et de la pureté de la France.
> Action, sacrifice, espérance.
> Mon Général, mettez-nous à l'épreuve[14].

L'élève aspirant Dargent tomba à Bir Hakeim, authentifiant ainsi de son sang, comme Brossolette bien que dans un autre esprit et sur un autre théâtre d'opérations, le discours qu'il avait tenu.

Comment écrire sur la Résistance ?

Au fur et à mesure que le combat souterrain se déployait, il fut dépeint par des auteurs intellectuellement engagés dans la lutte et qui entendaient la célébrer en même temps qu'ils la caractérisaient. Tel était bien le cas de Joseph Kessel avec *L'Armée des ombres*. Achevé à Londres en septembre 1943, le roman ne se composait, écrivait Kessel dans sa préface, que de « faits authentiques, éprouvés, contrôlés et pour ainsi dire quotidiens. Des faits courants de la vie française[15] ». Visant « la simplicité de la chronique, l'humilité du document », il voulait « que tout fût exact et, en même temps, que rien ne fût reconnaissable[16] ». Tenu de transposer les anecdotes qui lui avaient été rapportées, pour ne pas mettre en péril la sécurité de ceux dont il relatait les faits et gestes, Kessel se heurtait à une difficulté plus redoutable encore, celle de sa « misère d'écrivain devant le cœur profond du livre, devant l'image et l'esprit du grand mystère merveilleux qu'est la Résistance française[17] ». Point de mythe, point de légende, mais un « grand mystère merveilleux », ce qui revenait au même. Comment peindre un phénomène de cette nature ? Là était bien la question technique, esthétique et ontologique.

Pour y répondre, Kessel choisit de présenter la Résistance sous ses multiples facettes, dans tous ses états en quelque sorte, en composant son récit d'éclats de réalité vus à travers un kaléidoscope. À lire attentivement les bribes de parcours individuels que le romancier restituait, il ne fait aucun doute qu'il avait puisé aux meilleures sources, c'est-à-dire aux récits recueillis de la bouche même des résistants arrivant à Londres de la France occupée. Ainsi, les arrestations qui, à Lyon en mars 1943, frappèrent l'état-major de « l'Armée secrète » sont décrites avec un luxe de détails qui permettent de les reconnaître sans l'ombre d'une hésitation. De même, Mathilde, qui se fait « passer pour la maîtresse enceinte de Lemasque », ressemble-t-elle à s'y méprendre à Lucie Aubrac. Et cependant, Kessel n'a nullement cherché à coller au plus près de la réalité clandestine. Le romancier en a saisi des fragments qu'il a recomposés à sa guise, laissant par exemple une large place au monologue intérieur que Philippe Gerbier poursuit et élabore à travers les notes qu'il couche sur le papier :

> Je veux, quand j'en aurai le loisir, tenir note quelque temps des faits que peut connaître un homme placé par les événements à un bon poste d'écoute de la résistance. Plus tard, avec le recul, ces détails accumulés feront une somme et me permettront de former un jugement.
> Si je survis[18].

« Plus tard, avec le recul… » Kessel n'était pas moins soucieux que Brossolette de la façon dont on écrirait dans le futur l'histoire clandestine dont il s'évertuait, au cœur du combat en train de se livrer, à préserver quelques détails qui, accumulés, feraient une somme. Cette idée de stratifications de détails sauvegardés débouchant sur une somme était déjà dans l'air en 1943 et devait, on y reviendra, faire sa route à la Libération et dans les années qui suivirent. Le tableau que Kessel brossait par petites touches successives et impressionnistes était de tonalité héroïque. Mais l'héroïsme ici était quotidien, partagé entre des gens hors du commun et nantis du statut de chef – Gerbier, Jardie, Mathilde – et des gens ordinaires qui risquaient leur vie dans l'anonymat le plus complet. Un véritable héroïsme, quand bien même il ne se payait pas de mots, ni ne prenait la pose.

Même vision chez le capitaine Alexandre, chef du secteur de l'Armée secrète Durance-Sud, puis chef départemental pour les Basses-Alpes de la section Atterrissage parachutage de la région 2, le poète René Char, qui, dans l'action, noircit ses *Feuillets d'Hypnos*, notes « écrites dans la tension, la colère, la peur, l'émulation, le dégoût, la ruse, le recueillement furtif, l'illusion de l'avenir, l'amitié, l'amour ». Il s'y fait l'écho, avec cette simplicité propre aux habitants taciturnes de cette Provence où il avait pris ses quartiers de Résistance, d'une solidarité sans failles :

> J'ai toujours le cœur content de m'arrêter à Forcalquier, de prendre un repas chez les Bardouin, de serrer les mains de Marius l'imprimeur et de Figuière. Ce rocher de braves gens est la citadelle de l'amitié. Tout ce qui entrave la lucidité et ralentit la confiance est banni d'ici. Nous nous sommes épousés une fois pour toutes devant l'essentiel[19].

Autre illustration de l'évocation poétique d'une Résistance silencieuse et unanime, ce témoignage – pris sur le vif – de l'encerclement de Cereste, petit village de Haute-Provence, où le chef de maquis René Char, dont la tête était mise à prix, avait trouvé refuge :

> Le boulanger n'avait pas encore dégrafé les rideaux de fer de sa boutique que déjà le village était assiégé, bâillonné, hypnotisé, mis dans l'impossibilité de bouger. Deux compagnies de SS et un détachement de miliciens le tenaient sous la gueule de leurs mitrailleuses et de leurs mortiers. Alors commença l'épreuve.
> Les habitants furent jetés hors des maisons et sommés de se rassembler sur la place centrale. Les clés sur les portes. Un vieux, dur d'oreille, qui ne tenait pas compte assez vite de l'ordre, vit les quatre murs et le toit de sa grange voler en morceaux sous l'effet d'une bombe. Depuis quatre heures j'étais éveillé. Marcelle était venue à mon volet me chuchoter l'alerte. J'avais reconnu immédiatement l'inutilité d'essayer de franchir le cordon de surveillance et de gagner la campagne. Je changeai rapidement de logis. La maison inhabitée où je me réfugiai autorisait, à toute extrémité, une résistance armée efficace. Je pouvais suivre de la fenêtre, derrière les rideaux jaunis, les allées et venues nerveuses des occupants. Pas un des miens n'était présent au village. Cette pensée me rassura. À quelques kilomètres de là, ils suivraient mes ordres et resteraient tapis. Des coups me parvenaient, ponctués d'injures. Les SS avaient sur-

> pris un jeune maçon qui revenait de relever des collets. Sa frayeur le désigna à leurs tortures. Une voix se penchait hurlante sur le corps tuméfié : « Où est-il ? Conduis-nous », suivie de silence. Et coups de pied et coups de crosse de pleuvoir. Une rage insensée s'empara de moi, chassa mon angoisse. Mes mains communiquaient à mon arme leur sueur crispée, exaltaient sa puissance contenue. Je calculais que le malheureux se tairait encore cinq minutes, puis, fatalement, il *parlerait*. J'eus honte de souhaiter sa mort avant cette échéance. Alors apparut jaillissant de chaque rue la marée des femmes, des enfants, des vieillards, se rendant au lieu de rassemblement, suivant un *plan concerté*. Ils se hâtaient sans hâte, ruisselant littéralement sur les SS, les paralysant « en toute bonne foi ». Le maçon fut laissé pour mort. Furieuse, la patrouille se fraya un chemin à travers la foule et porta ses pas plus loin. Avec une prudence infinie, maintenant des yeux anxieux et bons regardaient dans ma direction, passaient comme un jet de lampe sur ma fenêtre. Je me découvris à moitié et un sourire se détacha de ma pâleur. Je tenais à ces êtres par mille fils confiants dont pas un ne devait se rompre.
> J'ai aimé farouchement mes semblables cette journée-là, bien au-delà du sacrifice[20].

Ce que résister veut dire

Dans un texte écrit et publié clandestinement dans *Les Cahiers de la Libération* en février 1944, Jean Paulhan choisissait de livrer la quintessence de ce qui faisait, selon lui, la Résistance française. Il le faisait sans effets de manches, sans enflures rhétoriques, sans aucune indulgence non plus, y compris pour les résistants, à commencer par lui-même. Ce texte, niché au cœur d'une publication clandestine, peut nous aider à comprendre dans quel horizon mental s'inscrivait la Résistance :

> L'Abeille
>
> Si nous avions été occupés (comme on dit poliment) par des Suédois, il nous resterait du moins un pas de danse, un goût des rubans jaune et bleu ; par des Javanais, une façon

d'agiter les doigts ; par des Hottentots, des Italiens et des Hongrois, il nous resterait une chanson, un sourire, une petite secousse de tête. Enfin, l'une de ces manières absurdes qui ne veulent rien dire de précis – qui signifient simplement qu'on est content de vivre, qu'on préfère ça à ne pas vivre du tout, et qu'il est amusant (en particulier) d'avoir un corps dont on peut tirer tant de fantaisie.

Mais d'eux, chacun voit bien qu'il ne nous restera rien. Pas un chant, pas une grimace. Même le gosse de la rue ne songe pas à imiter le pas de l'oie. Dans le métro qui est devenu, avec l'épicerie, notre façon de vivre en commun, ils ne bousculent jamais personne, comme il nous arrivera, hélas, de le faire encore. Ils ramassent même les paquets qu'une étourdie laisse tomber. Pourtant, ils ne nous donnent pas envie de ramasser les paquets. Ils ne sont pas animés. Ils auront passé comme un grand vide. Comme s'ils étaient déjà morts. Seulement cette mort, ils la répandent autour d'eux. C'est même la seule chose qu'ils sachent faire.

Qu'ils nous semblent à ce point transparents, on dit parfois que c'est un effet de notre dignité. Je voudrais bien. Je vois dans les livres (des meilleures éditions) qu'une honnête Française peut abriter six mois dans sa maison l'occupant le plus noble (et même devenir vaguement amoureuse de lui) sans lui dire une seule fois bonjour. Mais il s'agit sans doute d'une Française exceptionnelle. Moi, je ne me sens pas si digne (ni si vite amoureux). Puis, les Français, en général, n'ont pas été si dignes.

Il ne faut pas oublier que la France, en principe, ne se bat pas. C'est une sorte de pays neutre, dont la capitale est Vichy. Et nous ne nous gênons pas – heureusement ! – pour dire des gens de Vichy la vérité : c'est qu'ils sont des salauds. N'empêche que nous sommes vaguement solidaires d'eux : il y a, en chacun de nous, une part qui – à regret – les comprend ; qui ne les tient pas pour de purs et simples fous : qui va parfois jusqu'à se demander si Vichy n'a pas été une ruse pour sauver l'Algérie, et Pétain un monstre d'astuce (et se reproche aussitôt de se l'être demandé) ; qui se trouve forcée d'ailleurs de tenir compte d'eux. Puisque celui d'entre nous qui se bat, c'est sans y être obligé. C'est avec tout le mérite et la pure grandeur du soldat (que les guerres officielles risquaient de nous cacher).

> Donc, celui du moins qui ne se bat pas accepterait de s'amuser (s'ils étaient amusants). De s'instruire (s'ils nous apprenaient quoi que ce soit). Mais on voit que de ce côté-là aussi (dont il n'y a pas à être fiers) nous sommes déçus. Que tout se passe comme s'ils étaient déjà des morts. Mais – j'y reviens – c'est une mort qu'ils nous communiquent. Quand j'étais enfant, je m'étonnais (comme tous les enfants) de trouver dans les éphémérides beaucoup plus de morts que de naissances. L'explication – mais l'on n'y songe que plus tard – est évidemment qu'il est rare, les rois exceptés, que l'on soit très connu à sa naissance ; au lieu qu'un homme célèbre, il ne lui reste plus qu'à mourir. J'avais aussi le sentiment que tout cela venait de changer, le monde était plutôt aux naissances. On mourrait beaucoup moins.
> C'est là un sentiment absurde ; je crois cependant que je l'ai vaguement conservé, qu'il est commun, qu'il entre pour sa part dans la douleur d'un temps où nous apprenons chaque mois la mort de quelque ami. L'un tenait le maquis, on a retrouvé son corps, dans un champ, déjà gonflé. Un autre faisait des tracts, un autre encore transmettait des notes : ils ont été troués de balles, quand ils chantaient. D'autres ont souffert, avant la mort, des tortures qui passent en horreur les souffrances du cancéreux et du tétanique.
> Et je sais qu'il y en a qui disent : ils sont morts pour peu de chose. Un simple renseignement (pas toujours très précis) ne valait pas ça, ni un tract, ni même un journal clandestin (parfois mal composé). À ceux-là il faut répondre :
>
> *C'est qu'ils étaient du côté de la vie. C'est qu'ils aimaient des choses aussi insignifiantes qu'une chanson, un claquement des doigts, un sourire. Tu peux serrer dans ta main une abeille jusqu'à ce qu'elle étouffe. Elle n'étouffera pas sans t'avoir piqué. C'est peu de chose, dis-tu. Oui, c'est peu de chose. Mais si elle ne te piquait pas, il y a longtemps qu'il n'y aurait plus d'abeilles*[21].

Ce texte ne sonnait pas seulement juste, il décrivait – sciemment ou non – une expérience qu'avaient connue les imprimeurs arrêtés début décembre 1943 alors qu'ils achevaient la fabrication du premier numéro des *Cahiers de Libération*, cette même revue clandestine qui publia dans son numéro trois « L'Abeille ». L'imprimeur Eugène Groullier, sa femme, les ouvriers Louis Radix, Yvan Borel et madame Laffargue furent déportés. Seuls Eugène Groullier et Marie-Louise Laffargue revinrent de déportation.

De Brossolette, héraut de la Résistance héroïque, à Jean Paulhan, observateur critique des comportements et des pensées intimes des clandestins tout en proclamant sans ambages la nécessité de leur combat, la réflexion sur la lutte qui était en cours n'a jamais cessé. Vue de l'Olympe ou considérée au ras de la quotidienneté la plus apparemment ordinaire, l'activité résistante fut toujours conçue comme une épopée chargée d'une signification que ses instigateurs seuls pouvaient réellement décrypter. Ce sentiment très fort de participer à un combat sortant de l'ordinaire s'accommodait du caractère apparemment insignifiant – mais mortifère – de certaines attitudes résistantes, ce que Paulhan a dit mieux que quiconque.

Il est advenu aussi que certains acteurs livrent leurs pensées les plus intimes sur leur vécu résistant dans des textes à visée testamentaire. Ainsi de Jacques Bingen, engagé dans la France libre dès juillet 1940, en charge de sa marine marchande avant de demander à être affecté au Bureau central de renseignement et d'action (BCRA), dont il devint chef de la section non militaire. Brûlant d'effectuer une mission en France, il obtint finalement le feu vert tant attendu. À la veille de son départ, il écrivit deux lettres. La première, à destination de ses amis, datée du 14 août 1943, était tout à fait dans l'esprit des paroles prononcées par Brossolette deux mois plus tôt à peine :

> Si cette enveloppe est ouverte, c'est que je serai mort pour la France et pour la cause de la liberté. Je désire que mes amis sachent que je suis tombé en mission volontaire. C'est la pensée de mes amis qui a dicté mon choix, amis de toujours, prisonniers ou déportés en Allemagne, amis anciens et nouveaux déjà tombés en France sur le front intérieur ou y poursuivant un combat dangereux et inégal où je crois pouvoir les aider[22].

La deuxième lettre, adressée à sa mère et rédigée le 15 août, revêtait, elle aussi, le caractère d'un véritable testament moral et martelait les mêmes thèmes :

> Ceci n'est pas une lettre gaie puisque si tu la lis, c'est que, comme mon frère il y a vingt-sept ans, je serai mort au combat, accomplissant comme lui autrefois ce que je sais être le devoir. Comme lui, je pars volontaire et cela, je veux que tu le saches bien et le dises à chacun. Je trahirais l'idéal pour lequel j'ai quitté la France en juin 1940 si je restais à Londres, assis dans un fauteuil jusqu'à la victoire, et je trahirais mon devoir si j'abandonnais dans d'autres conditions que je ne le fais le poste que j'occupe ici. Je veux lutter dangereusement pour les idéaux de liberté qui, tu le sais, m'ont toujours inspiré. J'ai acquis dans l'épreuve un amour de la France plus fort, plus immédiat, plus tangible que tout ce que j'ai éprouvé autrefois, quand la vie était douce et, somme toute, facile. Et voici que mon départ, par une chance inattendue, peut servir la France autant que celui de beaucoup de soldats… Enfin, accessoirement, j'ai la volonté de venger tant de juifs torturés et assassinés par une barbarie dont l'histoire n'offre pas de précédents. Il est bien qu'un juif de plus – il y en a tant déjà, si tu savais ! – prenne sa part entière dans la libération de notre patrie[23]…

Parti en mission, immergé en clandestinité, investi des plus hautes responsabilités, Jacques Bingen éprouva le besoin d'écrire une troisième lettre, le 14 avril 1944, qui démontre que l'exaltation évoquée par Brossolette n'était pas une chimère :

> J'écris ce soir ces quelques pages parce que, pour la première fois, je me sens réellement menacé, et qu'en tout cas les semaines à venir vont apporter, sans doute au pays tout entier, et certainement à nous, une grande, sanglante et, je l'espère, merveilleuse aventure.
> Au cas où, après la libération, je ne pourrais me faire entendre, je veux que ce papier apporte à quelques-uns le « point » de quelques-unes de mes réflexions récentes ou actuelles. […]
> Je désire, *sur le plan moral*, que ma mère, ma sœur, mes neveux, ma nièce – celle-ci le sait déjà et en sera témoin – ainsi que mes amis les plus chers, *hommes et femmes*, sachent bien combien j'ai été *prodigieusement heureux* durant ces derniers huit mois.
> Il n'y a pas un homme sur mille qui pendant huit jours de

> sa vie ait connu le bonheur inouï, le sentiment de plénitude que j'ai éprouvé en permanence depuis huit mois. Aucune souffrance ne pourra jamais retirer l'acquis de la joie de vivre que je viens d'éprouver si longtemps. [...] Que Sophie [Claude Bouchinet-Serreulles] aussi sache que son amitié, l'homme d'action et de caractère qu'il s'est révélé à moi – de façon constante et sans une faille en six mois – a beaucoup contribué à ma vision heureuse de cette paradisiaque période d'enfer[24].

Arrêté le 13 mai suivant, Jacques Bingen se donna la mort en croquant la pilule de cyanure qu'il portait sur lui. Les textes que nous venons de citer ont par conséquent été, comme d'autres, authentifiés par la fin qu'il a lui-même choisie. Ils sont essentiels en ce qu'ils font toucher du doigt, comme ceux de Brossolette, la manière très particulière dont les clandestins volontaires percevaient leur vie souterraine. Or, cette façon de voir fut loin d'être sans incidences sur le mode d'écriture de cette histoire tel qu'on le pensa au sortir de l'Occupation. C'est une vision qui dilatait le temps résistant, qui suggérait une coupure avec le monde d'avant la Résistance et qui cherchait à dire un vécu d'une densité sans équivalent en temps de paix. On aura noté que, pour évoquer l'avant-guerre, après tout fort proche, Bingen utilisait l'adverbe « autrefois ». Dans tous les sens du mot, la temporalité de la clandestinité n'était pas celle qui prévalait en temps de paix. La profondeur des changements intervenus avec la guerre et l'intensité de la vie clandestine reléguaient très loin toutes les références en vigueur dans la France d'avant-guerre.

Il était exceptionnel que quelqu'un laissât, comme Bingen, une sorte d'état des lieux au seuil d'une mort plausible mais nullement certaine. Un autre cas d'écrit parvenu à nous par-delà la mort a été exposé par François Maspero. En février 2001, alors qu'il venait de mettre la dernière main à un texte concernant son père, il prenait, sans avoir fait quoi que ce soit pour cela, connaissance d'un texte que celui-ci avait écrit au camp de Buchenwald cinquante-six ans plus tôt, le 19 janvier 1945. Henri Maspero avait rédigé ce texte pour contribuer à un cahier réunissant des souvenirs dont un détenu avait eu l'idée. Conçu au camp, ce message était ainsi libellé :

> Un cauchemar, mais un cauchemar dont nous ne sommes pas encore éveillés et où une fantaisie sadique continue à se donner libre carrière, telle est mon impression la plus ordinaire de Buchenwald : souffrances, mais non sans quelque irréalité. Mais bientôt le réveil viendra, le bagne ouvrira ses portes. Nous qui aurons survécu parfois autant par chance que par force de caractère, aurons-nous encore un souvenir pour les camarades restés sur la route, la longue voie douloureuse, parfois amis anciens, plus souvent amis de quelques mois (mais amis éprouvés à un tel feu qu'ils semblent avoir été amis de la vie entière), plus souvent encore inconnus, mais tous un moment amis dans la même foi avant, dans les mêmes souffrances après ? Un recueil comme le vôtre, il faudrait que chacun en eût un, au moins dans la mémoire, dont nous feuilletterions les pages de temps en temps, au moins aux anniversaires de ces tristes fêtes passées ensemble, Toussaint, Noël, Jour de l'an… en l'honneur de ceux qui n'auront pas vu la libération, tous ces malheureux disparus trop tôt dont nous aurons, hélas, le temps d'être encore[25]…

Texte rare, dû à un homme à bout de forces mais qui pensait survivre jusqu'au terme du cauchemar concentrationnaire, qui posait avec une acuité peu banale la question cruciale du souvenir, des modalités du souvenir et même de la commémoration. Miraculeusement sauvegardé, ce témoignage, paradoxalement plus porté vers l'espérance que celui d'un Jacques Bingen encore en liberté, atteste lui aussi que les résistants ne cessèrent jamais de penser, y compris dans l'enfer des camps, à ce qu'on dirait de leur action et à la façon dont on honorerait les morts.

On n'aura garde d'oublier non plus que bien des résistants ont également laissé, par l'action même qu'ils avaient entreprise et le silence sous lequel ils prirent soin de l'ensevelir, une vision héroïque de leur activité. Réfléchissant en 1967 au parcours clandestin de son camarade, le philosophe Jean Cavaillès, tour à tour fondateur de Mouvement et chef de réseau, arrêté en août 1943 et fusillé en janvier 1944, Georges Canguilhem en délivrait le sens en ces termes :

> D'ordinaire, pour un philosophe, entreprendre d'écrire une morale, c'est se préparer à mourir dans son lit. Mais Cavaillès, au moment même où il faisait tout ce qu'on peut faire quand on veut mourir au combat, composait une logique. Il a donné ainsi sa morale, sans avoir à la rédiger[26].

Georges Canguilhem était trop fin pour ne pas s'interroger sur ce qui se jouait dans les cérémonies commémoratives au cours desquelles cet homme secret, réservé et volontiers bougon, ne se résolvait à prendre la parole que par déférente fidélité envers son camarade de la rue d'Ulm :

> Il ne m'échappe pas que la commémoration favorise ordinairement un style de discours malaisément supporté par des esprits entraînés à remettre en question les titres que l'institution universitaire fait valoir au crédit des hommes et des œuvres dont elle se dit la gardienne[27].

Comment levait-il cette contradiction ? D'abord par l'humour, c'est-à-dire la mise à distance d'une émotion qui était à fleur de peau dès qu'il s'agissait d'évoquer les acteurs de la Résistance morts à la tâche clandestine, singulièrement ce philosophe fauché dans la fleur de l'âge dont il ne pouvait parler sans quelque sentiment de honte puisque lui avoir survécu, c'était à ses yeux avoir moins fait et osé que lui :

> On devrait se préoccuper davantage qu'on ne le fait de la façon dont meurent les universitaires, quand il leur arrive de ne pas mourir de maladie ou de vieillesse, et singulièrement les philosophes, dont une partie du devoir spécifique est, selon les stoïciens, d'apprendre à mourir[28].

Complémentaire de cette élégante ironie appliquée à son propre endroit comme à ses pairs destinés à mourir dans leur lit, il y avait aussi chez Canguilhem, austère et profond philosophe des sciences, une revendication tranquille autant qu'inébranlable du statut de héros pour Jean Cavaillès, statut qu'il choisissait d'expliquer par la posture philosophique spinoziste de son ami :

> Il y a dans la ténacité de Cavaillès quelque chose de terrifiant. C'est une figure unique. Un philosophe mathématicien bourré d'explosifs, un lucide téméraire, un résolu sans optimisme. Si ce n'est pas là un héros, qu'est-ce qu'un héros[29] ?

Légendaire, mythique, merveilleuse, épique, toute de retenue maîtrisée, dictée par un impératif moral pur et sans mélange, de quelque façon qu'ils aient choisi de la qualifier, ceux qui pensèrent dans l'instant l'action qu'ils menaient comme ceux qui plus tard pensèrent l'action qu'avaient menée des hommes et des femmes morts au combat furent unanimes à lui décerner un statut hors normes. Prendre cet élément en compte, ce n'est nullement, comme un examen superficiel pourrait le faire croire, préférer la légende à la vérité, l'histoire sainte à l'histoire critique. C'est tout bonnement tenter d'intégrer l'une des dimensions de ces événements tels qu'ils furent vécus. La Résistance, jusque et y compris dans ses manifestations quotidiennes, fut perçue et ressentie par ses acteurs comme une lutte de caractère épique. Dès lors, aucune étude critique ne peut ignorer ce phénomène, si difficile qu'il soit à penser et à intégrer dans une démarche de caractère scientifique. Toute la difficulté pour l'historien de cette période réside là, dans cette nécessaire prise en compte de la dimension mythique d'une histoire clandestine. Avec son regard rétrospectif d'acteur, Pascal Copeau, qui avait compté au nombre restreint des dirigeants clandestins de tout premier plan, mettait le doigt sur cette contradiction et sur la difficulté de la lever. Immédiatement après avoir souligné le rôle joué par ce qu'il appelait le « bluff » dans le combat souterrain, il faisait cette mise en garde :

> De là à démythifier systématiquement, il faut bien prendre garde. La nature et la force de la Résistance sont mythiques. Car les mythes peuvent être action. Le terrorisme consiste, par des moyens appropriés et des actions bien choisies, à bluffer littéralement l'ennemi en faisant planer une menace hors de proportion avec ce que serait en rase campagne l'affrontement des forces réelles. Alors peut-être vaudra-t-il mieux laisser subsister quelques légendes que de risquer de distordre une vérité plus complexe qui est beaucoup moins dans la consistance concrète de la cause que dans l'infinie complexité abstraite des effets[30].

Est-ce à dire que la parole des témoins devrait être considérée comme parole d'Évangile ? Pétrifié par la crainte de maltraiter des comportements glorieux ou, à tout le moins, méritoires, l'historien devrait-il abdiquer ou tempérer son sens critique ? Nullement. Chacun sait les imperfections et la fragilité de la mémoire. De ce que toute mémoire déforme, consciemment et inconsciemment, et recompose sans cesse le passé dans un travail peu perceptible mais fort efficace, on ne saurait inférer que le témoignage écrit, contemporain des événements qu'il déroule, et le témoignage oral ou rédigé postérieurement sont sans valeur. Il y a longtemps déjà, Marc Bloch avait, sur cette question, proposé une réflexion qui demeure pleinement pertinente :

> L'historien n'est pas, il est de moins en moins, ce juge d'instruction un peu grincheux dont certains manuels d'initiation, si l'on n'y prenait garde, imposeraient aisément la désobligeante image. Il n'est pas devenu, sans doute, crédule. Il sait que ses témoins peuvent se tromper ou mentir. Mais, avant tout, il se préoccupe de les faire parler, pour les comprendre. Ce n'est pas un des moins beaux traits de la méthode critique que d'avoir réussi, sans rien modifier de ses premiers principes, à continuer de guider la recherche dans cet élargissement[31].

Au demeurant, confondre les méandres incertains de la mémoire et la légende constitutive de l'histoire de la Résistance, ce serait faire erreur. Les témoins se trompent ? La belle affaire ! Chacun le sait depuis toujours. Les témoins, bien qu'ils se trompent, apportent beaucoup à l'historien, lui sont d'une aide inestimable. Tout, en la matière, est affaire d'équilibre, on y reviendra plus avant. Contentons-nous pour l'heure de relever que les acteurs-témoins sont souvent suffisamment avertis et intelligents pour demander à être entendus tout en affirmant eux-mêmes que leur témoignage n'est pas l'énoncé de la pure vérité. Il vaut la peine d'écouter sur ce point Pascal Copeau :

> En vérité je ne donne pas cher de l'histoire fondée sur la seule mémoire[32]...

Il arrive même que certains acteurs mués en témoins proclament leur méfiance envers les enseignements que leurs camarades tombés dans la lutte clandestine seraient censés délivrer à l'intention de ceux qui leur ont survécu. Tel fut le cas d'Albert Camus dans des notes manuscrites probablement écrites en 1944 ou 1945 où il évoquait la dette inépuisable contractée à l'endroit de ceux qui étaient morts pour que les numéros clandestins du journal *Combat* voient le jour :

> Ma seule ambition est d'avoir pu vous faire imaginer un peu ce que représentait chacun de ces numéros. Il n'y a pas de doute qu'ils nous ont coûté d'abord les meilleurs d'entre nous. Car si nous sommes quelques-uns à avoir survécu à Bollier[33], c'est seulement que nous avons fait moins que Bollier et que lui a fait tout ce qu'il était convenable de faire à ce moment. Je sais que sur ce sujet la littérature devient facile. Et beaucoup cèdent quelquefois à la tentation de dire que nos camarades morts nous dictent notre devoir d'aujourd'hui et de toujours. Mais naturellement, nous savons bien que ce n'est pas vrai. Et que ces morts ne peuvent plus rien pour nous comme nous ne pouvons plus rien pour eux. C'est une perte sèche[34].

« Une perte sèche » ! Pouvait-on dire plus crûment, dans l'euphorie de la France libérée, que la mort avait réduit au silence « les meilleurs qui ont gagné le droit de parler et perdu le pouvoir de le faire[35] » ? Pouvait-on soutenir plus nettement que l'on ne devait pas faire parler les morts ?

La difficulté ne se réduit donc pas à la question de savoir si la légende doit être religieusement entretenue ou non. La question, autrement ardue, est de déterminer comment on peut, dans une analyse rigoureuse, donner à la légende la part qui lui revient. Chacun à sa manière, les résistants n'ont cessé de dire, depuis le temps de la clandestinité, combien la restitution de l'histoire qu'ils avaient vécue et façonnée serait difficile, voire hasardeuse, si ce n'est impossible. Préfaçant un ouvrage rédigé dès 1951 par une actrice de la clandestinité muée en historienne, Claude Bouchinet-Serreulles n'en écrivait pas moins significativement :

> L'histoire de ces années tragiques ne sera sans doute pas écrite avant longtemps et ce n'est peut-être que dans cinquante ans qu'un nouveau Michelet saura en tracer la fresque[36].

La référence à Michelet n'était pas si mal choisie tant il est vrai que, livrant son travail sur la Révolution française, le bouillant historien écrivait ceci qui, *mutatis mutandis*, n'est pas sans rappeler certains des éléments que nous avons mis en évidence pour la Résistance :

> Les temps faibles ne comprendront plus comment, parmi ces tragédies sanglantes, un pied dans la mort même, ces hommes extraordinaires ne rêvaient qu'immortalité. Jamais tant d'idées organiques, tant de créations, tant de souci de l'avenir ! une tendresse inquiète pour la postérité ! Et tout cela, non pas comme on le croit, après les grands périls, mais au fort de la crise[37].

Évoquer, mieux, invoquer Michelet, c'était aussi par avance décréter l'impossibilité d'une écriture qui fût conforme à la réalité des faits comme au vœu des résistants. Car, plus personne, aux XXe et XXIe siècles, ne pourrait écrire de la même plume que l'illustre professeur au Collège de France, chez qui la sympathie le disputait à l'empathie :

> Telle phrase, dans le rude registre des Cordeliers, ne s'est pas achevée, coupée brusquement par la mort. La poussière du temps reste. Il est bon de la respirer, d'aller, venir, à travers ces papiers, ces dossiers, ces registres. Ils ne sont pas muets, et tout cela n'est pas si mort qu'il semble. Je n'y touchais jamais sans que certaine chose en sortît, s'éveillât… C'est l'âme[38].

De la conscience aiguë que l'histoire de la Résistance ne ressemblait à aucune autre et présentait des difficultés singulières témoigne la volonté évidente manifestée par les résistants, relayée par les plus hautes autorités de l'État, de contribuer à l'éclosion de son écriture. Fait remarquable, c'est dans le second semestre de l'année 1944 que fut porté sur les fonts baptismaux un organisme officiellement chargé de collecter tous les éléments qui devraient permettre d'écrire l'histoire de la Résistance. Ce faisant, ses promoteurs relayaient l'inquiétude des clandestins sur ce que les générations futures diraient un jour de leur action.

Ce souci de la perpétuation de la mémoire de la Résistance n'est pas seulement attesté par quelques textes précieux et émouvants. Il est aussi avéré par le comportement de certains acteurs de la clandestinité. Le plus parlant est sans doute celui de Jules Meurillon, ouvrier serrurier de son état, devenu responsable national du secteur de la propagande-diffusion du Mouvement Libération de zone sud de septembre 1942 jusqu'à la Libération[39]. En charge d'un service vital pour le Mouvement, Jules Meurillon déploya une activité d'une rare ingéniosité pour mettre au point une mécanique qui parvint à tenir bon malgré les coupes sombres opérées par les polices française et allemande. Or, tout en animant son service dans des conditions acrobatiques, dès qu'il fut nommé responsable de la propagande-diffusion, il prit soin de constituer, en pleine clandestinité, trois dépôts disséminés à Lyon à seule fin d'y entreposer « suivant le cas et le tirage effectué de 10 à 50 exemplaires du journal ou de tracts[40] ». On ne peut qu'être frappé par cette volonté d'anticipation qui conduisit un responsable éminent à archiver les pièces qui jalonnaient la marche du service qu'il dirigeait. Voilà qui confirme, sur un autre registre et avec d'autres moyens que ceux d'un Brossolette, une volonté chevillée au corps de témoigner, une fois le combat gagné. En même temps que les résistants étaient engagés dans une lutte vitale, ils pensaient à la façon dont on la narrerait un jour au point d'archiver les pièces utiles, ils réfléchissaient eux-mêmes sur le conflit en cours et sur la part qu'ils y prenaient.

Aujourd'hui volontiers décriée et objet de soupçons, l'affirmation des résistants, selon laquelle l'histoire qu'ils avaient faite et qu'il faudrait bien écrire requérait une approche qui tînt compte de sa profonde singularité, était si forte en 1944 qu'elle dicta, dans une très large mesure, la manière même dont on conçut et dont on aborda cette tâche complexe. C'est ce qu'il faut maintenant examiner et tenter d'éclairer.

CHAPITRE 2

Une histoire précocement, activement et officiellement en chantier (1944-1959)

La naissance d'organismes officiels

Rarement entreprit-on plus précocement d'établir les faits relatifs à une histoire tout juste écoulée. Rarement y consacra-t-on, officiellement et humainement, autant de moyens. Rarement pareil concert de fées se pencha-t-il sur le berceau d'une histoire à peine éclose. Certes, la Grande Guerre n'avait pas non plus attendu, pour que son histoire s'écrive, « que les canons se soient tus[1] », et son étude historique s'était organisée autour d'une institution originale, la Bibliothèque de documentation internationale contemporaine, et d'une association, la Société de l'histoire de la guerre, maîtresse d'œuvre, à dater de 1923, de la *Revue d'histoire de la guerre mondiale*, à laquelle devait succéder, comme on verra, la *Revue d'histoire de la Deuxième Guerre mondiale*[2]. Cette similitude est probablement la marque des grands événements historiques redoutés, advenus et qui ont porté le fer dans les chairs comme dans les esprits au-delà de tout ce que les contemporains avaient pu anticiper et imaginer : on ne raye pas d'un trait de plume des cataclysmes de cette ampleur. Et pourtant, en dépit de cette ressemblance, le tour que prit, dès 1944, l'histoire de la Résistance fut vraiment singulier.

La singularité la plus étonnante de l'historiographie de la Résistance, c'est bien d'avoir été conçue et enfantée dans des conditions de délai, de moyens, de déférence aussi, tout à fait inhabituelles. Tout se passa comme si la manière dont cette histoire devait être conçue ne pouvait qu'être à l'image de ce qu'elle avait été pour ses acteurs : une aventure sortant à tous égards de l'ordinaire.

À plus d'un demi-siècle de distance, on ne peut pas ne pas noter avec quelque surprise ce fait troublant : à rebours du tour que prend d'ordinaire l'écriture de l'histoire des temps passés, évoluant cahin-caha au hasard des vents portants et des centres d'intérêt fluctuants de la communauté bigarrée de ceux qui s'y consacrent, celle de la Résistance fut d'emblée pensée comme une affaire extrêmement importante, beaucoup trop importante pour être laissée au bon vouloir et à l'inspiration d'artisans indépendants. Les plus hautes autorités de l'État et les sommités de l'Université française du milieu du XXe siècle se donnèrent la main pour encadrer une démarche à leurs yeux manifestement capitale.

Moins de deux mois après la libération de Paris, le travail de sauvegarde de la mémoire fut entrepris à l'initiative et sous l'égide du pouvoir exécutif. Alors que le pays encore en guerre était en butte à quantité de difficultés qui requéraient et auraient pu absorber toute l'attention vigilante de ses dirigeants, cette mesure disait clairement l'importance que l'État en voie de reconstitution accordait à l'histoire comme à la mémoire de l'Occupation.

Créée par décision du gouvernement provisoire en date du 20 octobre 1944, la Commission d'histoire de l'Occupation et de la Libération de la France (CHOLF) dépendait du ministère de l'Éducation nationale et était « administrativement attachée à la Direction des bibliothèques[3] ». En 1947, Henri Berr présentait en ces termes la philosophie générale qui avait sous-tendu cette création :

> Du développement des études historiques, du sentiment aussi que le document historique se perd ou s'altère quand on ne prend pas soin de le recueillir à temps, est née, pour les années que nous venons de vivre, une préoccupation de constituer des archives et d'organiser le travail historique plus prompte et plus efficace que dans aucune autre période du passé[4].

Le médiéviste Édouard Perroy, cheville ouvrière de la CHOLF à sa naissance, précisait la même année les tâches qui lui étaient dévolues, c'est-à-dire la conception que ses animateurs se faisaient de son rôle, qu'ils avaient défini soigneusement :

> Le rôle essentiel de cet organisme n'est pas d'élaborer une œuvre historique dont le moins qu'on puisse dire est qu'elle serait prématurée, mais d'en rassembler les éléments et d'en constituer les archives[5].

La mission de la CHOLF, telle que la résumaient ses artisans en janvier 1948, avait évolué en intégrant, modestement encore mais nettement tout de même, la mise au point de publications :

> Enquêter sur les origines et l'action de la résistance à l'ennemi ; assurer la préservation des documents intéressant la vie de la France de 1940 à 1945 ; procéder à des publications susceptibles d'aider les historiens dans leurs recherches[6].

Présidée par le ministre lui-même, la CHOLF était forte d'une cinquantaine de membres : représentants des différents ministères, archivistes, personnalités diverses, « mais surtout des historiens de profession dont la tâche [était] de diriger l'activité de la Commission selon les méthodes scientifiques de l'histoire[7] ». Faute d'une étude approfondie de la genèse et de l'activité de la CHOLF, on ne sait qui en suggéra l'idée[8]. Tout au plus trouve-t-on incidemment, en janvier 1948, dans une publication qui dépend d'elle une mention fugace affirmant que Pierre Caron, ancien directeur des Archives de France[9], fut à l'origine de ses travaux[10]. Cependant, dans la nécrologie qu'il dressa de Georges Bourgin, en octobre 1958, le *Bulletin* du Comité d'histoire de la Deuxième Guerre mondiale contredit l'information délivrée dix ans plus tôt : « Directeur des Archives nationales à la Libération, Georges Bourgin fut à l'origine de la création d'une Commission d'histoire de la Libération de Paris, qui devait par la suite devenir la "Commission d'histoire de l'Occupation et de la Libération de la France"[11]. » Seule certitude : les gouvernants de la phase provisoire comme ceux de la IVe République ne lui ménagèrent pas leur soutien[12].

La création de la CHOLF ne passa pas inaperçue. Édith Thomas l'annonça, pour la saluer, dans *Les Lettres françaises* au tout début du mois de janvier 1945. La manière dont elle présentait la chose a d'autant plus d'intérêt qu'elle était, semble-t-il, pour partie nourrie de propos recueillis de la bouche des responsables du projet :

> Pour la première fois, je crois, dans l'histoire, des érudits et des historiens se sont rendu compte qu'ils vivaient des événements historiques et ont décidé de les saisir avant qu'il soit trop tard, avant, précisément, qu'ils soient entrés dans le domaine de l'histoire.
> Une Commission d'histoire de l'Occupation et de la Libération de la France vient d'être instituée au ministère de l'Éducation nationale. Elle comprend les membres les plus éminents de l'histoire et de l'érudition françaises, des hommes dont les travaux solides et austères, souvent mal connus du public, dont on ne quête pas les suffrages, ont cependant porté très haut, pendant ces dernières années, le renom des sciences historiques de notre pays.
> Mais il s'agit de quelque chose de nouveau. Et j'ai eu le sentiment, en écoutant discuter ces hommes de cabinets, de bibliothèques et d'archives, qu'ils avaient eux-mêmes la conviction que, devant cette autre réalité, il fallait faire appel à des moyens et à des disciplines qui échappent quelque peu à leurs habitudes de travail.
> En effet, de quoi s'agit-il exactement ? Il s'agit de réunir le plus de matériaux possible sur les événements que nous avons vécus, que nous sommes encore en train de *vivre* et de *faire*.
> Réunir des documents écrits, inventorier ceux qui existent, non seulement en France, mais aussi à l'étranger, à Londres par exemple, où se trouve une grande partie de la correspondance secrète de la Résistance, rechercher les collections de tracts, d'affiches, de journaux clandestins, de photographies, tout cela fait partie du rôle habituel de l'historien. Il ne procède pas autrement quand il s'agit de la Révolution française ou de Nabuchodonosor.
> Mais c'est là précisément que doivent intervenir des méthodes étrangères à l'historien. Il s'agit de susciter des rédactions de mémoires et de souvenirs. Il est donc néces-

> saire de faire appel au public et à cette chose entre toutes abominable : la publicité. Au lieu d'un fichier qu'on compulse, d'un catalogue qu'on feuillette, il faut demander par la presse et par la radio, aux témoins qui ont vécu cette histoire, de faire parvenir à la commission tous les documents qu'ils peuvent posséder. Ceci a déjà été ébauché. Dès le mois de septembre, un appel radiodiffusé faisait savoir au public que l'on recueillait les récits de l'insurrection de Paris. Plus d'une centaine de manuscrits ont été ainsi réunis et vont être examinés [13].

L'affirmation selon laquelle l'initiative était une première mérite aujourd'hui d'être fortement nuancée. Après tout, la grande série de la Dotation Carnegie pour la paix internationale, conçue avant 1914 et mise en œuvre au lendemain de la Grande Guerre, qui aboutit à la publication de 132 volumes, avait aussi visé à mesurer les conséquences fort diverses du conflit [14]. « Fortement marquée par une idéologie économiquement libérale et politiquement pacifiste [15] », l'entreprise, il est vrai, n'avait pas placé en son centre les historiens. De toute façon, on doit bien constater que ce précédent récent était oublié au début de 1945.

Quant aux voies tracées par Édith Thomas, elles ne furent pas celles que la CHOLF privilégia finalement. Il y eût fallu des moyens considérables en même temps que la possibilité de tamiser quantité d'écrits nécessairement inégaux. Il demeure que le principe de l'appel à témoins était clairement posé dès ce moment. Qu'il n'ait finalement pas revêtu la forme qu'imaginait Édith Thomas en janvier 1945 ne change rien au fond de l'affaire : immédiatement, selon ses termes mêmes, on fut persuadé de la nécessité de « saisir » les événements avant qu'ils soient « entrés dans le domaine de l'histoire ». La formulation, moins contrainte que celle des textes officiels, n'est pas sans intérêt : elle paraît indiquer que l'illusion prévalut alors qu'on pouvait sauvegarder un peu de réalité clandestine à l'état pur pour peu qu'on s'y prît bien et à temps.

Là ne se borne pas l'intérêt de l'article. En effet, Édith Thomas y développait une autre idée, fort importante et appelée à un bel avenir :

> Il ne faut pas nous faire d'illusions : les documents écrits que nous pourrons recueillir de cette manière n'auront de valeur historique ou littéraire (ce qui est encore une forme de l'histoire : l'expression d'un événement à travers une sensibilité dépendant elle aussi du *moment* où le témoin a vécu) que selon la personnalité de l'auteur.
> Je me méfie quelque peu de tel FFI notant heure par heure ce qui se passait sur sa barricade : on ne se bat pas avec un stylo à la main, mais avec un fusil, et l'usage consciencieux de l'un des deux instruments risque fort de faire oublier l'autre. On arrive ainsi à ce paradoxe que les récits seront faits le plus souvent par ceux qui n'ont pas agi ; ceux qui ont agi n'ayant pas eu le temps, ni souvent le moyen, de donner une forme écrite à leur action.
> D'où la nécessité pour l'historien d'emprunter les méthodes des sociologues et de mener des enquêtes auprès des principaux acteurs du drame multiple que nous avons vécu. [...]
> Il appartiendra donc à la commission de préciser les méthodes et les limites de ces enquêtes qui permettront de fixer par écrit des faits dont il ne reste souvent plus qu'un témoignage oral. Mais la valeur de ces enquêtes ne dépendra pas seulement de leur méthode et de l'exactitude des témoins. Elle dépendra aussi de l'enquêteur et de sa formation.
> Je scandaliserai sans doute la plupart de mes confrères : je ne crois pas, en histoire, à l'objectivité (non, même pas quand il s'agit de Nabuchodonosor). Les historiens sont aussi des témoins, au deuxième degré, il est vrai. Ils n'échappent pas à ce qu'ils sont. Et l'enquête qu'on croit de bonne foi mener *objectivement*, avec le plus grand souci de rigueur historique, n'aboutira pas au même résultat si elle est conduite par des enquêteurs qui croyaient en la possibilité de la Libération, qui n'y croyaient pas ou qui se satisfaisaient de la domination des Allemands et du gouvernement de Vichy. De cela aussi, il faudra tenir compte. Clio elle-même doit choisir[16].

De la part d'une chroniqueuse engagée qui citait dans son article les colonels Fabien et Rol-Tanguy, l'avertissement en forme de quasi-injonction de l'intérêt de choisir avec discernement des enquêteurs bien disposés se doublait d'un autre qui avait trait à la qualité des témoins. À peine rendue publique, la nouvelle Commission achoppait en somme déjà sur deux questions qui allaient jouer un rôle important dans le travail à venir. Plus profondément, ce qui était en débat dans l'analyse d'Édith Thomas, c'était rien moins, comme elle le soulignait à sa façon, que l'émergence d'une histoire du temps présent et, par là-même, la nécessaire définition des règles qui pouvaient régir cette pratique toute neuve que l'Université du temps n'était pas disposée à voir se développer en son sein.

En janvier 1948, le secrétariat général était assuré par le médiéviste Édouard Perroy, alors professeur à la faculté des lettres de Lille[17], et par Henri Michel, « agrégé d'histoire, inspecteur d'académie ». Une sous-commission permanente était garante de la continuité du travail. Présidée par Pierre Caron, elle regroupait Georges Bourgin, vice-président, et Robert Fawtier, Ernest Labrousse, Louis François, Arnoult[18], Édouard Perroy, Henri Michel, ainsi que mademoiselle Mady et Odette Merlat. Le poste de secrétaire était tenu par Henri Michel. Militant socialiste, résistant, membre du Comité départemental de Libération du Var, ce dernier faisait alors ses premiers pas dans le domaine de la recherche en qualité de cheville ouvrière. Il ne tarda pas, comme on verra, à prendre une autre dimension jusqu'à devenir, pendant plus d'un quart de siècle, « la figure dominante[19] » de l'historiographie de la Résistance.

Entre-temps, le Comité d'histoire de la guerre (CHG) avait vu le jour, créé par un décret du 6 juin 1945 qui le plaçait auprès de la présidence du Gouvernement provisoire[20]. Une double mission lui était assignée :

> 1. Coordonner les programmes des travaux entrepris dans les divers départements ministériels sur l'histoire de la Deuxième Guerre mondiale ;
> 2. Centraliser les informations relatives à l'activité des services chargés, dans les différents pays alliés ou amis, de travaux analogues[21].
>
> Le Bureau du Comité se compos[ait] de : M. Lucien Febvre, professeur au Collège de France, président ; MM. Pierre Caron, directeur honoraire des Archives de France, et Pierre Renouvin, membre de l'Institut, profes-

> seur à l'université de Paris, vice-présidents ; Henri Michel, agrégé d'histoire et géographie, secrétaire général[22].

Ce Comité d'histoire de la guerre publia des *Cahiers d'histoire de la guerre*, sans périodicité fixe, dont le premier numéro parut en janvier 1949. En avril 1950, dans une lettre à Henri Berr, Lucien Febvre mentionnait, parmi les lourdes charges qui l'accablaient, le Comité :

> Interminables difficultés « diplomatiques » au sujet du Comité d'histoire de la guerre qu'on m'a fait le mauvais tour de me donner à présider[23]...

Deux structures, dont la cohésion était renforcée par l'édition et la diffusion à leurs membres de bulletins internes[24], coexistèrent donc sans que leurs attributions respectives fussent claires à distance. La dénomination même de la CHOLF disait tout de même qu'elle avait été conçue dans l'élan de la libération d'un pays belligérant. En un sens, la CHOLF était datée. Il en allait de même du CHG qui naquit au lendemain de la capitulation allemande quand faire œuvre d'histoire devint vraiment possible. Toutefois, les liens entre les deux structures, probablement évidents pour les contemporains qui les avaient créées, ne sont aujourd'hui pas faciles à décrypter. Un « avis important » publié dans le *Bulletin* de la Commission d'histoire de l'Occupation et de la Libération de la France en novembre 1950 aide à les préciser un peu :

> Le Comité d'histoire de la guerre, organisme interministériel, rattaché à la Présidence du Conseil (Président : M. Lucien Febvre, secrétaire général : M. H. Michel) s'efforce de faire rassembler les archives diverses dans divers ministères. Il a ainsi obtenu récemment de M. Queuille, ministre de l'Intérieur, que des instructions impératives soient données non seulement aux directions centrales du ministère, mais aussi aux préfets.
> Une circulaire a donc été envoyée à ces derniers le 12 octobre [1950], sur laquelle nous attirons votre attention. Nous la croyons de nature à faciliter la tâche des archivistes pour une action de récupération conformément aux instructions données par la direction des Archives.
> Mais, par ailleurs, une erreur regrettable s'est glissée dans

> la première partie de la circulaire. Une confusion s'est établie entre le Comité d'histoire de la guerre, organe de coordination, et la Commission d'histoire de l'Occupation et de la Libération de la France, organe d'exécution. Il est question de correspondants départementaux du Comité, alors qu'il faut lire « correspondants départementaux de la Commission » [25].

Rattaché à la présidence du Conseil, doté de la puissance et du prestige afférents à un organisme interministériel, le CHG aurait par conséquent été l'instance de référence, chargé de la coordination des études. Dépendant du ministère de l'Éducation nationale, la CHOLF en aurait été l'organe d'exécution. Le cafouillage administratif qui est à l'origine de cette clarification tend néanmoins à démontrer que cette juxtaposition ne manqua pas d'être source de confusion. D'autant que « sous des noms différents, mais pratiquement sous la même direction et selon une identique inspiration[26] », les deux organismes poursuivaient la même tâche. L'idée fit petit à petit son chemin de constituer un comité unique.

Lors de sa réunion plénière tenue le 30 avril 1951 à l'hôtel Matignon, la direction du CHG plaida pour que les deux instances n'en fissent plus qu'une. Georges Bourgin, directeur honoraire des Archives nationales, y voyait un « aménagement fructueux, et, peut-être, une amélioration du potentiel des deux Commissions », tandis que Lucien Febvre pointait « l'intérêt que présenterait la fusion [...] dans un organisme plus vaste et moins officialisé[27] ».

En décembre 1951, le Comité d'histoire de la guerre auprès de la présidence du Conseil et la Commission d'histoire de l'Occupation et de la Libération de la France auprès du ministère de l'Éducation nationale furent fusionnés dans le Comité d'histoire de la Deuxième Guerre mondiale (CH2GM). « Chargé de procéder à toutes recherches, études ou publications relatives à la Deuxième Guerre mondiale », le CH2GM assuma la publication de la *Revue d'histoire de la Deuxième Guerre mondiale*[28], dont le premier numéro avait paru en octobre 1950[29]. Les membres de son comité de direction furent nommés par arrêtés du président du Conseil.

Présidé successivement par Lucien Febvre et Maurice Baumont, assistés de Pierre Renouvin, Georges Bourgin, Julien Cain et Ernest Labrousse comme vice-présidents, il avait la haute main sur toutes les recherches relatives à la période de l'Occupation. Henri Michel en était le secrétaire général. Il vaut la peine de noter que les universitaires à qui il échut de piloter cette structure qui avait pignon sur rue, et même un statut quasi officiel, étaient du plus haut niveau. L'Université avait délégué, pour se faire représenter, quelques-unes de ses plus brillantes étoiles, Collège de France et Sorbonne en tête. Ces étoiles n'y faisaient pas de la figuration. Dans une lettre du 16 mai 1952 adressée à Henri Berr, Lucien Febvre notait :

> Voilà ce qui *m'oblige* à crever à la besogne. À ne pas sortir. À mener une vie d'ascète misérable. Heureusement vivifié par les visites confiantes de jeunes, un immense courrier, des livres et des revues venant de partout. Mais enfin, songez : les *Annales* que je continue à faire seul, procurant, revoyant, refaisant les manuscrits, etc. La 6e section : voir plus haut. Si Braudel est le secrétaire, je suis le président… – Le Comité français des historiens avec ses congrès à organiser : à Bordeaux, cet été. – L'écrasant Comité d'histoire de la Guerre mondiale, avec d'incessantes démarches à la présidence du Conseil. – « Lâchez-le ! » – Comme si je pouvais le laisser tomber aux mains des collaborateurs et des pétinistes [*sic*], sans forfaiture ! Et vous savez que j'ai créé la *Revue de la Deuxième Guerre mondiale*. Heureusement, j'ai pour ce secteur un remarquable secrétaire [Henri Michel][30].

Un travail de bénédictin mené tambour battant

Parallèlement à la constitution de séries d'archives, essentiellement administratives, qui, « par la force des choses, présent[aient] une vue partielle et partiale de la période 1940-1944[31] », l'idée avait été retenue, comme Édith Thomas s'en faisait l'écho dès janvier 1945, d'engranger des témoignages oraux. La justification qu'en donnait Édouard Perroy en 1947 mérite d'être citée :

> En face de ces archives unilatérales, se place le fait historique primordial de la Résistance intérieure, clandestine pendant quatre ans, ouverte et officielle pendant quelques semaines. L'historien de l'avenir, auquel il faut surtout songer, se trouvera bien mal outillé pour en retracer les étapes. Il y a sans doute, dispersée souvent chez des particuliers, parfois dans des organismes officiels ou semi-officiels, une documentation assez abondante. Elle est pourtant nettement insuffisante… […] Mais surtout cette abondante « paperasse » ne rend compte que bien imparfaitement des conditions réelles de la clandestinité, de son action journalière, de ses acteurs occasionnels ou permanents.
> Il y a bien les publications qui de jour en jour s'accumulent sur le sujet : articles de presse nombreux surtout dans les mois qui ont suivi la Libération, brochures plus ou moins historiques, livres de souvenirs parfois précieux, souvent de valeur médiocre. De tout cela a été entrepris un fichier bibliographique qu'on s'efforce de tenir à jour.
> Mais la tâche la plus urgente à laquelle s'est attelée la Commission, et celle dont la nouveauté apparaîtra sans doute à toute personne habituée au travail historique, est de suppléer à l'insuffisance de cette documentation en *créant* de toutes pièces des archives de la Résistance. Ce travail ne pouvait être fait que par voie de témoignages, puisque nous avons la chance de travailler sur une matière vivante, de posséder sous la main ceux des acteurs – et ils sont encore nombreux – qui ont survécu à la répression, et d'avoir affaire à des souvenirs encore frais[32].

Cet argumentaire était repris en 1949 par Henri Michel :

> Fort heureusement, à défaut d'écrits, les acteurs possédaient des souvenirs encore frais ; c'est ainsi qu'a pu être entreprise une vaste enquête qui a permis déjà de rassembler près de 1 500 témoignages. Ce fut, certes, une tâche passionnante qui parvint, de maille en chaînon, à reconstituer toute la grande chaîne des mouvements de résistance. Mais ce ne fut pas une tâche facile[33].

La collecte de témoignages s'apparenta à une course contre la montre, ses responsables étant convaincus que le temps jouait contre leur entreprise, c'est-à-dire contre la possibilité d'écrire un jour l'histoire de la Résistance. D'où un sentiment d'urgence dont l'équipe initiale comprit bien le danger sans être à même de pouvoir vraiment le conjurer. Il n'est que de lire ce qu'écrivait à ce propos Henri Michel en 1949 quand il s'essayait à dresser un premier bilan de la moisson de témoignages récoltés :

> Une enquête rapide s'imposait, qui cadrait mal avec l'inexpérience des enquêteurs. Mais il fallait agir vite ne fût-ce que pour prévenir la mort des témoins et la disparition avec eux de leur témoignage ; le temps qui s'écoulait estompait les souvenirs en les déformant, volontairement ou non ; l'optique changeait, les mots prenaient des sens nouveaux ; enfin, il fallait profiter, dans la course rapide du temps et dans la succession hâtive des événements sensationnels, d'un courant d'intérêt qui se manifestait encore en faveur de faits qu'obscurciraient bientôt les incertitudes d'un proche avenir[34].

Mais, saisir sur l'instant les possibilités qu'offrait la proximité avec les événements qu'on cherchait à fixer avant que leur souvenir ne s'estompât, c'était une gageure pour des raisons dont Henri Michel faisait, dès 1949, une analyse clairvoyante :

> Quelques difficultés provenaient de la nature même de l'enquête. Non seulement l'entreprise était neuve et manquait totalement d'une expérience sur laquelle on pût s'appuyer, non seulement elle était remplie de ces aléas propres aux recherches empiriques, mais encore elle s'avérait périlleuse à plus d'un titre ; la Résistance, en effet, a cessé très vite d'être un terrain d'union et de concorde, pour devenir, au contraire, une pomme de discorde. On travaillait une pâte boursouflée de passions ; à tous moments, on risquait d'être empêtré dans des querelles de personnes ou de partis. Aussi bien, alors qu'il aurait fallu, pour provoquer les témoignages, crier sur les toits qu'on existait – on fut obligé de travailler avec le maximum de discrétion, presque secrètement, et s'interdire de révéler non seulement les déclarations qu'on recevait, mais même le nom des témoins qu'on visitait[35].

À ces difficultés réelles – la guerre froide n'épargnait pas ce gigantesque travail que les inimitiés personnelles ne facilitaient pas non plus – s'en ajoutait une autre, liée celle-là à la nature même de la lutte clandestine. Le combat souterrain avait exigé un cloisonnement étanche entre mouvements ainsi qu'entre membres d'un même mouvement. En sorte que chacun était dépositaire d'une parcelle de l'histoire clandestine. Dans ces conditions, l'historien devait, pour tenter de retrouver son chemin, percer le langage codé, les pseudonymes successifs et multiples dont les résistants avaient largement usé pour se prémunir contre la répression.

La première tâche était d'identifier et de retrouver des témoins entre-temps revenus à une vie normale et disséminés géographiquement, politiquement, idéologiquement et mentalement. Ce travail de fourmi accompli, il restait à gagner la confiance des acteurs, ce qui passa par le « vœu de silence[36] » prononcé par les historiens, un vœu qui impliquait que les témoignages recueillis fussent incommunicables pendant cinquante ans. Ce silence garanti était sans doute regrettable mais il était nécessaire. Dans l'esprit des ouvriers de la CHOLF, écumer les témoignages, les classer, les entreposer, c'était préparer l'avenir, comme l'affirmait Édouard Perroy en 1947 :

> […] il est évident qu'aucune publication prématurée ne peut être envisagée sur la plupart des faits. Le secret des témoignages reste garanti à leurs auteurs et des dispositions seront prises pour que les fonds d'archives ainsi constitués ne soient accessibles aux chercheurs qu'après de longs délais. La Commission estime en effet que sa tâche principale est d'assurer l'existence et la conservation des matériaux sur lesquels plus tard s'exercera la critique historique[37].

Même ligne de conduite sous la plume d'Henri Michel, deux ans plus tard :

> Il fallait se borner à rassembler une documentation pour les historiens de la prochaine génération en vue de la rédaction d'une histoire, sinon définitive – elle ne l'est jamais – du moins conçue dans une atmosphère plus sereine[38].

En réalité, on le verra sous peu, les agents recenseurs de la Commission étaient un peu plus et autre chose que cela. Ils constituèrent la première génération qui œuvra à faire son miel des témoignages et des fonds d'archives pour livrer la mouture originelle de l'histoire de la Résistance française. Ce constat n'enlève rien à la sincérité du propos d'Henri Michel, qui avait bel et bien une conscience aiguë de travailler pour la postérité en thésaurisant les souvenirs des résistants. Petites mains de cette ambition démesurée, Anne-Marie Étaix, Abel Doysie, Marie Granet, Louis Lecorvaisier, Odette Merlat, Henri Michel, Jeanne Patrimonio et Édouard Perroy, quelques autres aussi dont les noms n'apparaissent plus aujourd'hui épisodiquement qu'en tête des témoignages recueillis, travaillèrent d'arrache-pied à accumuler des matériaux dont ils estimaient qu'ils étaient la condition *sine qua non* d'une histoire scientifique à venir. Ils y eurent un incontestable mérite parce qu'ils durent naviguer à l'estime entre des écueils aujourd'hui bien connus qu'ils découvrirent au fil de leur cabotage le long des côtes dentelées du souvenir résistant :

> [...] que les uns parlent trop et les autres pas assez, qu'il faille dépister les hâbleries ou débrider les silencieux, la tâche de l'enquêteur était délicate car, en plus, les premiers des résistants avaient été déportés et fusillés ; leurs actes ne pouvaient plus être racontés que par leurs compagnons de combat à qui la tentation était grande de se vêtir des défroques des disparus[39].

Au fil de l'enquête, ample et échelonnée sur plusieurs années, l'équipe fut amenée à réfléchir à sa propre pratique et à définir des règles méthodologiques, dont la description qu'en faisait, peu de temps après, Henri Michel attestait qu'elles avaient bien pris en compte les difficultés inhérentes à la démarche adoptée :

> [...] en somme, l'enquête valant ce que valait l'enquêteur, on était amené à exiger de celui-ci des qualités multiples et discordantes. Il lui fallait d'abord faire preuve d'initiative et d'audace, savoir forcer les portes et vaincre les réticences ; il lui fallait aussi savoir réfréner son impatience, écouter sans broncher des torrents de déclarations sans intérêt ; or, l'astuce et le brio dans l'abordage du témoin ne

> s'associent pas toujours à un jugement équilibré et lucide. Il est difficile à une personnalité forte de se borner à enregistrer sans intervenir, en faisant abstraction de son opinion et de ses préférences ; écouter et se taire sont des habitudes difficiles à acquérir.
> Il serait exagéré d'affirmer que ces contradictions ont toujours été résolues et que tel ou tel enquêteur n'a pas quelque peu coloré de son teint les souvenirs qu'il a recueillis ; nous avons lutté de notre mieux contre ce danger ; nous avons exigé que les jugements portés sur le témoin soient portés à part du témoignage et que l'entière responsabilité de ses déclarations lui soit laissée ; le remède a consisté parfois à faire interroger le même témoin par deux enquêteurs successifs.
> On comprend que, dans ce cheminement empirique, la méthode à suivre se soit dégagée seulement peu à peu, par approximations successives[40].

Au bout du compte, la découverte la plus troublante des enquêteurs fut sans doute de réaliser graduellement qu'en collectant des témoignages ils créaient en quelque sorte leur propre documentation, ou – pour employer un langage plus contemporain – qu'ils modelaient les contours de l'objet historique qu'ils prenaient pour sujet d'étude. Dès lors, les liens noués entre l'enquêteur et le témoin, la façon même dont se déroulait l'entretien, les inclinations du questionneur contribuaient à façonner pour partie le socle du témoignage qu'on cherchait à toute force à préserver. Il n'y avait donc pas un témoignage pur qu'il eût suffi de recueillir comme on obtient un précipité chimique pour peu qu'on observe des règles strictes. Il y avait des éléments mémoriels épars, disparates et inégaux, dont la venue au jour et l'agencement étaient très étroitement dépendants des conditions de l'entretien. Tout cela, dont on informe de nos jours prioritairement les étudiants qui se lancent dans une enquête orale, était de l'ordre de la nouveauté radicale à la fin des années 1940 et au début des années 1950. C'est que si l'histoire du passé proche n'avait pas été formellement frappée d'ostracisme depuis l'avènement de l'école méthodique dans le dernier quart du XIXe siècle, son instrumentalisation au service de la IIIe République l'avait académiquement marginalisée, comme le démontrait la forte prise de position de Lucien Febvre à l'occasion de sa leçon inaugurale de Strasbourg en 1919 : « Une histoire qui sert est une histoire serve[41]. » La suspicion dans laquelle elle était tenue n'était levée, non sans réticences, que pour une circonstance précise et impérieuse : la nécessité de ne pas laisser s'évanouir la mémoire de la Résistance. En conséquence, les modes d'approche d'une histoire à peine achevée étaient à inventer de fond en comble. Dans ces conditions, l'apprentissage ne pouvait qu'être rude. Et il le fut.

Les maîtres d'œuvre de l'enquête songèrent d'abord à solliciter les organismes liquidateurs des mouvements et des réseaux. Ce fut pour s'apercevoir immédiatement qu'on ne pouvait se contenter de dossiers montés et réunis à des fins d'homologation ou d'attribution de grades, de décorations ou de pensions. Par la force des choses, en effet, ces dossiers à vocation administrative étaient tenus de simplifier, d'ordonner et de rationaliser l'extrême volatilité et la porosité constitutive de la vie clandestine. Ils solidifiaient et, de ce fait, sclérosaient des processus complexes et mouvants.

Pour lever cet obstacle, il apparut

> nécessaire d'interroger, à côté des patrons ou des ministres, qui, souvent, étaient, hélas ! les survivants des mouvements plus que les véritables meneurs du jeu, les agents les plus humbles de la Résistance, distributeurs et imprimeurs de tracts, agents de liaison, radios, maquisards, saboteurs, membres des équipes de parachutages, etc.[42].

Une option aussi large supposait nombre de rencontres chronophages. La tentation était grande de procéder à la collecte en envoyant des questionnaires aux intéressés qu'ils auraient pu retourner dûment remplis. Après mûre réflexion, on y renonça. On ne recourut à des rapports rédigés par les acteurs « qu'en cas de force majeure, lorsque toute autre méthode était impossible, par exemple dans le cas de grand éloignement du témoin[43] ».

En définitive, « le meilleur procédé se révéla être la conversation directe[44] ». On s'évertua à « découvrir "le bon témoin" en qui on pouvait avoir confiance, qui donnait les éléments d'un embryon d'étude et communiquait, au cours de ses exposés, des noms d'autres résistants susceptibles de compléter ou de corriger ses propres affirmations. En allant voir un nouveau témoin, l'enquêteur était en mesure de le questionner, d'exiger des précisions, de procéder à des recoupements[45] ».

Ce patient travail de mise au point d'une méthode, au prix d'un polissage par approximations successives, traduisait une réflexion épistémologique sur laquelle les successeurs – proches ou lointains – de la Commission qui porta l'étude de la Résistance sur les fonts baptismaux ont insuffisamment mis l'accent. En tâtonnant, les pionniers – mi-historiens, mi-archivistes – de l'histoire clandestine redécouvrirent ce que Marc Bloch avait antérieurement formulé avec une remarquable clarté :

> La critique du témoignage, qui travaille sur des réalités psychiques, demeurera toujours un art de finesse. Il n'existe point, pour elle, de livre de recettes. Mais c'est aussi un art rationnel, qui repose sur la pratique méthodique de quelques grandes opérations de l'esprit[46].

Cependant, les principes élaborés empiriquement par la génération pionnière située au carrefour de l'action et de la réflexion de nature historique souffraient de limites indéniables, qui apparaissent mieux avec le recul du temps et la familiarité développée depuis lors avec ce qu'on dénomme couramment l'histoire du temps présent ou du très contemporain.

En premier lieu, la méthode retenue mettait au moins autant en évidence les réseaux de sociabilité et de connivences constitués dans la clandestinité et issus d'elle que la véritable colonne vertébrale de l'action souterraine. Il n'est que de consulter les dossiers de témoignages aujourd'hui conservés dans la série 72 AJ des Archives de France pour constater immédiatement que les témoins interrogés ont spontanément renvoyé les enquêteurs à leurs proches compagnons du temps de la clandestinité… comme de la guerre froide. Les témoignages sur le passé portaient, en somme, l'empreinte du présent.

Pour preuve, cette lettre en date du 6 février 1985, reçue de Louis Terrenoire, dont j'avais recueilli le témoignage une semaine plus tôt non sans évoquer le portrait peu amène de d'Astier de la Vigerie qu'il avait brossé en 1947 dans le cadre de la collecte du Comité d'histoire de la Deuxième Guerre mondiale :

> Revenant à mon témoignage de 1947, où je déclarais me sentir mal à l'aise avec Emmanuel d'Astier de la Vigerie, je crois qu'il convient de l'affecter d'un coefficient relatif aux circonstances de l'époque.
> « Le condottiere » avait connu, tandis que j'étais déporté, une brillante carrière, à Alger notamment ; or, je le retrouvais député apparenté au groupe communiste. Nous étions alors aux débuts de la mainmise de Staline sur l'Europe centrale et orientale. Le climat n'était pas tel que je puisse émettre un avis en toute sérénité.
> Dans l'hémicycle du Palais Bourbon, nous avons feint de nous ignorer, à sa manière superbement, et, de mon côté, dans un esprit très critique.
> Il est possible aussi que d'Astier m'ait gardé rigueur d'avoir quitté Lyon en septembre 1941, pressé que j'étais de rejoindre une femme très handicapée et deux enfants en bas âge.
> Si j'explique ainsi aujourd'hui ce « malaise », cela ne change rien au fond des choses et, très particulièrement, à l'estime que je porte à la mémoire d'un homme qui fut un des pionniers de la résistance.

La deuxième limite tient au fait que la CHOLF avait édicté une règle non écrite dont on ne trouve trace incidemment qu'ultérieurement : les « enquêteurs – c'était la condition première à leur recrutement – possédaient une expérience personnelle de la Résistance [...][47] ». Ainsi donc, pour être admis au sein de la CHOLF, il fallait avoir été résistant. Mieux, ce critère n'était pas seulement déterminant, il était exclusif.

Compréhensible dans la France de cet immédiat après-guerre pour une foule de raisons, notamment le clivage profond entre les résistants et ceux qui ne l'avaient pas été, cette disposition tacite se justifiait moins aisément par des motifs strictement scientifiques. Les « enquêteurs », terme significativement utilisé par Henri Michel, gagnaient sûrement à pouvoir montrer patte blanche, ils étaient mieux à même d'éveiller la sympathie de leurs interlocuteurs. Leur « expérience personnelle de la Résistance » en faisait-elle pour autant des « historiens » ? Les qualifiait-elle ? En filigrane de la décision de leur faire la part belle, il y avait l'idée qu'ils comprenaient mieux que d'autres ce qu'avait été la vie clandestine. Avec le recul, ce critère d'appartenance n'est guère convaincant. Après tout, le propre de la fonction de l'historien est de l'amener à s'instruire à mesure qu'il travaille, exactement comme l'exercice de leur fonction amenait les enquêteurs « à s'instruire à mesure qu'ils enquêtaient », pour reprendre la formulation d'Henri Michel[48]. La position nette arrêtée par la CHOLF privilégiait la sympathie (évidemment sympathique) par rapport à l'empathie qui s'obtient au prix d'une familiarité assidue des archives écrites comme des sources orales.

La dernière limite de la posture théorique de la CHOLF tenait dans ses fondements positivistes, au sens le plus étroit du mot. À lire Henri Michel, d'ordinaire fort nuancé dans ses appréciations, la méthode empiriquement définie était parfaitement fiable :

> L'enquêteur, qui s'est spécialisé, qui connaît la question sur laquelle il effectue des recherches et qui possède des lueurs sur les faits et les gens, procède par conversations avec les témoins qu'il interroge. Après avoir « déblayé » au cours d'un premier entretien, il soumet la première rédaction à sa victime [*sic*] au cours d'une deuxième entrevue ; puis il compare les déclarations ainsi faites avec celles des autres témoins ; il revient à la charge, plus riche encore en renseignements de toutes sortes et, par pressions successives, il arrive à faire rendre aux témoins tout le suc de vérité qu'ils contiennent. Que le point de départ soit un rapport, un livre ou un témoignage, on arrive ainsi à dissiper les obscurités, volontaires ou non, à dégonfler les hâbleries, à boucher les lacunes[49].

Au fond, l'exposé – impressionnant de lucidité – des embûches semées sur le chemin des historiens ne faisait que mieux ressortir *in fine* l'habileté de la conduite qui avait été retenue. Penser « faire rendre aux témoins tout le suc de vérité qu'ils contiennent », c'était gratifiant. Osons dire également que c'était d'une grande naïveté. La procédure exposée par Henri Michel était celle du juge d'instruction, celle du policier, non celle de l'historien. Elle s'énonçait comme la levée des obstacles dressés devant l'histoire à écrire alors que la lecture desdits témoignages, devenus accessibles depuis lors, démontre à l'envi toutes leurs lacunes.

Qu'on ne se méprenne pas, ce qui pose problème, ce ne sont pas les carences que l'on constate aujourd'hui, puisqu'elles sont indissociables de ce travail de mémoire nécessairement imparfait, approximatif et évolutif qu'on dénomme témoignage. Ce qui pose problème, c'est l'idée qu'on pourrait, à la condition de bien travailler et de traquer les erreurs de la « victime », obtenir un compte-rendu exhaustif auquel ne manquerait pas un bouton de guêtre. Cette conception globalisante et positiviste, dont on a relevé déjà qu'elle s'exprimait dès le temps de la clandestinité, fut donc très tôt une composante, tantôt réfléchie, tantôt spontanée, du mode d'élaboration de l'histoire de la Résistance. Dans cette logique, accumuler tous les détails, tous les éléments de connaissance, c'était croire qu'on aboutirait *ipso facto* à une somme, dans tous les sens du terme.

Une tâche étendue à l'échelle nationale

Une conséquence importante, durable et bénéfique de cette façon de voir résida dans la création d'un vaste réseau de correspondants départementaux à travers toute la France et, comme on disait alors, dans l'Union française[50]. L'idée sous-jacente à cette initiative sans précédent était qu'il fallait « décentraliser l'entreprise pour retrouver en province comme à Paris les fils des expériences individuelles[51] » :

> Seuls des indigènes, de naissance ou d'adoption, connaissant bien leur pays, capables d'inspirer confiance à leurs compatriotes et connus d'eux, pouvaient, sur place, analyser la naissance et l'évolution de l'action résistante[52].

Comme cela avait été le cas à l'échelle nationale, on tâtonna quelque temps à l'échelon local. C'est d'abord par le jeu des relations personnelles des uns et des autres que l'on pressentit et contacta des correspondants. Cette solution n'eut qu'un temps. Quand le vivier des connaissances vint à tarir, quand l'impossibilité de déceler les profils adéquats fut partout avérée, on se tourna vers les pouvoirs officiels :

> Au lieu de demander seulement aux administrations départementales leur concours et leur bonne volonté, selon leurs inclinations naturelles, nous avons fait entrer l'aide qu'elles devaient nous apporter dans leurs obligations professionnelles à coup de circulaires ministérielles[53].

Dans chaque département, une sorte de réplique du Comité national vit ainsi le jour, avec pour pièces maîtresses le préfet, l'inspecteur d'académie et l'archiviste, d'une part, pour chevilles ouvrières des professeurs et des érudits locaux, d'autre part. La tâche était suffisamment sérieuse pour qu'Henri Michel, dont l'autorité grandissait au fur et à mesure que ses troupes s'étoffaient dans les départements, ne badinât pas avec la conception exigeante qui devait présider aux travaux en cours. Témoin, ce rappel à l'ordre adressé, en mars 1948, à des croisés de l'enquête orale qui avaient cru bien faire en mobilisant pour la noble cause des apprentis hussards de la République :

> Dans certains départements, les élèves des Écoles normales [d'instituteurs] ont été employés au travail d'enquête. C'est là, certes, une bonne initiative : il est souhaitable que les instituteurs connaissent les difficultés de la vie clandestine, et que dans leurs leçons d'histoire locale, ils fassent état de ces connaissances. Mais par ailleurs, notre enquête auprès des témoins de la résistance active doit être conduite avec prudence ; une action un peu tapageuse risque d'effaroucher certains. Peut-être conviendrait-il d'employer les normaliennes et normaliens seulement à des relations d'événements marquants : combats de la libération, actions du maquis, sabotages, tenue des troupes occupantes, réquisitions, destructions et exécutions opérées par l'ennemi, etc.[54].

Les correspondants, appuyés par les pouvoirs publics tout en ayant toujours pour consigne de ne pas paraître appartenir à un organe officiel, devaient, il est vrai, cumuler des qualités éminentes. Le portrait-robot qu'en traçait Henri Michel en 1949 est, à cet égard, éclairant :

> Ce correspondant, de multiples qualités étaient exigées de lui : avoir milité dans la Résistance, bien sûr, mais sans être trop mêlé aujourd'hui aux luttes politiques ; connaître la région et être, lui-même, honorablement connu ; disposer d'un peu de temps, si possible d'une automobile ; entretenir de bonnes relations dans l'administration départementale et, en même temps, posséder des qualités d'objectivité et une expérience suffisante des disciplines historiques. J'ajoute qu'il devait être désintéressé, puisque nous n'avions pas les moyens de le payer. Fort heureusement les bonnes volontés ne manquèrent pas, la Résistance était en cause [55].

Les conseils généraux et les conseils municipaux de grandes villes aidèrent à résoudre la question financière[56]. Les bulletins de la CHOLF se firent régulièrement l'écho de cette manne à travers une rubrique intitulée « Tableau d'honneur des départements » : en 1947, les subventions s'échelonnaient de 5 000 à 30 000 francs. Nombre de conseils généraux portaient leur participation à 50 000 francs l'année suivante, en sorte que le montant des subventions s'éleva à un total de plus d'un million de francs[57]. Par ailleurs,

> dans certaines villes, des concours de mémoires sur la résistance [furent] organisés, récompensés par le conseil municipal, parfois par le conseil général[58].

Au fil de notations éparses glanées dans les bulletins internes de la CHOLF, on voit combien le travail des correspondants se situait à mi-chemin d'une activité de caractère officiel et d'un militantisme de la mémoire. Par exemple, les instances nationales firent établir « des cartes de correspondants départementaux[59] ». Parallèlement, ces derniers devaient « bricoler » comme ils le pouvaient et la débrouillardise était à l'honneur, les conditions de travail étant étroitement fonction des capacités de chacun :

> Il semble que pas mal d'avantages puissent être obtenus de la préfecture, à en juger par les résultats dont nous avons eu connaissance. Parfois le correspondant dispose d'un local et peut utiliser le téléphone (nous ne donnons pas de noms pour ne pas faire d'envieux) ; ou bien encore la préfecture expédie son courrier et prête une dactylo pour faire taper les documents ; il arrive aussi que le Préfet mette une voiture à la disposition du correspondant ou attribue de l'essence. Demandez toujours[60].

Bénévoles, les correspondants bénéficiaient également de « petites subventions » des instances nationales qui étaient destinées à les « défrayer » :

> En ce qui nous concerne, nous vous en laissons la libre disposition. Le plus simple est que vous touchiez votre mandat et que vous l'utilisiez selon vos besoins. Prévenez-nous aussi au moment où vous le recevez. Indiquez-nous les difficultés que vous pouvez rencontrer ; donnez l'alarme si trop de temps (plus de deux mois) s'écoule après l'annonce de l'engagement, sans avis de paiement de la trésorerie[61].

En décembre 1947, une subvention était annoncée pour tous les correspondants[62]. Graduellement, l'action des membres qualifiés de la CHOLF devenue Comité d'histoire de la Deuxième Guerre mondiale s'officialisa et se formalisa avec l'aide active des pouvoirs publics. En avril 1952, une « note importante » figurant dans le *Bulletin interne* du CH2GM reproduisait la circulaire adressée par le ministre de l'Intérieur aux préfets. Sa teneur était sans équivoque sur l'assistance que ces derniers devaient prêter aux correspondants :

> J'ai l'honneur d'appeler votre attention sur les travaux entrepris par la Commission d'histoire de la Déportation, sous l'égide du Comité d'histoire de la Deuxième Guerre mondiale (organisme créé par décret du 17/12/1951 et rattaché à la Présidence du Conseil).
> Cette Commission recrute des correspondants départementaux par les soins des inspecteurs d'académie, qui ont reçu, à cet effet, des instructions du Ministère de l'Éducation

> nationale. Ces correspondants se présenteront à vous; je vous demande de leur réserver le meilleur accueil et de les aider au maximum dans leur tâche de prospection de documents et d'enquêtes auprès des déportés, notamment :
> – en leur facilitant les recherches dans les dossiers concernant les camps d'internement et les prisons allemandes ou vichystes, qui ont pu demeurer encore dans les bureaux de la Préfecture ;
> – en les accréditant auprès des maires et des chefs de service départementaux (les délégations du Ministère des Anciens Combattants ont reçu des instructions de leur Ministère) ;
> – en donnant votre appui aux demandes de subvention qu'ils pourront adresser aux Conseils généraux ;
> – en leur accordant toute l'aide matérielle souhaitable[63].

Le secrétariat général jouant un rôle de « trait d'union et de mentor[64] », un maillage fut donc disposé sur tout le territoire national. Dès 1949, on dénombrait près de 90 correspondants, seuls 3 départements en étant dépourvus[65].

> L'ensemble [était] évidemment assez hétéroclite : des professeurs de facultés et une trentaine d'archivistes départementaux, des professeurs de lycées et de collèges, un général, quelques officiers supérieurs, des instituteurs, des fonctionnaires de divers postes, des érudits locaux[66]...

Cette hétérogénéité professionnelle, culturelle et sociale du corps des correspondants entraîna une grande diversité des méthodes mises en œuvre, comme Henri Michel le soulignait lui-même en 1949 :

> [...] signalons aussi la constitution de sortes de noyaux actifs réunissant plusieurs membres du Comité pour interroger des gens, parfois dans une ambiance très amicale de réception mondaine, d'autres fois – et le curieux, c'est que des résultats aient été tout de même obtenus – dans une atmosphère de véritable tribunal ; les uns ont fait appel à la presse locale, d'autres à la radio; des concours de mémoires ont été organisés, etc.[67].

Pour atténuer l'impression d'isolement que pouvaient ressentir les correspondants, pour tenter de donner du liant à leurs recherches aussi, le CH2GM eut recours aux services de « ces grands voyageurs que sont les inspecteurs généraux de l'Éducation nationale[68] » de tous les degrés ainsi qu'à ceux des Archives. Il reçut à Paris ceux qui en émettaient le désir, se déplaça lui-même en province, édita ce « petit bulletin intérieur » qui permet, aujourd'hui, de mieux connaître son édifice baroque et inouï. Il organisa même, le 21 juin 1949, un congrès des correspondants où 64 départements métropolitains et l'Algérie étaient représentés[69]. De nombreuses réunions régionales eurent également lieu au fil des ans.

Maître d'œuvre de cette imposante machinerie, Henri Michel était mieux placé que quiconque pour en percevoir la fragilité :

> [...] la machine est facilement grippée, car ses pièces sont hétéroclites et les éléments de rechange sont rares[70]...

Premier bilan et première inflexion (1949-1952)

En dépit de ces failles, en 1949, Henri Michel dressait tout de même un bilan positif de l'expérience qui avait été menée :

> De toutes façons, des équipes de chercheurs sont nées ; la commission est, par nature, éphémère ; quand elle disparaîtra, elle laissera des successeurs, et un héritage. Partout, nous avons joué le rôle de sourcier et nous avons vu poindre des filets de documentation. Même les amateurs de statistiques et de graphiques auront à nous en savoir gré[71].

Dès 1949, les responsables nationaux du CHG, pensant avoir pour l'essentiel rempli leur tâche, estimaient, par la plume d'Henri Michel, qu'il fallait « savoir terminer l'enquête » sur la Résistance :

> Nous demandons aujourd'hui à des témoins de relater des souvenirs qui datent déjà de dix ans. Les souvenirs se brouillent, leur richesse est moindre, leur coloration plus marquée aux feux de la politique du jour. Nous sommes près du point de saturation. Par suite, le travail essentiel

> devient moins le ramassage de témoignages nouveaux, au hasard des possibilités de cueillette, que le complément des séries mal fournies et la recherche des précisions qui s'avèrent nécessaires à la suite de comparaisons, de recoupements, parfois même de véritables confrontations[72].

Ayant bien conscience en 1949 de ne pouvoir prétendre avoir engrangé « une moisson exhaustive », Henri Michel estimait cependant qu'on trouverait dans les dossiers constitués « sinon l'univers de la Résistance, du moins son microcosme exact ». Le CHG n'ayant pas cherché « à réaliser une œuvre critique », « le travail de l'historien demeur[ait] à faire[73] ».

En 1952, la même idée était reprise et précisée. La collecte de données relatives à l'histoire de la Résistance était, pour l'essentiel, bel et bien achevée. Il convenait d'en prendre acte et d'agir en conséquence, c'est-à-dire de clore l'enquête. Le temps de la discipline historique pouvait commencer :

> *L'enquête sur la Résistance* est entreprise depuis 7 ans ; dans beaucoup de départements – comme l'ont fait ressortir les réponses à la circulaire envoyée par M. Perroy et pour des raisons souvent contradictoires – elle peut être considérée, sinon comme achevée (elle ne le sera jamais), du moins comme étant pratiquement à bout de course. Partout où on le peut encore, il importe de la continuer dans toute la mesure du possible, mais il convient de l'adapter aux circonstances.
> D'une part, le climat politique a tellement changé en quelques années et l'altération – volontaire ou non – des souvenirs qui résulte de ces changements est si marquée, que l'intérêt historique des témoignages faiblit beaucoup ; soit que le témoin répugne à dire tout ce qu'il sait, soit qu'il modifie ses jugements selon l'optique du moment. En conséquence, sauf lorsque la rédaction en sera déjà commencée, il sera mis fin à la prise des témoignages telle qu'elle s'est pratiquée jusqu'ici. L'effort portera essentiellement sur le rassemblement des documents encore en la possession des résistants : journaux, tracts, agendas, circulaires, rapports, journaux de marche, papiers des CDL et des CLL, cartes dressées par les agents des réseaux, etc., etc.
> D'autre part, le versement total des archives de la Commis-

> sion aux Archives nationales rend difficile le travail nécessaire de confrontation et de recoupement des textes. En conséquence, sauf lorsqu'il s'agit de documents d'un grand intérêt général, tous les papiers recueillis seront versés aux *Archives départementales*. Les versements pourront, si le donateur le désire, revêtir la forme de *dépôts privés*, selon les modalités demandées par le donateur. Le correspondant avisera simplement le secrétariat général de la nature des papiers ainsi rassemblés, qui demeureront naturellement soumis à la règle de la non-communication pendant 50 ans[74].

C'est donc entre 1949 et 1952 qu'aux yeux de son principal artisan s'opéra le tournant de l'activité foisonnante initiée depuis 1944, qui fut consacré par la mue du CHG en CH2GM. En 1949, Henri Michel concluait le bilan provisoire qu'il dressait de l'enquête sur la Résistance en ces termes qui disaient sans fard le changement qu'il appelait de ses vœux :

> [...] dès maintenant, des études collectives pourraient être envisagées avec la coopération des meilleurs correspondants (carte des maquis par exemple) ; malgré l'assombrissement des événements actuels, en dépit du très regrettable oubli où tombe peu à peu la Résistance, on peut espérer qu'est ainsi né un courant d'études qui vivra encore après la disparition de la Commission et qui contribuera à faire connaître aux Français à venir une des périodes de leur histoire dont le moins qu'on puisse dire est qu'elle fut à tous égards exceptionnelle ; mais, sans l'œuvre par nous ébauchée, elle risquerait de n'être jamais vraiment connue[75].

Que le propos d'Henri Michel ait eu valeur de plaidoyer *pro domo*, c'est évident. Cependant, il avait une autre fonction, plus essentielle, qui était de défendre la conception et la possibilité même de mener une histoire des faits très contemporains. Lucien Febvre, dont on a constaté la forte implication dans le travail du CHG, le soulignait à sa façon dans sa préface au troisième numéro des *Cahiers d'histoire de la guerre*, daté de février 1950 :

> Qu'il soit trop tôt pour écrire quelque chose de vraiment valable sur la Résistance à l'oppression des pays euro-

> péens envahis par l'Allemagne, on ne manquera pas de nous le dire, tantôt gentiment, tantôt avec une pointe d'acidité. Nous remercions d'avance nos informateurs ; mais ils ne nous apprendraient rien. Comme nous n'avons pas la candeur de croire au « définitif » en Histoire, comme nous savons que cette Histoire, science des changements, est elle-même en perpétuel changement, donc qu'elle ne peut procéder que par une suite d'approximations successives, les premières très grosses, les suivantes de plus en plus précises ; comme nous avons d'autre part le fort sentiment que, sous peine de suicide, les historiens honnêtes ne peuvent, ne doivent laisser dans l'ignorance de ce qu'on peut déjà savoir un vaste public qui demande à ce qu'on n'attende pas sa mort pour lui apporter… quoi ? du provisoire, à peine moins provisoire que ce que nous pouvons lui donner aujourd'hui, nous avons décidé de passer outre aux scrupules de l'« attentisme » et de consacrer dès maintenant ce cahier à un survol rapide de la Résistance telle qu'elle se manifesta spontanément un peu partout en Europe dans les pays occupés par les Allemands, et dès 1941[76].

La pente dessinée avec diplomatie par Henri Michel se précisait sous la plume de Lucien Febvre, qui consacrait en quelque sorte le glissement qui était en train de s'opérer d'une cueillette à l'exploitation raisonnée et scientifique de cette cueillette. La thésaurisation accomplie, il restait en somme à faire fructifier le capital amassé.

La transformation avortée du Comité d'histoire de la Deuxième Guerre mondiale

Dans le sillage du lancement des premiers ouvrages patronnés par le CH2GM dans le cadre de la collection « Esprit de la Résistance » aux Presses universitaires de France, sur laquelle on aura l'occasion de revenir ultérieurement, une réflexion de fond fut menée pour déterminer comment l'institution née des soubresauts de la Libération pouvait continuer sa route. Constatant que le Comité avait graduellement changé de caractère et de vocation, ses responsables durent bien prendre acte qu'il était devenu « un

Institut de recherches doublé d'un Centre de documentation et de publications[77] ». L'idée germa alors de transformer le Comité « en plein accord avec le Secrétaire général du Gouvernement et la Direction du Centre National de la Recherche Scientifique[78] ». Il fut question, quatre années durant (1954-1958), de lier cette mutation à la création d'un musée permanent de la Résistance et de la Déportation dont le Comité avait pris l'initiative. Après beaucoup d'efforts et de tergiversations, le Comité fut dessaisi du projet de musée au profit du ministère des Anciens Combattants en novembre 1958. Quant à la transformation du Comité lui-même, les démarches effectuées auprès du CNRS aboutirent à la décision de principe de créer « un Institut d'histoire de la Deuxième Guerre mondiale » selon des modalités à déterminer[79]. Présentant l'état de la question en 1959, Henri Michel esquissait une piste fort intéressante :

> Est-ce à dire que le Comité d'histoire de la Deuxième Guerre mondiale doit disparaître ? Il ne le semble pas, du moins pour quelques années encore. Certes un partage d'attributions devra être effectué : le Comité devrait conserver sa tâche propre de coordination. On peut très bien envisager que, déchargé de tout ce qui conduit à des publications qu'il n'est pas toujours indiqué de placer sous le signe de la Présidence du Conseil, il garde par contre la responsabilité des relations avec l'étranger et devienne un point de rencontres interministérielles plus fréquentes. Bien mieux, il n'est pas dit que l'heure ne soit pas venue, dans un certain nombre de ministères, de commencer, ou d'achever, des recherches sur la période de guerre, dont l'intérêt pratique serait aussi grand que l'intérêt historique[80].

L'Institut d'histoire fit long feu, mais le seul fait que l'on ait pu nourrir un tel projet au milieu des années 1950 prouve que la phase de la préservation d'archives et de la collecte de témoignages s'achevait. Henri Michel plaidait d'ailleurs, dès 1955, « pour une histoire de la Résistance ». La teneur de son plaidoyer ne se résumait plus à la seule nécessité de sauvegarder le souvenir de pans entiers de la lutte clandestine. Il appelait bel et bien de ses vœux une démarche proprement historienne en faisant valoir des arguments convaincants assis sur une connaissance intime de publications qu'il pratiquait depuis plus de dix ans :

> Certes de nombreux ouvrages ont été publiés, quelques-uns de grande valeur, littéraire et historique; on peut en dénombrer plusieurs centaines. Mais c'est un fait que tous rapportent des actions isolées, de groupes, d'organismes ou d'individus : le cloisonnement rigoureux de la Résistance suffit à l'expliquer ; il s'agit essentiellement de Mémoires, de récits, d'événements, ou de biographies de morts ; beaucoup, édités aux lendemains de la Libération, par des maisons aujourd'hui disparues, ou par les soins d'imprimeurs locaux, sont difficilement accessibles ; lorsqu'un effort de synthèse est tenté, ses résultats sont partiels.
> Par suite, le lecteur non averti se perd un peu dans la complexité des faits ; il a souvent l'impression de se trouver en présence de plaidoyers *pro domo*, dont l'effet salutaire est compromis – voire annulé – par d'autres plaidoyers, ceux des collaborateurs ou des vichystes, plus nombreux encore et, fait curieux, diffusés souvent par les maisons d'éditions les plus puissantes ; conséquence fâcheuse, la jeunesse ignore tout de la Résistance et ce ne sont pas ses maîtres qui peuvent l'instruire car ils en ignorent à peu près tout eux-mêmes.
> Bref, si on n'entreprend pas dès aujourd'hui d'essayer d'écrire – je dis bien essayer – une histoire de la Résistance, on risque de s'acheminer vers un oubli total dans peu de temps[81]...

« Je dis bien essayer »... Henri Michel avait une claire conscience des difficultés de la tâche. Encore et toujours, la menace d'un oubli qui eût enseveli l'histoire de la Résistance constituait l'aiguillon pour envisager quand même une inflexion des travaux du Comité de nature à autoriser une plus large diffusion auprès des Français et, bien sûr, de la jeunesse.

Mais l'affaire se compliquait ou s'enrichissait, comme on voudra, du fait que les acteurs de la Résistance n'étaient pas restés muets pendant que les autorités officielles assistées d'historiens avaient entrepris de poser les fondements d'une histoire à écrire avant d'impulser les premières études de caractère historique : les acteurs mués en témoins avaient pris la parole et la plume.

CHAPITRE 3

Les témoins gardent la parole et prennent la plume (1944-1974)

Le témoignage des acteurs : une urgente nécessité

Dressant un premier état des publications dix ans après la capitulation allemande, Henri Michel constatait donc une véritable floraison, à la fois précieuse et inégale. Constituée de Mémoires, de récits, de biographies de héros morts au combat souterrain, cette production, déjà forte de plusieurs centaines d'ouvrages en 1955, avait commencé à voir le jour dès la Libération. Souvent éditée par les soins de maisons acquises à la cause résistante[1], voire par des imprimeurs locaux, elle n'était pas si aisément accessible et livrait des éclats de souvenirs sans viser à brosser un tableau d'ensemble. Henri Michel n'avait pas tort de redouter que le lecteur non averti soit perdu dans la complexité des faits qu'elle relatait et désarçonné par le caractère de plaidoyers *pro domo* qu'elle revêtait tout naturellement[2]. Sans attendre, les acteurs, déjà mués en témoins, avaient pris la plume. Mais comment témoigner ? Cette interrogation fut tout de suite fondamentale et ne cessa de tarauder celles et ceux qui voulurent tenter de retracer fidèlement leur Résistance. À dire vrai, elle les avait, on l'a vu, accompagnés dès le temps de la clandestinité. Préfaçant en 1946 un ouvrage d'Élisabeth Terrenoire, *Combattantes sans uniforme. Les femmes dans la Résistance*, Geneviève de Gaulle en portait, à son tour, remarquablement témoignage :

> Nous étions au camp de Ravensbrück depuis environ trois semaines et nous terminions notre quarantaine, quand quelques-unes de mes camarades me demandèrent d'évoquer pour elles : le rôle de la femme dans la résistance française.
> Conférencière improvisée, on m'avait hissée sur une table d'où je dominais la baraque. Sous le plafond bas, des femmes aux crânes rasés, avec leurs robes à rayures, serrées, attentives, leurs visages levés vers moi.
> Que pouvais-je dire ? Il ne s'agissait pas d'évoquer avec sang-froid, en historienne, cette résistance qui bouillonnait encore dans nos veines, à laquelle nous participions avec notre misère même, et nos souffrances[3].

En définitive, qu'avons-nous été ? Quel a été notre rôle ? Quel sens notre lutte a-t-elle eu ? Comment en parler ? Ces questions qui agitaient des femmes déportées encore en quarantaine à Ravensbrück préfiguraient une difficulté que le retour de la paix ne devait pas manquer de souligner, souvent cruellement. La contradiction entre le sang-froid des historiens et la passion des résistants était pointée du doigt avec une belle perspicacité.

L'autre puissant aiguillon qui poussait les rescapés de l'aventure clandestine à témoigner par l'écrit était leur conviction désolée que l'écoulement du temps jouait et jouerait inéluctablement contre eux et en particulier contre les sacrifices accomplis par leurs camarades anéantis par leurs ennemis. Donner à comprendre une période et une action qui s'éloignaient et dont les traits s'estompaient vite, telle était bien la préoccupation de nombre de témoins.

Cette crainte était exprimée, parmi cent autres exemples, dans les premières lignes d'un ouvrage rédigé par cinq auteurs, Édith Thomas, Jacques Lecompte-Boinet, Edgar de Larminat, René Char et Vercors. Chacun avait choisi d'évoquer un héros : Berthie Albrecht, Pierre Arrighi, Diego Brosset, Dominique Corticchiato, Jean Prévost. *Cinq parmi d'autres*, tel était le sous-titre significatif de cet ouvrage paru à la fin de l'année 1947. Édith Thomas commençait son hommage à Berthie Albrecht, première figure de la série des cinq biographies, par une réflexion qui cernait précisément l'enjeu de la bataille mémorielle entamée avec la Libération :

> De ces milliers de fusillés, de torturés, de cadavres, de ces milliers d'hommes et de femmes engloutis dans les fours crématoires, certains visages se détachent et sont en train de devenir des symboles. Ils sont là, déjà arrêtés au bord de l'éternité, comme les témoins absolus de ces temps purs et affreux. Leur destin est désormais achevé : ils ont pour mission de témoigner pour tous ces anonymes. Deux femmes ont aujourd'hui leurs noms sur deux plaques de rues, à Paris. Peut-être un jour un enfant demandera-t-il à sa mère devant ces deux plaques : « Qui était Berthie Albrecht ? Qui était Danièle Casanova ? » Et la mère ne saura pas répondre. À peine saura-t-elle que ces deux femmes moururent pour leur pays et pour leur foi[4].

Prévenir l'oubli et, pour ce faire, distinguer quelques destins en leur assignant « pour mission de témoigner pour tous les anonymes », le pari était en un sens impossible mais ce projet démontrait que les plus lucides avaient eu tôt fait de comprendre que la mémoire ne subsisterait qu'à la condition qu'elle se fixât sur quelques personnalités promues au rang de « symboles ». Ce n'était pas si mal vu. Que le choix fût dicté en l'occurrence par le caractère exemplaire des symboles est illustré par celui qu'avait fait Édith Thomas, qui avait célébré peu de temps auparavant Danièle Casanova dans les colonnes des *Lettres françaises* : en écrivant, grâce aux témoignages de ses proches, sur Berthie Albrecht, qu'elle n'avait pas connue personnellement, elle élisait une femme dont le parcours – avant comme pendant la clandestinité – s'était tout entier déroulé en dehors des routes bien balisées[5]. Si symboles il devait y avoir, ils devaient être incarnés par des individualités qui avaient eu une destinée, d'un même mouvement, extraordinaire et capable de réunir les facettes multiples de la lutte clandestine. Au moment où l'on célébrait unanimement la Résistance et ses soldats, les plus avisés des résistants qui avaient survécu ne se leurraient donc pas sur la difficulté qu'on éprouverait immanquablement à maintenir son souvenir vivace. Un nouveau combat, contre l'oubli rampant, contre la banalisation graduelle, contre l'image d'une Résistance désincarnée, s'engageait. Comme l'issue en était incertaine, en raison même des spécificités d'une action qui s'était dérobée au regard, mieux valait reporter le précieux capital symbolique de la Résistance sur quelques noms choisis avec discernement.

Quel linceul pour les héros ?

Plaidoyer *pro domo*, l'expression, qui vient spontanément sous la plume de quiconque (re)découvre ces ouvrages édités sur du papier de mauvaise qualité qui dit bien l'air du temps où ils furent réalisés, le plus souvent grâce au concours d'amis, professionnels de l'édition, appelle une explication. La Résistance triomphante de 1944-1945 n'avait nul besoin de plaider sa cause. D'où vient alors que les récits de ses membres aient sonné dès cet instant comme une défense et illustration de sa raison et de ses manières d'être ?

La réponse se situe moins dans une offensive en règle qui eût été menée par les nostalgiques de Vichy – si offensive il y eut, elle ne se déploya pas avant le début des années 1950 – que dans la contradiction insurmontable dans laquelle la mémoire résistante se trouva prise dès la Libération : rappeler ce qu'avait été la Résistance, c'était de fait célébrer une geste accomplie par des forces minoritaires et, par là même, *nolens volens* rappeler le soutien au régime de Vichy, puis l'attentisme de la majorité des Français. Certes, on pouvait lever cette difficulté en peignant une France acquise à la Résistance, complice et solidaire. Mais alors, on écrasait une chronologie qui avait été autrement complexe. Et surtout, on diluait immanquablement ce qui avait fait le sel d'une expérience humaine et politique minoritaire. Pure et dure, la Résistance apparaissait esseulée et solitaire. Œcuménique et rassembleuse, elle perdait ce qui avait fait sa substance[6]. La question se posait tout particulièrement s'agissant des résistants morts en héros.

Les ouvrages pionniers parus au lendemain de la Libération reflétèrent immédiatement cette contradiction. L'évocation, déjà mentionnée[7], par Albert Camus d'André Bollier, l'homme qui avait supervisé le service d'impression de *Combat* et y avait laissé la vie en juin 1944, soulignait la frontière qui séparait les résistants ayant survécu de ceux qui, comme André Bollier, étaient tombés les armes à la main. Mieux, il récusait, dans une correspondance privée il est vrai, l'idée que leur disparition pût vraiment être édifiante. Se posait ainsi brutalement une question qui n'allait cesser d'être au cœur des écrits ultérieurs : comment évoquer la Résistance et rendre hommage à ses morts ?

À proximité immédiate d'événements brûlants, la première réponse devait être – et fut – dictée par la piété. Traitant en 1964 des biographies de résistants, Henri Michel relevait qu'elles avaient été le fait des survivants, souvent amis ou proches parents, qui avaient œuvré guidés par un esprit de dévotion :

> Ainsi, la légende s'est souvent formée en même temps que l'histoire balbutiait[8].

Prenons, pour illustrer ce diagnostic, le cas du petit ouvrage rédigé et publié par René Ozouf en 1946 en hommage à Pierre Brossolette[9]. S'ouvrant sur une photographie de Pierre Brossolette prononçant le 18 juin 1943, à l'Albert Hall de Londres, le discours d'hommage aux morts de la France combattante dont nous avons parlé, il définissait ainsi son propos :

> Notre but a été d'apporter à ceux qui connaissaient Pierre quelques précisions sur son rôle dans la Résistance et sur sa fin glorieuse autour de laquelle certaines légendes se sont déjà formées. C'est volontairement que nous avons proscrit tout ce qui aurait pu paraître littérature ou panégyrique, pour nous en tenir aux témoignages recueillis près de ses compagnons de lutte, rescapés du grand drame, – à qui nous exprimons, pour leurs pieuses confidences, toute notre gratitude[10].

Ces lignes, émanant d'un proche parent du héros/héraut Brossolette, exprimaient à merveille la difficulté inouïe de relater l'itinéraire clandestin du disparu. Soucieux d'éviter le genre hagiographique, René Ozouf ne pouvait que prendre acte du fait que « certaines légendes [s'étaient] déjà formées », et c'est bien sur les « pieuses confidences » de ses compagnons d'armes que l'ouvrage était assis. Comment eût-il pu en aller autrement s'agissant d'un homme en l'honneur duquel une manifestation avait été organisée, peu auparavant, à la Sorbonne, à l'occasion du premier anniversaire de sa mort, le 22 mars 1945 ? D'un homme pour lequel une plaque avait été apposée, le 9 novembre 1945, dans la cour d'honneur du lycée Janson-de-Sailly, dont il avait été l'élève, avec l'inscription suivante :

> Sa bouche s'est tue
> Son exemple parle
> Son sacrifice commande

Se retrouve ici cette idée, que nous avons déjà rencontrée, selon laquelle des légendes avaient accompagné et continuaient d'accompagner les acteurs de la clandestinité. René Ozouf pouvait bien vouloir les tenir à distance, c'était peine perdue : la réalité de l'action du clandestin Brossolette était aussi tissée de l'aura qu'elle avait sécrétée dès le temps de la lutte. Mais, l'exaltation propre à la clandestinité évanouie, comment rendre compte de cette réalité si particulière ? Là était bien le nœud de l'énigme. Comment trouver la bonne distance et travailler avec une échelle appropriée ? Trop fin penseur pour méconnaître cet obstacle, Georges Canguilhem faisait ce sobre constat :

> Raconter ce que j'ai vu et connu de Jean Cavaillès depuis notre rencontre à l'École normale supérieure serait trop long. Faire court en cette matière reviendrait à être insignifiant[11].

Confronté à ce même obstacle, le général de Gaulle choisit d'évoquer, dans ses *Mémoires de guerre* en 1954, quelques-uns de ses glorieux compagnons en quelques lignes soigneusement ciselées chaque fois. Ainsi pour Brossolette :

> Brossolette nous rejoignait ensuite, prodigue d'idées, s'élevant aux plus hauts plans de la pensée politique, mesurant dans ses profondeurs l'abîme où haletait la France et n'attendant le relèvement que du « gaullisme » qu'il bâtissait en doctrine. Il allait largement inspirer notre

> action à l'intérieur. Puis, un jour, au cours d'une mission, tombé aux mains de l'ennemi, il se jetterait lui-même dans la mort pour ne pas risquer de faiblir[12].

Voilà qui corrobore la vision qu'André Malraux avait de l'approche du général de Gaulle en la matière :

> Les portraits de sa conversation, comme ceux de ses *Mémoires*, étaient des bustes[13].

Aux antipodes de ce choix, il y a ce témoignage donné par André Postel-Vinay en deux pages vibrantes en guise de point d'orgue au récit que ce résistant de la première heure arrêté par la Gestapo à Paris en décembre 1941, et que seule sa bonne étoile protégea alors qu'il avait crânement tenté de mettre fin à ses jours, a fait de son parcours semé d'embûches. André Postel-Vinay a tenu à clore son livre en redisant son admiration pour Brossolette, dont le souvenir évoque pour lui

> [...] l'image exacte du héros. Le héros, c'est celui qui va jusqu'à la limite du courage et au-delà, qui renouvelle sans cesse son effort et qui en meurt.
> Brossolette est mort de ce courage insatiable.
> Mais l'héroïsme, c'est autre chose aussi. Il n'y a pas de véritable héroïsme si l'on garde des illusions sur les hommes, pas d'héroïsme vrai sans vision réaliste des événements et de leurs lendemains désenchantés. Il n'y a pas non plus d'héroïsme sans la vivacité d'imagination qui fait mesurer à l'avance l'ampleur et les détails du péril. Or, je n'ai jamais rencontré personne qui m'ait donné plus que Brossolette le sentiment d'une perspicacité rigoureuse, d'une intelligence aiguë, imaginative et réaliste à la fois[14].

Si André Postel-Vinay n'invoque pas la piété, le fait même qu'il ait eu à cœur de saluer la mémoire de Pierre Brossolette, comme pour relativiser son propre récit et situer en haut de la hiérarchie du pur courage un homme qui mit fin volontairement à ses jours pour ne pas parler, porte bien trace de cette piété. Les récits rédigés, après la guerre, par les survivants comportent tous, à un degré ou à un autre, en filigrane cette dimension d'une dette à acquitter à l'endroit des morts. Georges Canguilhem l'a dit mieux que quiconque à propos de son ami Jean Cavaillès :

> Parler de lui ne va pas sans quelque sentiment de honte, puisque, si on lui survit, c'est qu'on a fait moins que lui[15].

Henri Michel lui faisait écho à sa façon :

> Les morts ont été nombreuses ; ont disparu les plus actifs, qui auraient eu le plus à dire[16].

Quant au *Mémorial des compagnons de la Libération* publié par la grande chancellerie de l'ordre de la Libération, achevé d'imprimer le 18 juin 1961, il s'ouvrait significativement sur cette épitaphe :

> Ce Mémorial veut être une pieuse offrande. Aussi, les auteurs, le dessinateur, se sont-ils effacés dans l'anonymat. Cependant, quelques textes officiels, des témoignages d'époque, des documents historiques et de famille y figurent avec leurs références. Seuls nos compagnons tombés entre le 18 juin 1940 et le 8 mai 1945 se dressent ici de page en page, dans l'ordre de la mort, sans distinction aucune[17].

Si trouver le ton juste et le registre approprié pour évoquer des héros relevait de la quadrature du cercle, peut-être était-il plus facile pour les survivants de retracer simplement l'aventure clandestine à laquelle ils avaient eux-mêmes été mêlés. La lecture des témoignages livrés dès 1944-1946 incite à répondre de façon nuancée. L'examen attentif de quelques spécimens de cette première éclosion de récits importe d'autant plus qu'ils ont contribué à tracer une sorte de cadre en définissant une manière de faire qui fut par la suite reprise, que ce fût par imitation ou par imprégnation. En même temps, il importe de ne pas exagérer leur impact sur l'opinion en raison de la confidentialité des maisons qui les éditèrent et de la pauvreté de leurs moyens de diffusion.

Avant d'aborder ces ouvrages, il faut préciser que la difficulté de la Résistance à se présenter aux Français pour ce qu'elle avait réellement été sans immédiatement les exclure de son paysage fut quelque temps masquée par l'euphorie des semaines de la Libération. Au moment même où Camus s'exprimait de la façon amère que l'on sait, Sartre publiait dans *Les Lettres françaises*, le 9 septembre 1944, un article appelé à une forte notoriété. Intitulé « La République du silence », ce texte proposait la vision d'une France solidaire dans la Résistance à l'occupant, symbolisée par l'emploi d'un « nous » qui était ainsi explicité :

> Les circonstances souvent atroces de notre combat nous mettaient enfin à même de vivre, sans fard et sans voile, cette situation déchirée, insoutenable qu'on appelle la condition humaine. L'exil, la captivité, la mort surtout que l'on masque habilement dans les époques heureuses, nous en faisions les objets perpétuels de nos soucis, nous apprenions que ce ne sont pas des accidents évitables, ni même des menaces constantes mais extérieures : il fallait y voir notre *lot*, notre destin, la source profonde de notre réalité d'homme ; à chaque seconde nous vivions dans sa plénitude le sens de cette petite phrase banale : « Tous les hommes sont mortels. » Et le choix que chacun faisait de lui-même était authentique puisqu'il se faisait en présence de la mort, puisqu'il aurait toujours pu s'exprimer sous la forme « Plutôt la mort que… ». Et je ne parle pas ici de cette élite que furent les vrais Résistants, mais de tous les Français qui, à toute heure du jour et de la nuit, pendant quatre ans, ont dit *non*[18].

Le texte avait beau porter la marque de cet existentialisme qui ne devait pas tarder à valoir à son auteur la célébrité, il n'en affirmait pas moins que la distinction entre les « vrais résistants » et les autres n'était pas affaire de nature mais de degré. Ce faisant, il reflétait une réalité intéressante : l'événement de la Libération avait résonné avec un tel fracas que les semaines de l'été 1944 avaient tendance à se dilater au point d'éclipser les années troubles de la guerre. Cette version extatique ne pouvait pas durer, ne serait-ce que parce qu'elle était inconciliable avec ce que les acteurs, les « vrais résistants », avaient à dire. Au surplus,

> les Français de 1944 n'ont jamais cru qu'ils avaient résisté en masse. Ils ont toujours su que les femmes et les hommes du refus avaient formé une élite, minoritaire, en grande partie sacrifiée[19].

Le témoignage dans tous ses états

Dans un récit rédigé entre décembre 1944 et août 1945, publié en 1946, Pierre Guillain de Bénouville justifiait en page de garde le titre qu'il avait choisi de donner à ses souvenirs de Résistance, *Le Sacrifice du matin* :

> Le titre de ce livre me vient d'une phrase, qu'au cours d'un des derniers combats des Vosges, en 1940, j'ai lue inscrite sur la page de garde d'une *Imitation de Jésus-Christ*, qu'en fouillant un sac pour y trouver les vivres dont nous manquions je venais, par hasard, de découvrir. Cette phrase de la *Vie de Madame Louise de France*, que soulignait Émile de Clermont à l'heure où il montait au dernier assaut, je vous la donne sans plus attendre : « Que vous êtes heureuse de vous donner à Dieu si jeune ! Sacrifier ce que l'on ne connaît pas, c'est faire plus que de sacrifier ce que l'on méprise parce qu'on le connaît. C'est le sacrifice du matin. Je tâche d'y unir le mien qui n'a pu être que le sacrifice du soir. »
> La Résistance fut, en vérité, pour chacun de ceux qui y participèrent, le matin d'une nouvelle vie.
> Et les Résistants ne demandent pas autre chose à ceux qui ne furent pas avec eux dans l'action, que d'unir au sacrifice du matin le sacrifice du soir[20].

Cette entrée en matière revenait à affirmer, en guise de préambule et sans ambages, que la Résistance avait bien été l'affaire d'une élite dont les membres encore en vie appelaient leurs compatriotes, la paix conquise, à se joindre à eux. Dans cette optique, le sacrifice du matin ne pouvait être confondu avec celui du soir. L'épilogue du récit, couché sur le papier à un moment où l'on attendait encore chaque jour la nouvelle du retour des camps de camarades évanouis dans la nuit et le brouillard, citait les noms de quelques rescapés, de camarades morts avant la Libération et de ceux dont on ne savait rien alors. Le rappel insistant des pseudonymes de ces fantômes – morts ou disparus sans qu'on sût leur sort – suggérait que les acteurs de la Résistance ne s'étaient pas encore extraits de ce qui avait été, de longues années durant, leur quotidien. Ce texte se terminait sur la nécessité pour les résistants de rester fidèles au serment prêté avec leurs martyrs et que rappelaient

> les charniers épars dans toute l'Europe et où reposent les corps de leurs compagnons, témoins et messagers d'une victoire que nous leur devons maintenant d'accomplir dans la paix[21].

En somme, l'exorde comme l'épilogue dessinaient bien la spécificité, si difficile à mettre en valeur après la Libération, de ce qu'avait été la Résistance. Pour le reste, ce récit de facture classique s'ouvrait « à l'aube du 10 mai 1940[22] » et déroulait la trame chronologique de l'action avec quantité de portraits, d'anecdotes, de dialogues au style direct. Commencer le récit le jour de l'attaque allemande sans un mot pour tous les événements – personnels et politiques – situés en amont, c'était témoigner de la profondeur du traumatisme de mai 1940. Nombre d'ouvrages postérieurs devaient reprendre ce schéma narratif et emprunter à cette veine d'inspiration au plus près de la quotidienneté clandestine[23]. Par le retentissement qu'il eut, par les rééditions successives qu'il connut, le témoignage de ce compagnon de la Libération, promu général de brigade au titre de la Résistance intérieure[24], fit probablement office de matrice pour beaucoup de récits publiés ultérieurement[25]. Issu de l'extrême droite la plus militante, à laquelle il ne cessa jamais d'être fidèle, Bénouville ne pouvait être revendiqué ni par la mémoire gaulliste ni par la mémoire communiste. C'est donc bien, dans son cas, la forme de la mise en récit qui joua un rôle dans la manière dont beaucoup de ses camarades évoquèrent à sa suite la période de lutte clandestine.

Après le récit, la mise en intrigue. L'exemple le plus accompli en fut le colonel Rémy, Gilbert Renault de son vrai nom, qui inaugurait en 1945 une longue série de récits avec ses *Mémoires d'un agent secret de la France libre, juin 1940-juin 1942*[26]. Pur gaulliste à cette époque, il narrait dans une relation haute en couleur, émaillée d'anecdotes et de notations vivantes, les heurs et malheurs de la Confrérie Notre-Dame dont il avait été le chef. La description de l'activité de son réseau se prêtait admirablement au registre haletant de l'espionnage[27]. C'est la singularité même des faits relatés qui faisait en quelque sorte leur piment, à mille lieues de la quotidienneté, qu'elle fût clandestine ou non. Les écrits du colonel Rémy furent très bien accueillis, au point d'être salués avec émotion par Paul Mouy et Suzanne Delorme, auteurs en 1947 dans la *Revue de synthèse* d'un article très documenté intitulé : « La France de la Résistance d'après quelques témoignages ». Ils y évoquaient les

> [...] énormes volumes *Mémoires d'un agent secret de la France libre* et *Le Livre du courage et de la peur* (en 2 tomes) que Rémy (Gilbert Renault) a déjà consacrés à l'histoire de son réseau, de ses missions à Londres, de ses voyages dangereux. Aucun livre, jusqu'ici, ne nous avait aussi intensément fait vivre de la vie des clandestins, fait participer à leurs angoisses, ne nous avait rendu si présentes les souffrances endurées par les victimes de la Gestapo. On a hâte de lire la suite de ce récit qu'on sent si sincère[28].

Venant de deux lecteurs avertis, aptes à discerner dans la bibliographie établie depuis la Libération « des livres historiques d'urgence, si l'on peut dire, dont la lecture est particulièrement attachante, mais dont la valeur n'est encore que provisoire et indéterminée[29] », le compliment adressé au colonel Rémy n'était pas mince. Et c'est un fait que la myriade d'ouvrages du colonel Rémy rencontra un succès qui ne se démentit pas pendant des années, faisant ainsi office de passeur et, dans bien des cas, d'initiateur des jeunes générations à la saga résistante.

C'est un tout autre genre, quasi documentaire, qu'illustrait Agnès Humbert, pionnière du réseau du Musée de l'Homme, arrêtée le 13 avril 1941 et déportée dans les bagnes hitlériens, en publiant *Notre guerre*, constitué pour partie du journal qu'elle avait tenu jusqu'à son arrestation, le 13 avril 1941. Remarquablement lucide, dépouillé de tout artifice, son compte rendu au jour le jour des premiers pas d'une organisation aux ramifications étendues, touchée de plein fouet très tôt par l'impitoyable répression des forces de l'occupant, était d'une éloquence indéniable[30]. Il donnait à voir, sans reconstruction, ce qu'avait pu être l'activité tâtonnante des premiers résistants quand le seul fait de penser que l'action était possible représentait une victoire. À travers les pensées et les faits consignés au fil de la plume et des jours, Agnès Humbert, qui avait été l'un des rouages essentiels d'un groupe aussi vite monté en puissance que décimé par les Allemands, restituait sans grandiloquence un quotidien simultanément ordinaire et périlleux. Quant aux pages consacrées au monde carcéral et à l'univers concentrationnaire, elles se caractérisent également par un souci d'authenticité qui fait, aujourd'hui encore, de cet ouvrage une clef incomparable pour accéder à ce que fut la Résistance dans ses multiples avatars.

La reconstruction réflexive et nostalgique déjà inspirait à Emmanuel d'Astier de la Vigerie, fondateur du mouvement de résistance Libération de zone sud, un récit à mi-chemin de la méditation et de l'évocation d'un passé à peine évanoui[31]. Ouvrage achevé d'imprimer le 27 juillet 1945, *Avant que le rideau ne tombe* rassemblait, au fil des 47 pages d'un petit format, cinq articles publiés au printemps de cette même année[32]. L'ouverture du texte qui fournissait son titre à cette édition modeste vaut d'être citée :

> Avant que le rideau ne tombe, je veux parler de vous, les frères de la première heure, les frères en utopie.
> Pour vous, pendant ces premiers mois, il ne s'agissait pas de politique. Vous étiez des hommes seuls, partagés entre la honte et la foi. Vous vous enfonciez dans une forêt dont les arbres vous cachaient encore l'étendue et la menace. Les liens relâchés, les affinités perdues, les dispositions sociales et politiques bouleversées, vous y entriez seuls, vous y rencontriez d'autres hommes, des inconnus, qui cherchaient les mêmes astres.
> Vous êtes devenus des frères. Vous en avez connu un goût très vif de l'humanité ; assez pour inventer cette forme de guerre civile et nationale qui allait bien au-delà de la nation, qui s'étendait à l'Europe.
> De fil en aiguille, vous êtes devenus la Résistance. Vous êtes devenus un peuple conscient de résister au mal, plus encore qu'au malfaiteur.
> Enfin, dévorés par votre apostolat, envahis par vos néo-

> phytes, vous avez échoué au port, quand au lieu de sauver et de vaincre, il vous a fallu convaincre et rassembler vos forces contre les faiblesses de ceux qui avaient assisté votre prodige, subi votre miracle sans y croire.
> Avant que le rideau ne tombe, je voudrais parler une fois encore de vous : les vivants et les morts, les morts encore un peu vivants, les vivants déjà un peu morts. Un peu morts, parce que la vie sociale va vous reprendre, vous habiller, vous administrer, vous classer (ou vous reclasser comme certains aiment à dire).

Décidément inclassable, d'Astier cherchait moins à témoigner qu'à exciper du passé pour déplorer que le présent fût oublieux et pour tenter d'en infléchir le cours. Il sortait des sentiers battus en soulignant la tension entre le vécu clandestin d'hier et la reprise d'une vie normale. Il distillait surtout l'idée que l'expérience clandestine avait été l'apanage d'une frêle cohorte qui, seule, pouvait en partager et en entretenir le souvenir. Cette posture était bien sûr foncièrement élitiste au point que son auteur ne jugeait pas utile de nommer par leur véritable identité ses compagnons de Résistance, les désignant par des pseudonymes qu'il avait lui-même forgés, ce qui équivalait à dresser un rideau opaque pour le *quidam*. Publié dans *Les Lettres françaises* du 21 avril 1945, l'article qui donnait son titre au recueil était initialement intitulé « Avant que le rideau tombe », et la tonalité en était si mélancolique que Claude Larrieux avait appelé, dans *Temps présent* du 11 mai 1945, à une « relève de la Résistance » par les Français à condition qu'ils « comprennent quelle est leur dette à l'égard des héros de la Résistance, et que le moyen de s'en acquitter, c'est de continuer leur œuvre au moment où la lassitude risque de les atteindre ». La réplique de d'Astier, datée du 18 mai, atténuait son propos initial en relevant ce qu'il appelait « un point de détail » :

> L'article incriminé s'intitulait : « Avant que le rideau ne tombe », ce qui indiquait en même temps qu'un doute, l'espoir que le rideau n'allait pas tomber. C'est le zèle intempestif d'un correcteur qui, plus épris de Littré que de la grammaire, supprima tout au long le *ne* supplétif qui nuançait ma pensée[33].

Si la défense était peu convaincante, elle était nécessaire parce que les lignes désabusées du chef de Libération-Sud avaient ému ses camarades :

> Claude Larrieux se trompe et aussi quelques camarades qui ont bien voulu m'écrire. Nous ne sommes pas, nous ne serons jamais des anciens combattants[34].

La dénégation n'y faisait rien. D'Astier était bien obligé de concéder que son propos avait pour origine l'échec relatif de la Résistance dans la période qui était allée de la Libération à la victoire. Or, cet échec devait colorer par la suite quantité de récits d'anciens résistants.

Un autre texte, fort court, intitulé « Nous vivons avec eux », distillait le même type de posture aristocratique :

> Nous ne voulons pas trop en parler parce que le royaume des Ombres ne s'accommode pas des fracas et des mots : mais nous vivons avec eux. Certains sont peut-être encore à mi-chemin entre la vie et la mort. Ils sont autour de nous, comme des fantômes qui cherchent entre le rêve et la réalité. D'autres ont hésité au seuil et l'ont franchi. Nous les associons tous. Ils sont également précieux.
> Peut-être par superstition – crainte d'effaroucher le destin – je n'ai jamais appelé par leurs noms les deux premiers, les deux plus chers : Cavaillès et Rochon[35].

L'optique adoptée par un autre fondateur de Mouvement, Philippe Viannay, était foncièrement différente même si elle reposait sur un présupposé identique, à savoir que la Résistance organisée avait enrôlé une petite minorité. Au lieu de se replier sur l'Aventin d'une mémoire minoritaire, le chef historique de Défense de la France faisait effort pour que ses compatriotes apprennent à connaître les clandestins et leurs idéaux. Cet effort passait, en l'occurrence, par la reproduction de textes que Philippe Viannay avait signés de son pseudonyme d'Indomitus dans la feuille clandestine du Mouvement. Destinés à montrer qui étaient les résistants, ces textes étaient complétés par une interprétation de ce que Viannay diagnostiquait, dès 1946, comme l'échec politique de la Résistance. Le propos qui introduisait le recueil d'écrits témoignait d'une volonté d'ouverture et de transparence fort éloignée de la hautaine distance observée par d'Astier :

> Qui êtes-vous ? demande la Nation aux hommes de la Résistance. Êtes-vous ceux qui, à Valence, ont traîné dans la rue, dévêtue et tondue, une mère de cinq enfants, parce que l'un de ceux-ci, cerveau brûlé, était milicien et que, faute de l'avoir trouvé, on se vengeait sur la mère ? Êtes-vous ceux qui arrêtent des innocents et qui les fusillent ensuite sans jugement ? Êtes-vous ceux qui ont assassiné, sur le bord de la route, un honnête homme parce qu'il était porteur d'une vieille carte de Croix de Feu ? Êtes-vous les intolérants qui accusent de trahison tous ceux qui ne pensent pas comme eux ? Êtes-vous ces misérables qui, en pleine guerre, alors que la seule chance de la France est de rester unie, attaquent perfidement les ministres, qui sapent sourdement l'autorité d'un État encore naissant ? Êtes-vous ceux qui veulent faire des élections dans la peur et qui veulent contraindre la population française à voter avec des mitraillettes dans le dos ? Êtes-vous ceux qui veulent s'opposer à la presque totalité de la population et qui veulent la faire vivre dans la terreur ?
> La Nation interroge. La Nation s'inquiète. La Nation juge. À toutes ces questions angoissées, nous répondons : Ce que nous sommes ? Nous sommes les rebelles. Mais, Français, ces rebelles, nous voulons que vous les compreniez, pour les aimer, pour les suivre. Et les lignes qui viennent vous diront ce que nous avons été et ce que nous voulons être. Français, vous cherchez à juger. Vous en avez non seulement le droit, mais le devoir. Et ici il faudrait que vous trouviez précisément de quoi éclairer votre jugement. Français, écoutez les rebelles[36].

Avec des mots et des perspectives aussi dissemblables que les deux hommes l'étaient, d'Astier et Viannay attestaient pourtant une même réalité : il y avait bien un fossé entre les résistants organisés et une population qui les connaissait mal. Au mythe de la Résistance en action avaient succédé des commérages, des bruits, des rumeurs qui enveloppaient les clandestins apparus au grand jour à la Libération d'un voile d'incompréhension. Qu'on fût altier ou pédagogique, le fait était patent. Cet écart, consusbtantiel à ce qu'avait été la relation entre la Résistance et les Français, ne se combla pas.

En 1947, François Wetterwald faisait paraître une sorte d'historique de son groupe de Résistance, *Vengeance. Histoire d'un corps franc*, avec un avant-propos qui portait la trace de la distance qui était en train de se creuser :

> L'idée de publier ce livre, au moment où la Résistance s'estompe de plus en plus dans la mémoire des Français, peut sembler singulière.
> Nous n'ignorons pas que, dans bon nombre de milieux, le cri général est : « On a suffisamment parlé de la Résistance... » et de citer aussitôt tous les griefs que l'on croit avoir contre elle...
> Certes, le vrai visage de la Résistance a été défiguré par ceux-là mêmes qui n'avaient aucun intérêt à laisser se développer, en France, une Force qui risquait, par l'union de tous les patriotes scellée en vue de la Libération du territoire, d'entraîner une désaffection générale envers les chapelles politiques.
> Mais dans cette lassitude affectée que bien des gens manifestent aujourd'hui, il y a autre chose : il est désagréable d'entendre parler des luttes héroïques, des hauts faits des combats de la clandestinité et de la Libération, quand l'attitude, quasi unanime, en France, a été, vis-à-vis de l'occupant, l'indifférence au maximum, une méfiance plus ou moins hargneuse ; nous n'oublions pas que, nous autres résistants, nous étions une minorité, pour ne pas dire une élite... Alors, n'est-ce pas, mieux vaut laisser se couvrir d'un voile d'oubli les éléments d'une comparaison peu flatteuse.
> C'est pourquoi nous n'avons pas écrit ce livre pour le grand public. Il est fait pour nos camarades, pour tous nos frères de combat ; ils y retrouveront le souvenir de leur vie clandestine, de leurs angoisses comme de leurs satisfactions profondes[37].

Comme pour enfoncer le clou, cet ouvrage qui n'avait pas été écrit « pour le grand public » comportait *in fine* une page blanche, intitulée « Observations », précédée de cet avertissement :

> NOTE.– Si vous avez relevé dans cet ouvrage des omissions ou des erreurs, veuillez les consigner sur ce feuillet et le retourner, après l'avoir détaché, au Mouvement « Vengeance », 18, rue Favart, à Paris 2ᵉ, en indiquant votre nom et votre adresse[38].

Ce n'était pas là le mouvement d'humeur d'un atrabilaire. Parallèlement aux difficultés politiques dont souffrait la France de la Libération, bientôt plongée dans la guerre froide, puis à l'échec des aspirations dissemblables mais fortes qui avaient traversé les composantes de la Résistance, l'idée que la transmission de son histoire était, et serait, difficile gagnait du terrain. Dans ce contexte, on vit surgir la thèse d'un trop-plein d'histoire ou, pour parler plus précisément, d'histoires, comme André Roure le déplorait dans *Valeur de la vie humaine*, un texte daté du mois de mai 1946 et publié en 1948 :

> L'histoire de la Résistance n'a pas été écrite, et sans doute ne pourra-t-elle l'être que plus tard, quand les documents épars auront été réunis, quand il sera possible de rendre justice à tous sans heurter les susceptibilités, quand elle pourra être autre chose qu'une flatterie aux hommes en place. En ce moment, sauf quelques rares exceptions, nous n'avons guère que des romans et des films médiocres et même parfois odieux, où les couchages se mêlent aux drames, où de prétendus héros se vantent eux-mêmes de prouesses qui n'ont pas eu de témoins[39].

Parmi beaucoup d'autres, ce texte démontre que les résistants n'étaient pas seulement soucieux de porter témoignage. Ils étaient mus par une exigence d'exactitude, de rigoureuse conformité à la vérité des faits, qui constituait un handicap supplémentaire à la propagation de leur histoire en ce sens que la clandestinité, où le cloisonnement et l'éclatement des tâches et des responsabilités étaient la règle, se prêtait fort mal à une reconstitution exhaustive. Ce trait mérite d'être relevé tant il est vrai que la conscience des limites de tout témoignage est disposée comme une borne à la lisière de bien des premiers écrits du temps de paix des résistants.

Prenons, parmi cent autres possibles, le propos liminaire de Pierre Denis (P. Rauzan), auteur en 1947 de *Souvenirs de la France libre*. Loin de célébrer une geste, comme on aurait pu s'y attendre, il dit ses doutes et les indispensables précautions qui doivent en découler :

> Avant d'ouvrir l'écluse, je voudrais prendre mes précautions à différents points de vue.

> D'abord, en ce qui concerne la valeur historique de mes notes : « Je ne nie pas l'histoire, dit Lorenzaccio, mais je n'y étais pas. » Parole profonde, qui jette une vive lumière sur ce qu'il y a d'irréconciliable, d'inadéquat, entre l'histoire et la part qu'y a joué chacun de nous. Comme il faut des myriades de ferments pour faire le vin, il faut, pour faire l'Histoire, des millions de vies individuelles avec leurs soucis, leurs angoisses, leurs velléités, leurs efforts pour deviner la pensée de leurs chefs, sans connaître exactement les problèmes qui les assaillent.
> L'Histoire reste une chose bien différente de son reflet dans le cœur d'aucun de nous, même quand les individus se sentent étroitement liés les uns aux autres et profondément solidaires.
> J'ai failli, un jour, demander au général de Gaulle de me charger d'être l'historiographe de la France libre. Je ne sais comment il aurait accueilli cette requête. Il n'a pas eu à la refuser, car je ne l'ai pas présentée. De fait, je me vois mal pratiquant le métier d'historien officiel, myope et bénisseur. Mais, si je n'étais pas né pour le faire, du moins dois-je reconnaître honnêtement que des notes du genre de celles-ci ne sont pas de l'histoire[40].

On ne saurait dire par conséquent que les résistants se sont jetés tête baissée dans le récit de leurs aventures. L'idée qu'ils devaient d'abord et avant tout se défier de leurs souvenirs, fragiles et parcellaires, c'est bien sous leurs plumes qu'on la trouve. À un moment – on y reviendra – où les historiens choisissaient de faire fond sur la parole des témoins, ces derniers incarnaient paradoxalement la prudence épistémologique de mise en pareil cas. On se battait, pour ainsi dire, à front renversé. La naïveté n'était pas du côté des acteurs mués en témoins.

Leur défiance à leur propre endroit était d'autant plus vive que les clandestins tenaient comme à la prunelle de leurs yeux à l'action qu'ils avaient menée, aux solidarités qu'ils avaient nouées avec leurs semblables. Dès lors, l'exposition de sentiments et la narration d'un vécu qui relevaient de l'ordre de l'intimité n'allaient pas de soi. C'est sans doute Henri Frenay qui décrivit le plus justement cet obstacle qui renvoyait aux représentations que bien des résistants se faisaient de leur engagement du temps du combat. Sollicité par le colonel Passy, qui souhaitait lui donner la parole à la faveur de la publication du troisième tome de ses souvenirs, en 1951[41], il se refusait à évoquer « la Résistance, la vraie, celle des premières années, celle que peu d'hommes ont connue » qui était « comme un jardin secret où parfois, seul, je pénètre. On ne m'en voudra pas de n'y pas faire entrer sur mes traces la foule des dimanches. Je n'aime pas les profanations[42] ».

Comment concilier exactitude et sincérité ? Comment initier les profanes, étrangers à la Résistance, à l'intensité du vécu clandestin ? On voit bien désormais que deux écoles se formèrent face à ces redoutables défis. À l'évocation délibérément hermétique d'un d'Astier, au silence pur et simple d'un Frenay, répondirent les démarches pédagogiques et iréniques d'un Viannay ou d'une Lucie Aubrac.

Entreprenant en 1945 de dépeindre la Résistance, sa naissance et son organisation, Lucie Aubrac, cofondatrice de Libération-Sud et agrégée d'histoire et de géographie, avait dès l'abord décrit, dans un petit livre suggestif, les écueils qui se dresseraient sur la route de quiconque se risquerait, comme elle, à la synthèse :

> Parler de la naissance et de l'organisation de la Résistance en 1945 est une tâche comparable à celle qui aurait consisté à parler de la Révolution de 1789 en 1795.
> Placé dans la durée et la vie des événements, il est d'abord très difficile d'être impartial, il est ensuite impossible d'être complet.
> Parce que l'on a une formation d'historienne, l'on se construit une vue rationnelle de la Résistance, vue très intellectuelle, que l'on complète beaucoup trop sentimentalement parce que l'on a pris part à certains des événements. Et dans la peine qu'on a connue, dans les actes qu'on a vécus, dans les êtres qu'on a fréquentés, dans les résultats qu'on a obtenus, on se crée un ensemble de souvenirs et d'idées qui correspondent un peu trop à un sentiment personnel.
> Ce n'est qu'à travers ces sentiments, que j'ai pu dégager un certain nombre d'idées et rappeler un certain nombre de souvenirs sur la Résistance, son développement et son organisation. Il faut bien dire que si l'ensemble est impar-

> fait, il est encore plus incomplet, que tel qui vécut la Résistance ne s'y reconnaîtra pas du tout, tandis que tel autre aura l'impression d'y retrouver les siens.
> Ce que je voudrais faire ressortir de cette étude, c'est l'extraordinaire vitalité de la clandestinité pendant l'occupation, la vie secrète de toute la France comme celle d'une femme qui aurait un amour caché lui prenant le plus beau de son temps et de son cœur. Vie parcellaire, vie de hasard, sans homogénéité, puisqu'elle animait des hommes et des femmes de classes différentes, d'origines différentes, de métiers et de traditions variés[43].

L'absence de recul et ses deux corollaires – l'impossible impartialité, l'illusoire exhaustivité – renvoyaient à la situation marginale réservée de fait, depuis l'avènement de l'école méthodique dans le dernier quart du XIXe siècle, à l'histoire la plus récente, on y reviendra. La tension entre la raison et les sentiments, la subjectivité des acteurs, tout cela contribuait à rendre la tâche ardue. Notons que Lucie Aubrac utilisait deux expressions –« s'y reconnaître » et « y retrouver les siens » – qui disaient bien que le problème n'était pas seulement de rendre la Résistance accessible aux béotiens mais aussi de coïncider avec les souvenirs des acteurs. On verra plus avant que cette préoccupation, énoncée dès 1945, ne quitta jamais les survivants : à quoi bon évoquer l'action passée en des termes d'une rigoureuse exactitude si le singulier vécu résistant était, au bout du compte, absent du tableau ? Au reste, la fresque peinte par Lucie Aubrac, qui n'était pas dénuée d'inexactitudes ou d'erreurs factuelles à une date fort proche des événements qu'elle retraçait, visait bien avant tout à suggérer par de petites touches impressionnistes une réalité qui ne se laissait pas résumer ou réduire à la chronologie ou à la précision d'une chaîne de faits.

De quelque façon que l'on considère les choses, la relation par les acteurs mués en témoins de leur passé résistant n'allait pas de soi, et les intéressés en furent, dès l'origine, étonnamment conscients. La difficulté s'accroissait encore du fait des querelles politiques et idéologiques qui donnèrent toute leur mesure avec l'avènement de la guerre froide. L'histoire et la mémoire de la Résistance furent profondément divisées par ce rejeu dramatique d'une faille qu'on avait pu, un temps, croire comblée.

Pour preuve, cet *Annuaire de la Résistance* de 1948 qui s'ouvrait sur une photo du général de Gaulle accompagnée de l'appel du 18 juin 1940. L'avant-propos signé de Charles Dauphin énonçait clairement le but auquel il répondait, en même temps qu'il reconnaissait implicitement l'impossibilité de l'atteindre :

> Rescapés des camps, après avoir, de longs mois durant, vécu l'« univers concentrationnaire », un groupe de résistants avait pensé en foulant à nouveau le sol de la liberté que l'amitié, la solidarité et l'entr'aide, nées d'une lutte commune et pour le même idéal ne pouvaient rester lettre morte une fois les dangers passés.
>
> C'est dans cet esprit que naquirent un peu partout au lendemain de la Libération de nombreuses associations ayant pour buts premiers l'entr'aide sociale et le culte du souvenir. Rapidement, cependant, ces associations multiples s'amenuisèrent, disparurent ou se fondirent dans des groupements plus vastes à l'échelle fédérale. C'est ainsi que le monde déporté fut bientôt représenté par deux fédérations, chacune ayant, selon ses adhérents, sa raison d'être en fonction de certaines conceptions idéologiques. D'autres fossés, tout aussi profonds, se creusèrent également dans les rangs de l'ancienne Phalange Résistance. Un lien de coordination, lien neutre par excellence, semblait nécessaire.
>
> C'est alors que nous conçûmes l'idée d'un *Annuaire de la Résistance*, qui devait permettre à tous nos anciens camarades de combat de se retrouver sur les différents plans de la vie.
>
> Notre but était double :
>
> — coopérer à l'œuvre historique de la Résistance française ;
>
> — mettre à l'honneur ceux qui y avaient effectivement participé.
>
> Un immense effort a été fait dans ce sens par la mise en place de correspondants départementaux et par voie d'appel aux mouvements et réseaux. Pendant plus d'un an, nous avons mis en œuvre tous nos moyens d'action, aidés en cela par de nombreux camarades qui, ayant compris notre but, nous ont offert leur concours.

> Ces efforts se sont, malheureusement, heurtés à de grosses difficultés :
> — abstention volontaire de certains pour raisons personnelles ou politiques ;
> — absence d'archives, dignes de ce nom, dans les organismes ou bureaux liquidateurs, le plus souvent en sommeil.
> Les listes que nous présentons aujourd'hui sont donc incomplètes. Du moins les noms qui y figurent ont été communiqués sous le contrôle et la responsabilité des mouvements ou réseaux correspondants.
> Afin de ne pas retarder à l'extrême la parution de cet ouvrage, dont la sortie des presses n'a déjà que trop attendu, nous avons décidé de le publier tel en envisageant de le compléter, ensuite, dans une seconde édition.
> Par contre, nous avons la certitude de présenter au public un historique de la Résistance ayant une valeur certaine, travail unique et original dans son genre. Les mouvements et réseaux sont présentés par leurs responsables particulièrement qualifiés et sous leur responsabilité.
> Nous aurons ainsi à cœur d'avoir au moins rempli entièrement l'un de nos buts en apportant les meilleurs documents, souvent inédits, pour servir à l'élaboration de la grande histoire de la Résistance française que nous préconisons depuis la Libération[44].

De fait, les « historiques de mouvements de Résistance » qui composaient la première partie et la liste alphabétique que fournissait la deuxième frappaient par leurs lacunes. En dépit d'efforts certainement méritoires, c'était bien la seule mémoire gaulliste qui faisait là entendre sa voix et regroupait les siens à travers le travail accompli par la Fédération nationale des déportés et internés résistants. Malgré l'intérêt de certaines contributions – celles de Jacques Baumel et de Claude Bourdet au premier chef –, l'ensemble ne donnait qu'un aperçu partiel du paysage résistant.

La cristallisation du souvenir résistant autour de deux pôles dominants – les communistes et les gaullistes – n'était pas un vain mot[45]. Dans la bataille engagée entre les troupes du Rassemblement du peuple français et celles du Parti communiste, chacun faisait flèche de tout bois. De ce point de vue, la parution échelonnée entre 1947 et 1951 des souvenirs du colonel Passy fut un événement[46]. Ancien chef du service de renseignements de la France libre, le Bureau central de renseignements et d'action militaire, le colonel Passy n'était assurément pas le premier venu. Il n'est pas exagéré de soutenir que ces trois volumes allaient bien au-delà du registre, déjà rodé entre 1947 et 1951, des souvenirs égrenés au fil de la plume. Rendant compte en 1964 de cette publication, Henri Michel la jugeait « indispensable à la connaissance de la Résistance, extérieure et intérieure[47] ». Outre qu'il avait œuvré à un poste d'observation et de décision stratégique, le colonel Passy avait « disposé, pour étoffer ses souvenirs, d'un "Livre blanc" établi par ses services immédiatement à la fin de la guerre, et qui n'a jamais été édité[48] ». Et Henri Michel de préciser avec un art de la litote sans doute appris dans ses fonctions officielles et au contact – qui pouvait être rugueux – des acteurs : « En l'absence d'une contrepartie qu'aurait pu apporter Jean Moulin, ces souvenirs sont d'un intérêt sans équivalent[49]. » Ce récit d'un responsable de premier ordre « pas entièrement immunisé[50] » contre les conflits de personnes, selon un nouvel et joli euphémisme d'Henri Michel, devait jouer un rôle important dans le façonnage du souvenir résistant comme dans l'écriture historienne en raison du fait qu'il s'appuyait sur des sources pour l'heure, et pendant plusieurs décennies encore, inaccessibles au commun des mortels. Les lambeaux de pièces produites tout au long des trois volumes firent le bonheur d'historiens et de témoins privés d'archives. Investi plus tardivement de responsabilités importantes dans la galaxie gaulliste, Jacques Soustelle signait en deux volumes un *Envers et contre tout* qui venait encore renforcer le point de vue des partisans de l'homme du 18 juin 1940[51]. Dans le compte rendu qu'il faisait du second tome en mars 1951 dans la *Revue d'histoire de la Deuxième Guerre mondiale*, Henri Michel le caractérisait assez justement :

> L'ensemble tend nettement à la glorification du général de Gaulle ; la plus large place est donnée à ses propos, à ses déclarations, à ses conférences de presse. [...] De toute évidence l'ouvrage de J. Soustelle n'est pas exempt d'intentions politiques. Il écrit dans sa préface que « la France

> a su et saura encore conquérir son destin à l'appel de chefs qui lui ressemblent ». L'allusion est claire. Elle n'empêche pas, réserves faites, que l'ouvrage soit le plus intéressant et le plus utile de tous ceux parus jusqu'à aujourd'hui sur la Résistance[52].

Cet impressionnant dispositif recevait sa touche finale entre 1954 et 1959 avec la publication des *Mémoires de guerre* du général de Gaulle[53]. Si elle y était saluée à travers quelques-uns de ses principaux responsables, comme on l'a dit, la Résistance intérieure y avait tout de même la portion congrue, selon une vision gaullienne dont on ne pouvait en tout cas nier la cohérence.

Signant le compte rendu en décembre 1956 dans la revue *Preuves* du second tome de ces *Mémoires de guerre*, Henri Frenay saluait certes « un grand livre, relatant les actes d'un grand homme et rédigé par un grand écrivain[54] ». Mais, fidèle en cela à la teneur de ses écrits du printemps 1943, il contestait fortement la présentation que le général de Gaulle faisait de la Résistance :

> [...] que ce soit en matière d'organisation ou de politique, l'incompréhension entre de Gaulle et la Résistance fut totale. La nature même du mouvement, si paradoxal que cela paraisse de l'affirmer, lui a entièrement échappé. La preuve en est dans son livre où, parlant de nous, il nous nomme « ses chargés de mission », où il dit encore : « Je crée les FFI. »
>
> Or, notre mission, nous ne la tenions que de notre conscience et de notre volonté. Notre rattachement à sa personne était spontané et volontaire, ce qui d'ailleurs en faisait le prix. Parce que nous n'étions pas des « chargés de mission », mais des hommes libres, acceptant librement son autorité, nous lui apportions le support de la France captive, mais combattante.
>
> Cela, de Gaulle ne l'a jamais compris, et notre refus de la subordination pure et simple dans l'intérêt supérieur du pays était à ses yeux suspect de félonie. Il a donc, par méfiance, utilisé la force que lui conférait notre adhésion pour la retourner contre nous et nous réduire au rôle de suiveurs[55].

Il est vrai que le général de Gaulle, tout comme le colonel Passy, plaçait la France libre au centre de la toile d'araignée du camp du refus de l'armistice et de l'abdication de la lutte, lui conférant une primauté dans l'action et l'organisation que bien des résistants de l'intérieur avaient contestée sous l'Occupation comme après. Brossant, par exemple, le panorama de la Résistance en zone sud à l'orée de l'année 1942, le colonel Passy n'y allait pas par quatre chemins :

> En réalité, lorsque Rex [Moulin] arriva en France, tout, ou presque, restait à faire. Les buts mêmes des mouvements de résistance étaient encore mal définis dans l'esprit de leurs chefs et les moyens nécessaires pour obtenir des résultats étaient pratiquement inexistants. Il fallait tout organiser, c'est-à-dire, en fait créer de toutes pièces, à l'aide de personnalités plus ou moins hésitantes, disciplinées ou désintéressées, des troupes et des services bien encadrés et chargés de tâches ou fonctions précises. Il fallait, avec méthode, essayer de mettre de l'ordre dans une masse hétérogène où chacun, pour lutter contre l'atonie, la lâcheté ou la trahison des attentistes, des collaborateurs ou des agents de l'ennemi, pensait devoir s'occuper de tout en même temps[56].

Jugement extrêmement sévère formulé, deux ans après la fin du conflit, par un homme qui opposait à l'organisation efficace et coordonnée du BCRA qu'il avait créé et dirigé à Londres le « chaos inorganique dans lequel [les mouvements] végétaient[57] », au début de 1942. Jugement qui traduisait bien en fait le fossé séparant les conceptions des services dits spéciaux de celles des mouvements. C'était ignorer que les mouvements – tout comme la France libre – venaient de loin et que les handicaps qu'ils avaient à surmonter étaient considérables et multiples. L'analyse faisait trop peu cas des conditions d'émergence et d'existence des mouvements. Parce qu'elle était étayée par des pièces d'archives qui faisaient par ailleurs cruellement défaut, parce qu'elle émanait du chef des services secrets de la France libre, parce qu'elle était corroborée par la teneur des Mémoires du général de Gaulle, parce que nombre de chefs de mouvement n'avaient pas encore écrit, cette analyse s'imposa vaille que vaille. La seule force qui était en position de la contester ou de la nuancer fortement se situait à l'autre extrême de l'échiquier politique et idéologique.

Le Parti communiste n'avait pas attendu la Libération pour mener et encadrer la réflexion sur son propre passé. Dès le mois de mai 1939, son dernier comité central tenu avant la guerre décidait « de créer une commission pour l'histoire du PCF » à laquelle furent appelés à siéger les principaux dirigeants du parti et un historien professionnel, Jean Bruhat[58]. La guerre gela cette initiative, et le « parti des fusillés », s'il excella à mettre en valeur l'indéniable héroïsme de ses militants dans la Résistance, ne coordonna pas les écrits venus de ses rangs durant les vingt-cinq ans qui suivirent la Libération. À l'occasion d'un colloque organisé en octobre 1969 par l'Institut Maurice-Thorez, « organisme d'étude de l'histoire du mouvement ouvrier et de la pensée sociale[59] » rattaché au comité central, Fernand Grenier[60] se faisait l'écho de cette carence pour « souhaiter » qu'on la comblât :

> Dans les dix à quinze premières années qui suivirent la Libération, nous considérions que nous avions fait simplement notre devoir et nous avons alors écrit fort peu de choses sur ce que nous avions vécu. Nous avons ainsi laissé quasiment le champ libre à la déformation, à la falsification, mais aussi aux erreurs qu'ont pu commettre des historiens de bonne foi, faute de notre témoignage.
> Depuis 1958, surtout, beaucoup a été fait – et c'est heureux.
> Nous avons eu l'ouvrage collectif publié par l'Institut Maurice Thorez : *Le Parti communiste dans la Résistance*[61]. Nous aurons bientôt – et il est attendu avec impatience – le tome III des *Mémoires* de Jacques Duclos, qui couvre cette période. Toute une série d'activités de la Résistance sont maintenant mieux éclairées : le rôle de la classe ouvrière, ce que fut la lutte armée, la Bretagne insurgée, la Corse libérée, la grève des mineurs du Nord, la part importante prise par la jeunesse dans le combat, les étrangers dans la Résistance, – y compris le rôle des antifascistes allemands –, et tout récemment ont paru deux livres sur « la drôle de guerre », encore si mal connue des jeunes générations.
> Cette activité a porté ses fruits.

> On assiste actuellement, me semble-t-il, à un recul des falsifications – officielles ou non. Je lis pour l'instant *L'Histoire de la Résistance en France* d'Henri Noguères : j'y trouve un effort pour ne pas passer sous silence notre rôle.
> Je souhaite cependant que notre propre travail ne se relâche pas. Nous avons encore de vastes domaines non couverts : en particulier la Résistance dans la zone sud ; il faut écrire des monographies régionales sur la Résistance et la libération de Marseille, de Lyon, de Toulouse, sur le rôle de notre presse clandestine, sur les prisonniers de guerre et les déportés du travail en Allemagne, etc.[62].

Bref, le Parti communiste entrait dans la compétition pour figurer en bonne place parmi ceux qui contribueraient à écrire l'histoire de la Résistance. La préface donnée en 1967 à l'ouvrage cité par Fernand Grenier, *Le Parti communiste français dans la Résistance*, était à cet égard sans ambiguïté :

> Beaucoup de livres relatifs à la résistance aux envahisseurs hitlériens de la France durant la Deuxième Guerre mondiale ont été écrits, mais, d'une manière générale, le rôle joué par le Parti communiste français est souvent passé sous silence, sous-estimé ou déformé.
> Il était donc indispensable qu'un livre relatant l'activité du Parti dans la Résistance fût publié, et le présent ouvrage comble enfin une lacune qui n'avait que trop duré, tant il est vrai que ceux qui sont aux premiers rangs lorsqu'il s'agit de faire l'Histoire ne sont pas toujours les premiers à l'écrire[63].

Quant au déficit de travail historique de la part du Parti communiste, tel que le dressait dans son constat Fernand Grenier, il n'était pas fondamentalement dû à la raison qu'il invoquait. Comme Stéphane Courtois l'a montré, des cadres communistes s'étaient engagés très tôt par une série de publications « dans la voie de la commémoration d'une Résistance glorifiée[64] ». Cependant, la haute direction du parti avait préféré justifier l'attitude qu'elle avait adoptée en 1939-1940, « enjeu politique de première importance dans le combat que gaullistes, socialistes et aussi rescapés de la collaboration livr[ai]ent sans aménité aux communistes[65] ».

Simultanément, il s'était agi pour elle de mettre au pas la génération qui avait adhéré pendant la lutte clandestine et de limiter l'aura des chefs les plus en vue de la lutte armée, au premier rang desquels Charles Tillon et Georges Guingouin. Consécutivement au durcissement du Kominform en 1949, des résistants de la première heure furent évincés du comité central en avril 1950 avant que n'éclatât « l'affaire Marty-Tillon » qui, en 1952, sonna le glas des personnalités résistantes du parti[66]. L'affaire était scellée avec la parution en 1953 de l'ouvrage que cosignaient Jean Bouvier et Jean Gacon, *La Vérité sur 1939*[67], qui défendait le pacte germano-soviétique et niait l'existence du protocole additionnel secret. « Ce livre, écrit Stéphane Courtois, inaugur[ait] une période de quinze années pendant lesquelles la guerre et la Résistance devi[nr]ent un sujet quasiment tabou, et dans toutes ses dimensions : historique, commémorative, politique et idéologique[68]. » Malgré ce tour de vis énergique, la messe n'était pas dite ; la mémoire résistante communiste ne baissait pas pavillon, relevant périodiquement la tête par le biais de publications qui véhiculaient sa vision des choses et mettaient à l'honneur les martyrs de sa cause. C'est ainsi qu'en 1962 *Les FTP* parut sous la signature de Charles Tillon[69] ; c'était sa troisième tentative, deux moutures antérieures du manuscrit ayant été abandonnées en 1952 et 1956 alors que la composition en était pourtant prête. Il n'avait pas fallu moins de quinze ans pour que le projet vît le jour[70]. La simple parution de cet ouvrage, même dans une version édulcorée qui ne malmenait pas la ligne politique suivie en 1939-1940, était une manière d'événement.

Il fallut tout de même attendre la mort de Maurice Thorez, en 1964, pour que la politique officielle du parti soit nettement infléchie. Le colloque de 1969 illustrait ce changement sans qu'il faille en exagérer la portée. Sur l'essentiel – c'est-à-dire la période 1939-1941 –, les positions restaient fermes. Jean Gacon, dans une communication intitulée « Bref bilan des sources accessibles sur 1939 et de leur interprétation par les historiens bourgeois en 1969 », défendait le pacte germano-soviétique, affirmant : « Le protocole secret n'a rien en soi de scandaleux[71]. » Sa conclusion offensive était ponctuée par de « vifs applaudissements » : « [...] l'illusion idéologique travestit plus ou moins gravement le réel chez les tenants de l'historiographie bourgeoise de toutes les écoles, tandis que c'est chez les marxistes que se fait modestement, non sans tâtonnements, certes, mais sûrement, l'effort de clarification scientifique[72] ». Quant à Fernand Grenier, il s'en prenait avec virulence à la thèse selon laquelle le PCF ne serait entré dans la Résistance qu'après l'attaque de Hitler contre l'URSS le 22 juin 1941[73].

La ligne suivie par le Parti communiste et les initiatives prises contre vents et marées par ceux de ses membres qui étaient porteurs d'une mémoire résistante dessinèrent en conséquence jusqu'à la fin des années 1960 un canevas autrement complexe que l'explication bonhomme et toute de modestie que proposait Fernand Grenier en 1969. Le fait le plus marquant avec le recul est probablement la tension manifeste qui ne cessa de se faire jour entre une direction ferme sur ses positions et des résistants qui ne purent se résoudre à la suivre inconditionnellement. L'accent constamment porté par les plus hauts cadres du parti sur la période 1939-1940 renvoyait sûrement au rôle clef assigné à l'attitude des uns et des autres à l'égard de la signature du pacte germano-soviétique du 23 août 1939. Dans la conception léniniste et stalinienne du parti, la moindre réticence était perçue comme une faiblesse. Les biographies – les « bios » dans le langage du parti – que les militants devaient remplir, y compris dans la clandestinité entre 1940 et 1944, faisaient une place à la question de leur attitude dans les jours qui avaient suivi l'annonce du pacte, et ce jusque dans les années 1950[74]. Nul hasard dans cette constance ; mieux valait au fond un militant discipliné qui n'avait jamais eu le moindre doute quant à la validité de la ligne stalinienne qu'un résistant de la première heure, au surplus souvent amené à côtoyer des résistants non communistes dans le cours de la lutte clandestine. Le premier était aisément contrôlable, le second sentait le soufre.

On voit combien la mise en parallèle des mémoires gaulliste et communiste est difficile. La première constitua, au gré des écrits des uns et des autres, une vision évidemment cohérente mais nullement coordonnée. La deuxième fut tributaire de la mainmise que le Parti communiste entendait exercer sur un épisode crucial de son histoire mais, paradoxalement, les dissensions internes et les infléchissements successifs de ligne ne lui conférèrent pas cette cohérence qu'on eût pu attendre d'une version pour laquelle dirigeants et historiens autorisés étaient à la manœuvre.

La directivité communiste se marqua aussi d'une façon que Henri Michel ne pouvait pas ne pas noter en 1964 :

> Dans l'abondante littérature où s'expriment les souvenirs des résistants, ceux des communistes sont rares. L'origine sociale des militants, pour la plupart des manuels inhabiles à rédiger, peut l'expliquer. Mais la véritable raison est la règle qui interdit aux membres du parti d'exprimer un point de vue personnel. Dans ces conditions, les souvenirs ont pour objet de servir la politique du moment, en appuyant une explication officielle des événements[75].

Que les militants aient été « des manuels inhabiles à rédiger », on peut en douter compte tenu des remarquables aptitudes de l'appareil du parti à former cadres et militants. En revanche, Henri Michel touchait juste sur la question capitale du « point de vue personnel ». Qu'il y eût lieu d'adopter une position « correcte » politiquement aboutit incontestablement à affadir et à raréfier les témoignages individuels donnés à partir du camp communiste. La grande conformité de ceux qui parurent au schéma officiellement défendu par l'appareil ne contribua pas moins à les décrédibiliser. Ajoutons que le même processus de disqualification rampante valut pour les historiens travaillant dans le droit-fil de la ligne du parti. Leurs contributions, attendues dans tous les sens du terme, ne furent pas véritablement prises en compte dans le travail d'élaboration d'une histoire scientifique de la Résistance. Ainsi de *La Drôle de guerre et la trahison de Vichy (septembre 1939-juin 1941),* publié en 1960 sous la signature de Germaine Willard, dans la collection « Contribution à l'histoire du Parti communiste français », aux Éditions sociales. La préface de François Billoux ne laissait pas place à l'équivoque. Le livre inaugurait une collection « rendue possible par les travaux préparatoires à l'élaboration du *Manuel d'histoire du Parti communiste français*[76] ». Quant au texte de Germaine Willard, il affirmait la primauté du Parti communiste. L'appel du 10 juillet 1940 faisait « incontestablement du Parti communiste l'initiateur de la Résistance sur le sol français[77] ». Premier organisateur de la Résistance, le PCF était présenté comme la seule force organisée immédiatement agissante. Les premières actions, méritantes et courageuses, des résistants non communistes n'avaient pu être que très limitées et isolées :

> Au contraire, le Parti communiste peut, immédiatement, lancer une action générale, cohérente, et à formes multiples : il est, malgré près d'un an de clandestinité et de répression, la seule force politique organisée refusant l'asservissement de la France ; il a réussi à garder le contact avec les masses populaires, surtout dans les grands centres urbains ; il a immédiatement défini la situation et tracé clairement sa voie d'action ; il est le seul à donner comme perspective à la Résistance la libération de la France par le peuple français[78].

Cet exposé sans surprise ne pouvait alimenter un débat proprement scientifique ; il s'inscrivait dans le cadre d'une lutte politique et idéologique. Malgré (ou à cause de ?) ces efforts pour occuper le terrain, on doit bien constater que le Parti communiste ne parvint pas à imposer ses vues dans la sphère de la discipline historique.

Cette marginalisation contre laquelle le PCF tenta de réagir, notamment avec le colloque « scientifique » – c'est ainsi qu'il éprouvait lui-même le besoin de qualifier la rencontre – tenu en octobre 1969, on en trouvait trace dans l'introduction à l'ouvrage publié cette même année 1969 par André Tollet, *La Classe ouvrière dans la Résistance* :

> Quelques historiens ont publié des ouvrages, mais ils n'ont retenu que les faits et gestes de quelques personnages. Ils ne semblent pas avoir aperçu le principal acteur du drame : *le peuple*.
>
> La plupart d'entre eux paraissent même avoir été dominés par le souci de trouver des raisons cachées au comportement des militants ouvriers.

> Cette démarche d'esprit s'explique sans doute chez ces hommes par leur éloignement du peuple, de la classe ouvrière, pour certains même par leur éloignement de la Résistance.
> Ayant vécu ces années parmi les travailleurs, mêlé à leurs luttes, je devais témoigner[79].

Il y avait quelque chose de vrai dans cette mercuriale. Les récits les plus visibles et les plus accessibles, jusques et y compris dans la mouvance du Parti communiste et de ses compagnons de route[80], avaient bien concerné – ce que l'on n'appelait pas encore – la Résistance des chefs plutôt que celle des « soutiers de la gloire ». Toutefois, la vision classiste qui la sous-tendait ne se comprenait bien que dans la perspective de la lutte que se livraient gaullistes et communistes pour apparaître comme les champions de la cause résistante. Or, la mémoire de la Résistance ne pouvait en aucune manière se limiter à ces deux pôles, si importants qu'aient été leurs rôles respectifs.

Les socialistes, par exemple, avaient, immédiatement après la Libération, rappelé la part qu'ils avaient prise au combat, notamment par la plume de Robert Verdier, qui, dès 1944, tentait de retracer *La Vie clandestine du Parti socialiste* :

> Le Parti socialiste, dont la disparition définitive avait été proclamée légèrement par les ennemis de la justice et de la liberté, sort grandi de l'épreuve qu'il a subie avec toute la nation française. Il est plus puissant et plus uni qu'il ne l'a jamais été. C'est qu'il a trouvé dans ses rangs des milliers de militants dévoués et héroïques. C'est au sacrifice de ces hommes que les socialistes français doivent la possibilité de se réunir aujourd'hui librement et de reprendre, dans la légalité et la liberté, un combat que les meilleurs d'entre eux n'ont jamais déserté.
> Nos victimes hélas ! sont trop nombreuses pour que nous puissions les énumérer toutes. Signalons seulement pour montrer la part que les socialistes ont prise au combat, et à quel point nos cadres ont été décimés par la répression, que dans telle fédération de l'ouest de la France, quatre membres du bureau fédéral ont été fusillés ou sont morts à la suite de mauvais traitements ; que, dans telle autre, sur

> quinze membres de la commission exécutive fédérale, sept sont actuellement déportés ; que dans une troisième enfin, neuf de nos camarades, surpris dans une opération de parachutage, ont été exécutés[81].

Sans exceller dans l'art de battre le rappel des morts, le Parti socialiste pouvait à bon droit s'enorgueillir d'avoir, grâce au Comité d'action socialiste créé dans la clandestinité et à la présence active et déterminante de nombre de ses cadres et de ses militants dans quelques-uns des principaux mouvements de Résistance, relevé le gant. Néanmoins, de la même façon que ses traditions et sa culture politique ne le prédisposaient pas aux contraintes de la clandestinité, il se situa un cran en dessous des gaullistes – nés, il est vrai, de la Résistance, dont ils étaient indissociables – et des communistes, depuis toujours soucieux de leur propre histoire, dans la plus pure tradition bolchevique.

On ne saurait dire pour autant que les socialistes furent absents de la bataille en mémoire à laquelle donna lieu l'héritage de la Résistance. Politiquement d'abord, ils rendirent coup pour coup aux communistes dans le contexte d'âpre débat de la guerre froide, retournant le fer dans la plaie de la période 1939-1940 ; le 18 juillet 1946, Édouard Daladier révélait la demande de reparution de *L'Humanité* dans l'été 1940 et publiait peu de temps après une *Réponse aux chefs communistes* où il revenait sur ces épisodes qu'il qualifiait de « scabreux[82] ». Scientifiquement ensuite, ils furent aux avant-postes du travail entrepris par le CH2GM. Daniel Mayer présida sa Commission d'histoire de la Résistance[83] jusqu'à la disparition du Comité, en 1980. Il fut, en outre, étroitement associé à la collection « Esprit de la Résistance » des PUF. Ainsi s'explique le caractère plus ou moins consciemment centriste de l'histoire de la Résistance telle que la façonna le CH2GM, dont les têtes pensantes – pour beaucoup socialistes ou socialisantes – visèrent une vérité sérieuse, objective, distincte de l'héroïsation du seul général de Gaulle et de la forte revendication mémorielle communiste. Éditorialement enfin, hormis les écrits de Daniel Mayer[84], les socialistes accédaient à un vaste public avec la parution des cinq tomes d'*Histoire de la Résistance en France de 1940 à 1945*, dont le coup d'envoi fut donné en 1967[85]. Le principal maître d'œuvre de cette vaste chronique, l'avocat Henri Noguères, y redonnait aux socialistes une place plus conforme à la réalité historique. Les communistes ne s'y trompèrent pas, on l'a vu, puisque Fernand Grenier citait, dans son intervention de 1969, cette parution, allant même jusqu'à lui décerner un brevet d'honnêteté à travers l'effort qu'il y décelait de ne pas passer sous silence le rôle des communistes. Dans son avant-propos au premier tome, Henri Noguères affirmait la nécessité « que cette Histoire fût non seulement écrite, mais encore discutée – et contrôlée – par ceux qui l'ont vécue[86] ». On aura l'occasion de revenir à loisir sur cette idée extrêmement importante d'un « contrôle » exercé par les acteurs. Bornons-nous pour l'instant à souligner que le contrôle, en l'occurrence, était celui d'un socialiste qui n'entendait pas laisser le terrain aux autres mémoires sans autre forme de procès. L'enthousiasme de Fernand Grenier n'empêcha pas le Parti communiste de vouloir donner une version irénique mais plus conforme à sa vision des faits. Elle revêtit la forme de la chronique illustrée, publiée elle aussi en cinq tomes, par Alain Guérin[87], « intéressante mise en scène d'une Résistance devenue, en ces temps d'union de la gauche, beaucoup plus œcuménique, Résistance d'un peuple entier plus que de la classe ouvrière, solidement arrimée aux deux pôles qui [devaient] être mis en exergue, de Gaulle et le PCF, même si son balisage chronologique [était] rituel et même si elle se [construisait] largement en dépit de Londres et des "attentismes"[88] ».

Le courant démocrate-chrétien ne fut pas davantage absent de l'expression de la mémoire de la Résistance. Si ses principaux dirigeants, qui avaient été des pionniers (François de Menthon, Edmond Michelet, Pierre-Henri Teitgen) publièrent peu ou tardivement, Georges Bidault, successeur de Jean Moulin à la tête du Conseil national de la Résistance, occupa, jusqu'à la guerre d'Algérie, une place de premier plan dans l'élaboration de la politique définie et suivie par les pouvoirs publics en ce qui concernait l'histoire et la mémoire de la Résistance. Il jouissait d'une autorité incontestée en la matière. C'est à lui qu'il échut de prononcer, le 6 octobre 1946, un hommage à Jean Moulin dans sa ville natale de Béziers[89]. Imprégné d'une forte spiritualité, ce discours faisait entendre une note qui n'était ni gaulliste ni communiste :

> En un temps où tant de problèmes difficiles sollicitent nos inquiétudes et tentent nos divergences, nous voici tous réunis dans le même recueillement.
> Aux habitants de Syracuse embarrassés d'une grave affaire, l'oracle de Delphes dit de consulter le plus grand nombre : les sages comprirent que c'était l'immense peuple des morts. Quand l'incertitude des temps ou la division des hommes jette le trouble dans l'esprit des vivants, où se tourner, en effet, sinon vers la mémoire des héros ? Ce n'est pas recours au sortilège, mais besoin de retour à la pureté des sources, méditation salutaire sur le haut exemple de ceux qui connurent la minute, les heures, les jours, les années sublimes et claires d'une épopée où les a maintenus pour jamais la grandeur et le silence de la mort. Pourquoi ne pas le dire ? Ce n'est pas seulement un acte de piété que nous accomplissons ici ; ce qui nous rassemble, c'est encore le souhait d'un réconfort et l'appel à une sorte de révélation.
> Pour combien de Français, l'impérissable figure de Jean Moulin était-elle jusqu'ici, sinon inconnue, du moins incertaine, car il est resté clandestin jusque dans la gloire. Sa célébrité souterraine ne portait pas son nom, et même la première consécration de son martyre dut s'appliquer à une identité imaginaire. Nous restituons aujourd'hui, seule consolation à notre deuil, cette gloire amplement moissonnée au fils d'Antonin Moulin, au frère de Laure Moulin, à Jean Moulin disparu et présent[90].

La publication de ce discours dans le numéro inaugural de la revue du CH2GM ne devait rien au hasard. Président de son comité de patronage, Georges Bidault fut le président du Conseil qui porta sur les fonts baptismaux le Comité[91].

La mémoire en difficulté

En vérité, l'énumération des différentes mémoires porteuses de la Résistance et leur caractérisation politique n'ont de sens qu'à la seule fin de relativiser le face-à-face entre gaullistes et communistes si couramment évoqué. Plutôt qu'à un miroir à deux faces, la mémoire de la Résistance s'apparente, par ses facettes multiples, à un kaléidoscope, évolutif de surcroît dans la mesure où l'apparition des différents cristaux qui le composent n'a pas été simultanée. Il est des mémoires qui ont fait surface dès la fin des hostilités, il en est qui ne sont apparues au grand jour que beaucoup plus tardivement. Qui plus est, une caractérisation étroitement politique ne permet pas d'en épuiser la richesse et la diversité. Opposé au général de Gaulle dès le temps de la clandestinité (tout en étant solidaire dans la lutte), fermement hostile au Parti communiste, Henri Frenay, acteur majeur de la Résistance intérieure, échappe, par exemple, à ce type de classification, tout comme, pour des raisons différentes, son second dans la clandestinité, Claude Bourdet. Dans le ballet apparemment bien réglé des joutes entre gaullistes et communistes, ils n'ont pas eu d'emploi, pas davantage que Philippe Viannay, pour ne citer qu'un autre cacique de la Résistance organisée. Mieux, Henri Frenay, on l'a dit, se refusa jusqu'en 1973 à livrer son témoignage écrit sur la période clandestine. En ce sens, il illustre une mémoire que l'on pourrait qualifier de réservée, dans la double acception du mot, c'est-à-dire peu désireuse de s'exposer au regard public et demeurant en réserve pour prendre date si besoin était. Cette mémoire, à la fois vive et en creux, a pour principe un diagnostic posé très tôt, peut-être même dès le temps de la clandestinité : celui de la difficulté d'écrire, en des termes appropriés et fidèles, sur l'expérience résistante. D'où une véritable tentation du silence, dont on trouve maintes traces. Préfaçant le livre de Michel Borwicz *Écrits des condamnés à mort sous l'occupation allemande*[92], René Cassin avait, par exemple, cette notation de prime abord surprenante : « Le silence serait la plus haute forme de notre respect pour les écrits des résistants et des martyrs condamnés à mort par l'occupant allemand entre 1939 et 1945 [...] » En réalité, cette remarque suggérait bien que toute forme d'écriture pouvait équivaloir à une sorte de trahison de l'idéal résistant en raison même de l'incapacité à évoquer comme il l'eût fallu cette réalité évanouie si étrangère à celle du temps de l'exercice codifié de la démocratie. Écrire, cela équivalait à faire parler les morts, qu'on le veuille ou non, à interpréter le sens exact de leur combat. Dans son hommage à Jean Moulin d'octobre 1946, Georges Bidault tenait le même langage que René Cassin : « Il ne faut pas faire parler les disparus[93]. »

Le problème est que le mutisme obstiné ne se détecte pas si aisément. Il fallut une sollicitation publique pour que Frenay exposât et défendît cette position au début des années 1950. Par ailleurs, il existe différentes formes de cette appréhension à écrire sur la clandestinité. D'aucuns ont choisi d'écrire parcimonieusement et indirectement, comme Jean-Pierre Vernant, dont le texte – déjà évoqué – sur la « belle mort » de l'Antiquité grecque peut être lu, en creux, comme une contribution au vécu résistant. D'autres encore n'ont accepté de coucher par écrit leur témoignage et leur réflexion que parce qu'on le leur demandait et que se défiler eût équivalu à ne pas célébrer leurs camarades disparus. Georges Canguilhem n'a écrit sur Jean Cavaillès que sur demande, et les quelques textes qu'il a rédigés et réunis dans *Vie et mort de Jean Cavaillès* sont autant des exposés sur la difficulté d'écrire que des textes sur Cavaillès lui-même.

À bien lire Canguilhem, on constate que son ombrageuse discrétion s'enracinait dans la conscience qu'il avait qu'on n'écrit jamais qu'à partir d'un présent dictant ses questions sur un passé enfui et enfoui. Convié en 1967 à évoquer Cavaillès à Strasbourg, il posait cette question :

> Comment convient-il, en 1967 et à Strasbourg, de parler d'un philosophe résistant, exécuté par les Allemands en 1944 ?

Pareillement, en 1969, il concluait une courte allocution en des termes qui renvoyaient évidemment – et de façon cinglante – aux disputes et aux modes du champ proprement philosophique :

> Cette philosophie d'où Jean Cavaillès est radicalement absent a commandé une forme d'action qui l'a conduit, par les chemins serrés de la logique, jusqu'à ce passage d'où l'on ne revient pas. Jean Cavaillès, c'est la logique vécue jusqu'à la mort. Que les philosophes de l'existence et de la personne fassent aussi bien, la prochaine fois, s'ils le peuvent.

Interpréter le passé résistant avec les yeux du présent, c'était bien un travers que soulignait Charles d'Aragon, qui publiait dans *Esprit* à dater de 1971 de larges pans de ce qui deviendrait *La Résistance sans héroïsme* [94]. Le premier de ces textes était présenté en ces termes par la revue :

> Le récit de Charles d'Aragon [...] vient à point confirmer ce que le public semble étonné de découvrir en voyant le film récent *Le Chagrin et la Pitié* – à savoir que les résistants n'étaient ni la majorité ni une race de surhommes, mais des individus en désaccord avec la facilité et la lâcheté où se baignait le pétinisme.

Prolongeant le film de Marcel Ophüls, d'Aragon éprouvait le besoin de faire une mise au point quant à l'usage que certains des chefs de file de Mai 1968 faisaient de la Résistance :

> Un peuple rebelle et cabré ! on serait tenté de croire que nous avons vu cela si on écoutait par exemple ce qu'a dit M. Alain Geismar : « La Résistance, c'est la dernière expérience de lutte armée qu'ait connue le peuple en France. Nous n'ignorons pas que les conditions historiques étaient particulières, ni que le mouvement a été finalement étouffé. Mais ce qui compte dans cette période c'est qu'on a vu le peuple en armes résolu à prendre le pouvoir. »
> Il ne s'agit pas de contester ce texte. Nous ne sommes pas dans le domaine de la critique mais dans celui de l'imagerie populaire. Nous ne pouvons que contempler dans sa jeune vigueur une figure mythique en développement.

Si les mémoires les plus visibles, les plus aisément identifiables et les mieux loties en termes de diffusion occupèrent le devant de la scène au point d'y sembler seules présentes, un examen plus approfondi révèle donc que tel ne fut pas le cas. Contrairement à une idée reçue, les Juifs ou les femmes, par exemple, présentés comme des oubliés des récits des acteurs de la Résistance, ont fait, dès l'origine, l'objet de publications. Que leur écho ait été faible n'enlève rien à la réalité de leur présence dans une abondante bibliographie.

Dès 1947, David Knout donnait une *Contribution à l'histoire de la résistance juive en France*[95]. Dans son avant-propos, Isaac Schneersohn, fondateur du CDJC, démontrait une volonté affirmée de porter témoignage d'une action résistante juive :

> Le Centre de documentation juive contemporaine publie actuellement deux ouvrages, l'un *L'Activité des organisations juives en France sous l'Occupation*, qui fera connaître au lecteur la résistance passive, sourde mais acharnée, par les œuvres et organisations juives ; l'autre *Résistance juive*, par David Knout, qui traite de la résistance active, agressive, allant progressivement jusqu'aux armes, qu'entreprit passionnément l'élite de la jeunesse juive.
> La France ne fut pas seulement pour les Juifs la « Vallée des Larmes ».
> La surprise d'un peuple trop crédule et trop confiant, cerné de toutes parts, et dont les « lamentations » furent, au début, l'unique réaction, fit bientôt place à des élans de la volonté révoltée par l'injustice. Le courage alors s'éleva aux plus hauts sommets.
> Cette résistance juive, intelligente, ingénieuse, brutale souvent, très moderne, vite adaptée, au point d'avoir plus d'une fois amorcé la résistance savante des « réseaux » et des maquis, fournira un sujet de méditation aux historiens et psychologues futurs. [...]
> Certes, l'ouvrage de M. Knout ne prétend pas épuiser cet immense sujet. Pendant qu'à l'Est, le ghetto de Varsovie tenait tête, deux mois durant, à l'armée allemande et qu'à son exemple s'embrasaient tous les ghettos de Pologne, liés aux partisans polonais, roumains, hongrois, tchécoslovaques, la guérilla juive prenait en France les formes les plus variées. M. Knout en évoque l'héroïsme plutôt qu'il n'en recense tous les éléments et n'en relate toutes les péri-

> péties. Il ne faut pas oublier qu'un sujet pareil est excessivement malaisé à embrasser, dès à présent, en ses détails. [...] David Knout fut étroitement mêlé à cette bataille complexe et dispersée. Il s'est efforcé d'en fixer ici les jalons principaux. Son ouvrage constitue le prologue passionnant de cette partie de l'histoire[96].

Il était relayé dans son propos par la préface de Louis Saillant :

> En vérité, ce livre n'a pas besoin de préface. Il n'a pas besoin non plus qu'on l'introduise auprès de ceux qui le jugeront. On ne pourrait lui adresser qu'un reproche qui vaut d'ailleurs une recommandation. C'est de supposer que l'oubli des foules ait déjà atteint ce sommet de l'ingratitude qui équivaudrait au reniement des martyrs et des morts de qui notre Libération et nos libertés sont redevables[97].

Quant à David Knout, il visait à déclencher une dynamique avec la claire conscience des limites de son entreprise :

> Le rideau de fumée qui masquait les faits et les gestes des résistants n'est pas encore entièrement dissipé ; l'époque que nous évoquons favorisait peu la constitution méthodique d'archives et l'accumulation de documents ; de plus, les combats ont souvent condamné aux flammes les documents amassés, et nombre de combattants clandestins se sentent encore à l'aise – qui par modestie, qui par prudence – dans un glorieux anonymat...
> Aussi bien dans les pages qui suivent n'ambitionnons-nous pas de faire, d'une manière exhaustive, le total des efforts juifs dans l'entreprise de la Résistance : nous apportons ici un modeste témoignage, avec tout ce qu'il peut comporter d'omissions et de lacunes[98].

Que le Centre de documentation juive contemporaine, fondé en pleine clandestinité en 1943 à Grenoble avec l'idée de rassembler tous les documents relatifs aux persécutions antisémites, parrainât ce premier effort de synthèse établissait un pont entre la période résistante et celle de la paix revenue. Sans occuper une place centrale dans les institutions porteuses de mémoire, le CDJC n'en soutint pas moins assez tôt les efforts de ceux qui voulaient remémorer à leurs contemporains la part prise par les Juifs à la Résistance. Par ailleurs, le CDJC entretint de bons rapports avec le CH2GM, dont il fut plusieurs années durant le vis-à-vis rue Guénégaud à Paris. Dans un article publié par *Le Monde juif*, la revue du CDJC, en avril 1956, Léon Poliakov en faisait un éloge chaleureux, évoquant une « amitié solide, nourrie par le parallélisme des intérêts et des tâches » entre les deux institutions[99]. Il se félicitait que « les animateurs du Comité soient pour la plupart des hommes que la dernière guerre a marqués au plus profond de leur être d'une empreinte ineffaçable[100] ».

De la même manière, la Résistance des femmes, réputée absente des écrits postérieurs à la guerre jusqu'au tournant des années 1970, fut pourtant très tôt sinon étudiée, du moins décrite. Dans l'ouvrage déjà évoqué à propos de la préface de Geneviève de Gaulle, *Combattantes sans uniforme. Les femmes dans la Résistance*, Élisabeth Terrenoire esquissait dès 1946 une typologie distinguant celles qui avaient joué un rôle actif et personnel et celles qui avaient servi la France d'une manière moins brillante, mais pas toujours moins héroïque, en continuant à tenir leur rôle familial d'épouses, mères, fiancées, filles et sœurs des clandestins ou en résistant dans le cadre de leur profession[101].

Bref, de quelque façon qu'on envisage les choses, la Résistance suscita bel et bien une multiplicité de mémoires, inégalement audibles en fonction des préoccupations de l'heure mais soucieuses de marquer leur existence. Le fait mérite d'autant plus d'être relevé que s'exprimèrent aussi, avec ténacité, des mémoires locales dont l'audience n'alla le plus souvent pas au-delà des frontières de « petites patries » résistantes. Ce fut le cas en particulier pour l'action des maquis, qui engendra quantité de témoignages et de tentatives de reconstitution historique. Dès 1947, Paul Mouy et Suzanne Delorme en recensaient un certain nombre ayant trait au plateau des Glières et au maquis de Bergerac, preuve que l'élaboration de cette mémoire-là s'était tout de suite mise en branle[102].

Jean-Marie Guillon a bien vu cette profusion mémorielle et l'interaction incessante dont elle a été l'expression entre le présent et le passé :

> La mémoire de la Résistance n'a cessé de jouer sur différents registres. La geste nationale ne doit pas cacher la profusion des mises en scène locales, pas forcément concomitantes, plus ou moins nombreuses ou durables selon les lieux, mais toutes soumises à des rythmes concurrents et tiraillées sans cesse entre des acteurs rivaux qui interviennent sur les deux tableaux, celui de l'action résistante passée et celui des luttes politiques du moment. L'idée commune – trop simple d'ailleurs pour être tout à fait satisfaisante – d'une double domination, gaulliste et communiste, sur ce passé reflète cette réalité[103].

Ne pas même oser écrire sur le passé résistant pour ne pas l'altérer. Écrire rageusement pour éviter l'érosion du temps avec la claire conscience que cela ne saurait suffire. Entre ces deux extrêmes, la gamme des attitudes a été large dans les trente années qui ont suivi la Libération et, au total, il est peu de mémoires qui aient autant cherché à faire entendre leur voix que celle de la Résistance, peut-être parce que ses porteurs pensaient qu'il y avait eu là une réalité si singulière qu'on se trouverait au fur et à mesure dans l'incapacité de la saisir s'ils ne s'en faisaient pas les truchements.

Laisser le champ libre par scrupule de conscience n'était au surplus pas sans danger, comme Henri Michel en faisait le constat en 1964. Ce qu'il appelait « les procès intentés aux “mauvais Français” [avait] contribué à modifier, sinon à bouleverser, la conception de la Résistance que se faisait l'opinion publique ; son comportement a été contesté ; sans qu'on puisse fixer de date précise à son commencement, toute une *littérature d'auteurs anciens collaborateurs, ou de personnalités de l'État français* a vu le jour, dans laquelle la Résistance était souvent prise à partie[104] ». Commencée *mezza voce* dans les rangs d'une extrême droite totalement marginalisée dès 1945, l'offensive destinée à miner le prestige de la Résistance avait pris de l'épaisseur et de l'envergure à dater de 1947[105]. L'abbé Desgranges s'en faisait le chantre en publiant en 1948 *Les Crimes masqués du résistantialisme* avec un angle d'attaque non dépourvu d'habileté tactique, comme l'espèce d'avertissement placé en page de garde en fait foi :

> Il doit être hautement affirmé, au seuil de ce livre, que l'auteur n'y attaque en aucune façon l'authentique et glorieuse Résistance. À cette Résistance, qui fut celle de la presque unanimité des bons Français, l'auteur s'honore d'avoir appartenu, et de l'avoir servie autant que les poursuites de la Gestapo le lui ont permis. Il s'en explique, au cours de ces pages, chaque fois que l'occasion s'en présente. Il n'en a qu'au RÉSISTANTIALISME, cette abominable exploitation de la vraie Résistance au profit de certains partis politiques, et de la plus éhontée des camaraderies. Pas plus que MM. François Mauriac, le général d'Astier de la Vigerie, le colonel Rémy et tant d'autres, qui, en résistants incontestés, en hommes d'honneur et de cœur aussi, ont élevé courageusement la voix en faveur de la Justice, l'auteur ne tolérerait que l'on prétendît amoindrir en rien le magnifique mouvement de défense vitale qui a « sauvé l'âme de la France ». Il entend seulement dénoncer l'œuvre néfaste, les crimes masqués des imposteurs, profiteurs et usurpateurs, qui, par leurs iniquités, leurs vengeances inexorables, et leurs scandaleuses spoliations, ont décimé toute une élite française et tentent de dissocier la conscience elle-même de la Patrie dont le salut a coûté tant de sang à nos martyrs[106].

Le bon chanoine, député démocrate populaire du Morbihan qui avait voté les pleins pouvoirs le 10 juillet 1940[107], opposait donc à une épuration jugée néfaste son attachement à la pure Résistance dont on aura noté qu'il estimait qu'elle avait été le fait « de la presque unanimité des bons Français ». Une droite modérée, qui avait été vichyste et n'avait pas rompu intellectuellement avec bien des aspects de l'idéologie de l'État français, refaisait surface en protestant de son respect pour une Résistance dont la définition était si diluée que tout un chacun pouvait s'en réclamer, y compris ceux qui l'avaient combattue et continuaient de la combattre. L'accent mis dès lors sur « l'épuration sauvage » et une certaine légende noire des maquis n'avait rien qui pût étonner venant d'adversaires conséquents de la Résistance.

Plus étonnant fut le revirement du colonel Rémy. Amorcé en 1950 avec la publication dans *Carrefour* d'un article qui fit quelque bruit parce qu'il mettait sur un pied d'égalité de

Gaulle et Pétain au motif que la France de 1940 en aurait eu besoin à parts égales et parce qu'il prêtait au général de Gaulle des propos allant dans ce sens, il prit une consistance supplémentaire avec la publication l'année suivante d'un nouveau livre, *On m'appelait Rémy*[108]. En rendant compte dans la *Revue d'histoire de la Deuxième Guerre mondiale*, Henri Michel relevait le changement intervenu :

> Le nouvel ouvrage de souvenirs du fondateur du réseau de renseignements « Confrérie-Notre-Dame » n'apporte rien de bien nouveau par rapport aux 6 livres précédents du même auteur. Il reprend, à peu de chose près, les mêmes faits ; mais cette fois ayant écarté les rapports d'activité de ses agents, qui avaient occupé la principale place des publications précédentes, l'auteur se borne à retracer ses souvenirs ; il est, tout au long, au centre du récit, ce qui permet de se faire une idée précise de l'homme et de son activité.
> La seule adjonction – qui, elle, est de taille – est que l'auteur revient entièrement sur ses premiers jugements de combat contre Pétain et le vichysme. Il réhabilite la politique du Maréchal ; il fait de lui, sur le plan de la passivité, un résistant aussi grand que de Gaulle ; par contre il n'a que sarcasmes pour ceux qu'il appelle les profiteurs de la Libération ; il clame à tous les chapitres son dégoût de l'épuration, du régime politique, de la démocratie et de la République : « Les politiciens, les voleurs et les assassins ne nous offrent plus aujourd'hui que la hideuse caricature de la Résistance. »[109]

Qu'il faille, à distance, interpréter cette volte-face à la lumière des combats politiques du moment et de l'ambivalence des positions du RPF, comme l'a montré Henry Rousso[110], n'est pas douteux. Du point de vue qui nous occupe, celui de la défense de la mémoire de la Résistance par ses acteurs, il est évident que cet assaut venu de leurs propres rangs fut durement ressenti et ne contribua pas peu à fissurer la solidarité érigée en vertu cardinale depuis la Libération.

La division interne au camp des résistants fut encore accrue en 1952 avec la charge de Jean Paulhan contre la politique de l'épuration. Dans une *Lettre aux directeurs de la Résistance*, l'auteur de *L'Abeille*, dont les titres résistants étaient incontestables, se désolidarisait de l'épuration telle que l'avait conçue et voulue le Comité national des écrivains[111].

Un songe incommunicable

Dans ce contexte particulier, le vote des lois d'amnistie des crimes de l'Occupation de janvier 1951 et juillet 1953 donna l'impression à certains que la page était tournée et la Résistance descendue de son piédestal. La réaction la plus forte à ce climat délétère fut sans conteste celle de Jean Cassou. Membre du réseau du musée de l'Homme, ayant miraculeusement réussi à échapper aux coups de filet qui démantelèrent cet écheveau complexe, passé en zone sud et devenu un dirigeant estimé à Toulouse, Jean Cassou était une haute figure de la Résistance intérieure. En rédigeant *La Mémoire courte*[112] pour les Éditions de Minuit, qui avaient publié l'année précédente le pamphlet de Jean Paulhan, Jean Cassou prenait soin de ne pas se situer sur le terrain strictement juridique. Il n'agissait pas davantage en porte-voix des communistes puisque, président du Comité national des écrivains à dater de 1946, il avait rompu avec le Parti communiste trois ans plus tard. Le compte rendu chaleureux autant qu'élogieux qu'en publièrent les *Annales* en 1954 caractérise bien cet ouvrage enlevé et sombre :

> Tout cela fait pour secouer les inerties, pour troubler les quiets, pour réveiller les morts. Un livre pessimiste, non. Un livre de réveil[113].

Le fait est que cette méditation amère, qui se doublait d'une attaque violente contre la pente d'une « réconciliation dans l'aveuglement », allait très au-delà d'une prise de position qui eût été uniquement dictée par le contexte de l'époque. En son centre, elle plaçait explicitement la mémoire en reprenant l'admonestation de Pétain reprochant aux Français, le 17 juin 1941, d'avoir la mémoire courte :

> Ce qui nous frappe ici, c'est que, pour en tirer quelque conclusion que ce soit, [Pétain] ait mis le doigt sur une

> chose aussi capitale que la mémoire. Qu'il ait senti que tout se passe là, que tout est là[114].

Remuant le couteau dans la plaie laissée vive du régime de Vichy, qui avait si parfaitement « répondu à quelques-unes des intimes vertus du tempérament français, dont nous nous parons dans nos discours officiels sans imaginer que ce soient des ridicules et qui nous rendent méprisables[115] », il évoquait la Résistance d'une façon inhabituelle :

> Pour chaque résistant, la Résistance a été une façon de vivre, un style de vie, la vie inventée. Aussi demeure-t-elle dans son souvenir comme une période d'une nature unique, hétérogène à toute autre réalité, sans communication et incommunicable, presque un songe. Il s'y rencontre lui-même à l'état entièrement libre et nu, une inconnue et inconnaissable figure de lui-même, une de ces personnes que ni lui ni personne n'a, depuis, jamais retrouvée et qui ne fut là en relation qu'avec des conditions singulières et terribles, des choses disparues, d'autres fantômes ou des morts[116].

Le prix de cette réflexion, c'était bien, au-delà de l'établissement de la rigoureuse conformité des faits à une réalité passée, de chercher à caractériser ce qui faisait, aux yeux de ceux qui l'avaient à la fois façonnée et vécue, la profonde singularité de l'expérience individuelle de chaque résistant. Jean Cassou ne se bornait pas à conclure à son incommunicabilité. Il estimait qu'il y avait eu là quelque chose dont le souvenir et plus encore la compréhension échappaient à ceux-là mêmes qui en avaient été acteurs. Ainsi, c'étaient moins les lois d'amnistie, le retour sur la scène politique d'anciens vichystes, la mise en cause rampante de la Résistance qui posaient problème que l'impossibilité radicale de témoigner de façon satisfaisante et intelligible de ce qui s'était passé. « Car il s'est passé quelque chose[117] », martelait-il. « Un fait moral, absolu, suspendu, pur[118]. » Avec une telle définition de la Résistance, large et restrictive tout à la fois, on conçoit que le phénomène n'ait pas été réductible à une relation exhaustive des faits survenus. Derrière cette difficulté épistémologique, première et insurmontable, s'en profilait une autre, moins gênante quoique puissante, que Cassou ne cachait pas :

> Nous avons été des révoltés moraux, des rebelles, nous avons refusé la loi. Or la loi est la loi, et toutes les lois qu'a connues l'histoire de France ont fini par se rassembler en un vaste corpus toujours en vigueur. [...] les lois de Vichy trouvent tout naturellement leur place dans cet ensemble. Les lois vont à la loi et gardent force de loi et prestige moral de loi : les rebelles passent, car ils n'auront été que des rebelles[119].

Mais alors, pourquoi témoigner, fût-ce pour dire, avec tant d'intelligence et de sensibilité, que témoigner était impossible ? Comme tant d'autres, Cassou répondait en invoquant la fidélité aux morts :

> Chacun a les siens, auxquels il songe dans cette retraite saugrenue, ineffable et close qu'est devenue sa mémoire[120].

Le panthéon personnel de Jean Cassou abritait, sans ordre de distinction, Pierre Kaan, Jacques Bingen, Marc Bloch, Jean Prévost, François Verdier, Benjamin Crémieux et quelques très proches compagnons de lutte dont les noms ne parlaient vraiment qu'à lui. « Nous vivons avec eux », écrivait d'Astier en 1945 en parlant de ceux qui avaient fait le sacrifice de leur vie. Jean Cassou ne disait pas autre chose. Conjurer l'anéantissement d'une mémoire d'autant plus vulnérable qu'elle porte sur des faits clandestins ; commémorer le souvenir des morts ; porter la parole des acteurs ; défendre les valeurs de la Résistance ; préserver la dimension intime et privée d'une histoire passionnelle et passionnée ; tout cela était au cœur de *La Mémoire courte*, ce petit texte qui disait si bien l'impossibilité de restituer fidèlement et exactement le souvenir mais aussi la nécessité de ne pas abdiquer devant les incertitudes, les blancs et les plages d'amnésie de toute mémoire.

Vingt ans après ce coup de semonce qui s'adressait autant à la société dans son ensemble qu'à chaque résistant individuellement, Henri Frenay rejoignait la cohorte des acteurs mués en témoins et en rédacteurs de leurs souvenirs, en livrant sa vision des choses sous le beau titre de *La nuit finira*. Ayant constaté que son jardin secret avait été « envahi[121] », il s'était résolu à témoigner. Les écrits parus jusqu'alors, tant ceux des acteurs que ceux des historiens, l'avaient poussé à prendre à son tour la parole pour corriger des vues qui lui semblaient erronées. Une génération après la fin du combat clandestin, la compilation des souvenirs publiés ne suffisait pas à dessiner un tableau qui fût satisfaisant pour tous ceux qui en avaient été partie prenante. Comme d'autres, le fondateur et chef de Combat avait beaucoup attendu avant de se décider à livrer son récit. Il brisait le silence qu'il avait observé parce qu'il tenait trop au souvenir de la lutte clandestine pour le voir malmené. L'histoire du mouvement qu'il avait créé et dirigé avait été écrite, dès 1957, par deux des meilleurs spécialistes du temps, Henri Michel et Marie Granet[122]. Les anciens de Combat avaient eu leur mot à dire, notamment en prenant connaissance des témoignages recueillis auprès d'eux dix ans plus tôt et en les commentant pour les compléter ou les amender. La sortie de l'ouvrage avait donné lieu à une réception publique dont les puissances invitantes avaient été l'éditeur, les auteurs et... Henri Frenay lui-même. Malgré cela, le chef historique de Combat éprouvait le besoin de porter témoignage, ce qui revenait à souligner que les registres de l'histoire et de la mémoire n'étaient nullement équivalents. En prenant la parole et la plume, les témoins n'avaient eu de cesse de faire entendre leur voix et d'infléchir ainsi les écrits des historiens. Situation paradoxale que celle des acteurs de l'histoire, désireux et redoutant de voir les historiens au travail.

Il n'est que de lire le très remarquable article donné par Germaine Tillion en 1958 à la *Revue d'histoire de la Deuxième Guerre mondiale*[123]. Son préambule situait nettement son auteur parmi les acteurs-témoins :

> Depuis treize ans, j'espère que quelqu'un écrira l'histoire de notre organisation de résistance, afin de ne pas être obligée de le faire moi-même. Mais les années passent et il est injuste de soustraire au public, et plus particulièrement à cette partie du public que constituent les survivants de nos groupes, l'essentiel de ce qui a échappé à la destruction des

> êtres et des mémoires dans un passé qui nous tient à tous profondément à cœur.
> Malgré le nombre des années écoulées, nous n'en sommes encore qu'à la collecte des faits : enchaînements d'innombrables circonstances, coupés de hiatus et de zones d'ombres. Ils sembleront fastidieux à tous ceux qui n'y ont pas eu part ; pour les autres, au contraire, ils revêtent une importance quasi religieuse. Mais ils ne sont pas seulement fascinants ou dépourvus d'intérêt ; pour les principaux témoins, ils traînent après eux des évocations qui sont encore insupportables. Il a fallu, en effet, un incroyable concours de circonstances, à celui qui a combattu activement dans la Résistance dès 1940, pour échapper d'abord à la mort, ensuite à des souffrances physiques et morales dont la durée et l'intensité ne sont guère imaginables. De là, chez les survivants, une exaspération latente qui se manifeste de façons très diverses : obsession du souvenir, fuite panique devant lui, parfois les deux ensemble. Réactions dont aucune ne facilite la tâche de l'enquêteur, surtout lorsqu'il les partage[124].

L'impatience exprimée par cette spécialiste éprouvée de sciences humaines était révélatrice en ce sens qu'un laps de temps de treize ans était, selon les canons du genre, extrêmement court. Que l'histoire d'une organisation de Résistance comme celle à laquelle avait appartenu Germaine Tillion n'ait pas encore été écrite, treize ans après la fin de la guerre, n'avait rien d'anormal. Il n'en demeure pas moins qu'elle ne se satisfaisait pas de cette lenteur insupportable. Dans le même temps, elle énonçait, comme nombre de ses camarades avant elle, les limites du témoignage, mais aussi ses vertus inégalables :

> Lorsqu'on étudie une période définitivement achevée, et sur laquelle on ne possède que peu de documents datés, un certain glissement des souvenirs constitue un péril majeur : ce qu'on pensait en 1942, on croit, de très bonne foi, l'avoir pensé dès 1941. Mais je peux dater exactement la dernière conversation que j'ai eue avec Lewitsky, et elle a porté presque exclusivement sur Pétain : elle a eu lieu au Musée de l'Homme, à l'heure du déjeuner, en février 1941. Propos à bâtons rompus, pleins de bonne humeur et d'entente, où l'on appréciait d'autant plus le plaisir de se

> comprendre à demi-mot qu'on était quotidiennement exaspéré par les avanies de la défaite et les pleurnicheries de Radio-Vichy.
> Vildé et Lewitsky étaient alors enchantés de ressortir les *Mémoires* de Poincaré et ses critiques sévères sur le vainqueur de Verdun. En particulier, ils soulignaient le fait très grave de la demande d'armistice dont Pétain était partisan en 1917. En quittant Lewitsky, j'ai conclu notre conversation en disant : « En somme, le Vieux avait l'habitude de jouer la Noire. Cette fois, la Noire est sortie : il a gagné. » Lewitsky a ri, puis nous nous sommes serré la main et je ne l'ai jamais revu[125].

Fusillés par les Allemands, Boris Vildé et Anatole Lewitsky (re)vivaient par la force du souvenir, un souvenir que seule une rescapée de la répression pouvait exhumer dans sa fraîcheur. Le héros Lewitsky reprenait figure humaine grâce au souvenir de sa camarade de Résistance. Oui décidément, au cœur de tous ces témoignages si différents et si semblables livrés en l'espace d'une génération, il y avait bien l'hommage rendu à des morts dont on voulait que le souvenir fût vivant et chaleureux. Il y avait autre chose aussi, de tout aussi essentiel, que nous retrouverons dans le chapitre à venir ; là où le souvenir pouvait, le cas échéant, ressusciter la vie dans sa complexité et ses aspects inattendus – le rire de Vildé, par exemple –, l'étude scientifique risquait de figer et de rationaliser à l'extrême une réalité autrement poreuse et multiforme. Passé à la postérité sous l'appellation de réseau du musée de l'Homme, le groupe, dont Germaine Tillion appelait de ses vœux qu'on écrivît l'histoire, avait été ainsi baptisé par sa liquidatrice :

> [...] son nom actuel a été choisi en cinq minutes, par moi-même, un jour de 1946, pour les besoins de la liquidation[126].

On ne lit jamais avec assez d'attention et de réflexion les témoins. Pis, en raison même de la multiplicité des témoignages, il arrive que nous les lisions et les écoutions distraitement. C'est une erreur ! Bien lire Germaine Tillion, par exemple, c'eût été se mettre en situation, dès 1958, de comprendre que plusieurs types de rationalités – en l'espèce, administrative et historienne – étaient à l'œuvre et ne coïncidaient pas nécessairement. De même, dans sa préface à l'édition de 1973 de l'ouvrage sur Ravensbrück, Germaine Tillion écrivait-elle, avec cet inimitable mélange de distance et de désenchantement qui signe la spécificité d'un témoin de grande qualité, ceci :

> Vingt-sept ans après la fin de la Seconde Guerre mondiale, les témoins n'ont pas encore tous disparu mais ils sont de moins en moins nombreux, tandis que depuis déjà des années les historiens, mémorialistes et compilateurs le sont de plus en plus.
> Me trouvant au confluent des deux courants, j'ai tenté d'évaluer ce que chacun d'eux charrie en surface ou laisse couler dans l'ombre, car des deux côtés on compte des naufrages[127].

En un sens, le seul naufrage contre lequel on ne pût rien était évidemment l'écoulement du temps. Ici encore, Germaine Tillion, dans son « Introduction à trois Ravensbrück », se faisait le truchement lucide d'une évolution qu'actrices et acteurs de la Résistance ressentaient vivement :

> Pendant des dizaines d'années, nous, les plus concernées, nous avons surtout pensé au sort de ceux et de celles que nous avions perdus, mais désormais nous-mêmes, derniers témoins, nous sommes déjà des absents, des absentes[128]…

CHAPITRE 4

Clio au travail (1944-1978)

Dans le cadre des comités successivement chargés de traiter de l'histoire de la période, singulièrement celle de la Résistance, et parallèlement aux témoignages livrés par les acteurs, un travail d'élaboration historique se mit en place dès les premières semaines de la Libération. Une histoire de la Résistance, conçue et rédigée par des historiens de métier, vit ainsi très tôt le jour. Cette histoire, qui était inspirée et dominée par le CH2GM et son omniprésent et omnipotent secrétaire général, Henri Michel (1907-1986), dont la ligne s'édifia au fil des numéros de sa revue, a depuis lors été tantôt critiquée, tantôt minimisée. S'il est nécessaire – et salutaire – de soumettre ses résultats à un examen critique, on ne saurait pourtant en mésestimer l'importance, ni les acquis. Elle conditionna largement le mode d'écriture en vigueur sur son champ, y compris à l'étranger puisque Henri Michel et son équipe suscitèrent une structure internationale calquée sur celle qu'ils animaient en France : le Comité international d'histoire de la Deuxième Guerre mondiale fut créé lors d'une réunion d'historiens, représentant les organismes de recherche historique de dix-huit pays, tenue à Paris les 11 et 12 mai 1967[1]. L'influence d'Henri Michel pesa, en termes d'historiographie de la Résistance française, au bas mot jusqu'au début des années 1980. Il se trouve que les conceptions dont le Comité se réclamait n'étaient pas celles de son seul secrétaire général, même si, avec le temps, son influence tendit à devenir prépondérante. On essaiera de montrer dans ce chapitre que l'œuvre entreprise sous la houlette du Comité revêtit une importance décisive dans l'émergence de ce qu'on devait appeler ultérieurement l'histoire du temps présent. Nombre de ceux qui imposèrent cette nouvelle catégorie et qui l'expérimentèrent avaient fait leurs premières armes au sein du Comité. Comment eût-il pu en aller autrement alors que rien ne se faisait de quelque ampleur dans le domaine de l'historiographie de la Résistance qui pût échapper à sa forte férule ? Cette situation inédite pose des questions complexes : Comment l'enfantement de cette nouvelle façon de concevoir et de faire l'histoire se fit-il ? Quelles en furent les caractéristiques ? Quel type d'historiographie contribua-t-elle à dessiner ? Et, question habituellement laissée dans l'ombre, quel type d'écriture historique put se développer hors de ce giron, accueillant et commode, mais aussi contraignant ?

Esquisse d'une première synthèse

Pour tenter de répondre à ces questions, il faut revenir aux sources de l'histoire de la Résistance telle qu'elle s'ébaucha immédiatement dès la Libération. Le premier constat est que l'on n'attendit pas pour proposer une première lecture du phénomène multiforme et complexe qu'avait été le combat clandestin.

Les 30 et 31 janvier 1946, les numéros 225 et 226 des *Notes documentaires et études* publiées par la Direction de la documentation du ministère de l'Information proposaient une « Esquisse d'une histoire de la Résistance française ». La première partie, intitulée « De l'armistice au débarquement allié en Afrique du Nord (juin 1940-novembre 1942) », comptait quatorze pages. La deuxième, « Du débarquement allié en Afrique du Nord à l'insurrection nationale (novembre 1942-août 1944) », était plus synthétique encore : onze pages, la conclusion générale incluse ! Sans signature, cette étude pionnière était, si l'on en croit Jean-Pierre Azéma et François Bédarida, bons connaisseurs du CH2GM, l'œuvre d'Odette Merlat-Guitard, « secrétaire-générale adjointe de la CHOLF[2] ». Cependant, en 1964, dans sa *Bibliographie critique de la Résistance*, Henri Michel en attribuait la paternité à Édouard Perroy[3]. Quel qu'en fût l'auteur, l'avant-propos annonçait, prudemment mais clairement, l'intention de faire pièce ou contrepoids aux récits des acteurs présentés comme « des travaux d'approche » :

> Dans l'état actuel d'une documentation encore fragmentaire, il est impossible de présenter au public une histoire définitive des multiples activités, des événements enchevêtrés que l'on appelle la « Résistance ».
> Beaucoup de témoins et d'acteurs de ce grand drame français publient, presque chaque jour, leurs souvenirs personnels, l'historique de leur groupe et racontent les événements auxquels ils ont été mêlés. Ce ne sont là que des travaux d'approche, des documents d'analyse que l'Histoire devra étudier et critiquer.
> Il ne nous a pourtant pas semblé prématuré de présenter une synthèse provisoire, faisant état de nos connaissances actuelles. Elle est forcément incomplète, et peut-être, sur certains points, entachée d'erreurs, que des recherches ultérieures permettront de corriger. Il était en effet nécessaire, à côté des témoignages partiels dont on a pu lire les passionnants récits, de présenter une vue d'ensemble et une mise au point dont nous espérons qu'elles pourront être utiles[4].

Remarquablement informée pour une publication aussi précoce, l'« Esquisse d'une histoire de la Résistance française » tirait manifestement bénéfice des données recueillies de la bouche même des résistants depuis 1945. Elle passait néanmoins totalement sous silence l'action menée à dater de janvier 1942 par Jean Moulin en zone sud. Du travail accompli par le délégué du chef de la France libre, devenu en novembre 1942 président du comité de coordination des trois principaux mouvements de Résistance non communiste de la zone sud, la brochure ne soufflait mot. Elle évoquait, au contraire, Pierre Brossolette d'abord en tant que rédacteur des derniers numéros de *Résistance*, ensuite en sa qualité de membre de la mouvance de Libération-Nord. Traitant de l'unification et de la coordination de l'action des mouvements de Résistance, elle voyait surtout en lui « un des hommes qui ont certainement travaillé avec le plus de continuité et de clairvoyance dans ce sens[5] ». Par un effet de source troublant pour qui sait, cinquante ans plus tard, la stature prise par la figure de Jean Moulin, Pierre Brossolette était le grand homme de cette première synthèse. Il avait droit à une présentation biographique succincte, se voyait attribuer une « œuvre », alors que Moulin n'apparaissait que tardivement en 1943 quand, « délégué du général de Gaulle pour la zone sud », il prenait contact avec Passy et Brossolette qui « connaissait la Résistance française de l'intérieur pour en avoir été l'un des pionniers[6] ». Autre lacune de ce texte ramassé, les réseaux y étaient réduits à la portion congrue. Cette déficience n'était, à dire vrai, pas réellement imputable aux historiens de la CHOLF. Elle tenait avant tout aux précautions dont les autorités de tutelle des réseaux entouraient le secret des actions qu'ils avaient menées. On aura également noté que l'évocation « des multiples activités, des événements enchevêtrés que l'on appelle la “Résistance” », était une manière de ne pas poser la question, manifestement prématurée à cette date, de la définition de ce qu'avait été la Résistance.

Pour l'essentiel, la synthèse touchait cependant juste en faisant bien ressortir le chemin parcouru par la Résistance entre 1940 et 1944, mais aussi en soulignant que le phénomène apparu en majesté durant l'été 1944 avait laissé sur le bas-côté de la route nombre de pionniers emportés par la répression et, de ce fait, oubliés par la mémoire collective :

> La Résistance telle qu'elle était apparue au grand jour dans les combats de la Libération, avec tous ses mouvements étiquetés, avec ses rouages complexes, laissait loin derrière elle les tâtonnements du début. D'une extrême fluidité, avec les mêmes hommes apparaissant partout, disparaissant soudain et entraînant dans leur perte celle d'un ou même plusieurs organismes, des mouvements entiers tombèrent dans l'oubli et n'en ressortent aujourd'hui qu'au hasard des trop rares retours de ceux de leurs initiateurs qui ont échappé aux charniers allemands. Les comparses qui avaient passé entre les mailles des filets tendus en 1941 et 1942, attendirent parfois longtemps avant d'aller grossir les rangs d'un groupe plus heureux ou plus récent et ignorèrent souvent avec qui ils avaient fait leurs premières armes dans la Résistance[7].

Une histoire pensée et écrite avec le concours de ses acteurs

Précoce, tout à la fois respectueuse mais distante vis-à-vis des acteurs mués en témoins, la première étude sur la Résistance traçait donc un sillon qui n'allait pourtant pas être poursuivi. Il y eut à cela de fortes raisons, que Paul Mouy et Suzanne Delorme exposaient sans détour en 1947 :

> La Résistance et la Libération, qui ont constitué la dernière phase de la guerre, sont encore trop proches de nous, trop mêlées à l'histoire de la planète entière, pour faire l'objet de véritables livres historiques. Mais déjà apparaissent des monographies, des mémoires personnels, des recueils de documents – comportant, par exemple, des coupures de journaux – où les futurs livres d'histoire prendront au moins une partie de leur matière. De plus, on voit déjà apparaître des récits historiques véritables, rédigés par des témoins particulièrement compétents et bien placés, et portant sur les événements les plus intéressants dont beaucoup d'entre nous ont pu être les témoins, par exemple la libération de Paris. On comprend, en effet, que le lecteur moyen ait hâte de revivre par la pensée, et même de mieux comprendre les faits qui ont tenu dans sa vie une place énorme, et joué dans l'histoire universelle un rôle immense. De là des *livres historiques d'urgence*, si l'on peut dire, dont la lecture est particulièrement attachante, mais dont la valeur n'est encore que provisoire et indéterminée[8].

Sous des dehors simples et avenants, l'analyse pointait heureusement quelques-unes des lignes de force et des contradictions propres à l'écriture de l'histoire de la Résistance. À une demande sociale forte et exigeante, parce que cette histoire-là avait un statut particulier dans une mémoire collective encore à vif, répondait une production historique d'urgence, utile, bien accueillie en même temps qu'elle était de valeur extrêmement inégale. *A contrario*, si cette demande était légitime, elle ne dispensait ni ne préjugeait du travail des historiens qui ne pouvait se faire dans l'urgence et l'immédiateté. Il fallait que les choses se décantent, qu'un tri s'opère parmi toutes les traces qu'une époque, fût-elle clandestine, laisse dans son sillage. C'était bien observer de relever que les futurs véritables livres historiques feraient leur miel de publications nombreuses. Quant au respect affiché à l'endroit « des témoins particulièrement compétents et bien placés », il n'était pas de pure forme et introduit au second facteur qui conduisit à différer largement l'idée de proposer une synthèse plus aboutie que celle qu'avait tentée Odette Merlat-Guitard. Assez vite, en effet, un autre parti apparut, celui de privilégier la parole et les souvenirs des acteurs.

Cette inflexion était notable et visible dans le numéro fondateur de la *Revue d'histoire de la Deuxième Guerre mondiale*, daté du mois d'octobre 1950 et intitulé « Aspects de la Résistance française ». Il s'ouvrait, on l'a vu, sur la reproduction *in extenso* de l'hommage à Jean Moulin prononcé par Georges Bidault à Béziers le 6 octobre 1946. Par la vertu de la parole résistante, le premier président et fondateur du Conseil national de la Résistance sortait ainsi de la pénombre où le reléguait le court essai de synthèse publié quatre ans plus tôt. Surtout, le Verbe résistant, servi par le successeur même de Jean Moulin à la tête du Conseil national de la Résistance, inaugurait la nouvelle revue, porte-voix autorisé du très officiel CH2GM. Cet indice d'une réévaluation de l'apport mémoriel résistant était confirmé par la teneur du numéro. Placées sous un titre général : « Le financement de la Résistance », les deux études – de François Bloch-Lainé, consacrée aux finances de la Résistance intérieure, et de Pierre Denis, *alias* Rauzan, dédiée aux finances de la France libre – étaient précédées d'un chapeau de la rédaction ainsi conçu :

> Désireux de réunir les premiers éléments d'une histoire du financement de la France libre et de la France résistante, nous avons fait appel aux souvenirs de personnes qui ont exercé des fonctions financières importantes auprès du Comité de Londres, du gouvernement d'Alger et des organisations clandestines dans les territoires occupés. [...]
> Nous avons pensé que les lecteurs attacheraient plus de prix à des témoignages morcelés, donnés par les acteurs

> mêmes des événements évoqués, qu'à une étude plus systématique mais plus éloignée des sources d'information[9].

Certes, François Bloch-Lainé prenait en quelque sorte le contre-pied de cet avertissement puisque son propos liminaire relativisait l'importance des libertés prises par quelques clandestins avec le respect des règles financières strictes d'usage pour les comptes publics :

> L'historien de demain excusera certainement des défauts dont aujourd'hui la petite histoire, trop proche de l'événement et parfois teintée de querelles politiques, tend encore à exagérer la gravité. Il donnera plus d'importance aux efforts faits, à l'ingéniosité déployée pour collecter et transporter des fonds, qu'aux gaspillages et aux détournements dont ces fonds ont été parfois l'objet[10].

Mieux, l'inspecteur des finances chargé en 1944 de la coordination financière auprès du délégué général du Comité français de Libération nationale, Alexandre Parodi, ne prétendait nullement « procéder [...] à une étude générale », n'ayant « connu qu'un secteur limité des opérations en cause » et n'ayant « pu compléter [sa] documentation qu'à l'aide de quelques témoignages recueillis après la Libération et des résultats de certaines enquêtes administratives ». Fort de ces considérants, il ne proposait « donc que le schéma grossier et rapide d'un ensemble complexe dont l'analyse approfondie reste à faire, si toutefois on la juge utile[11] ».

La revue, en somme, était plus respectueuse de l'apport des témoins que lesdits témoins. Ou, pour dire les choses plus nettement, la tension entre le travail historique proprement dit et les faits retracés par les témoins se donnait à voir dès ce moment. Quelle devait être la place respective des historiens et des acteurs ? Telle était bien la question posée en arrière-plan. La réponse, à l'évidence, n'allait pas de soi. En témoignait le fait que, dans ce même numéro, l'article relatif aux émissions françaises à la BBC avait pour auteur Jean-Louis Crémieux-Brilhac, chef du service de diffusion clandestine au commissariat national à l'Intérieur et secrétaire du Comité exécutif de propagande de Londres de 1942 à 1944. Mobilisé, retenu prisonnier en Poméranie, ce jeune homme s'était évadé et avait rejoint le général de Gaulle à Londres. C'était bien l'acteur qualifié dont on sollicitait l'expertise, l'invitant ainsi à revêtir les habits de l'historien, ce qu'il fit ultérieurement avec talent.

Il demeure que le sommaire même du premier numéro de la *Revue d'histoire de la Deuxième Guerre mondiale*, où figurait également Marie Granet qui brossait le dessin général des maquis, faisait la part belle aux acteurs transformés, *nolens volens*, en historiens des actions dont ils avaient été partie prenante. Il n'y a pas lieu de s'en étonner outre mesure ; après tout, la revue s'inspirait des principes qui animaient, depuis son origine, l'instance de coordination dont elle était le truchement.

Ce qui est intéressant, en revanche, c'est que les maîtres d'œuvre de la revue avaient clairement conscience de l'immensité de la tâche à laquelle ils s'attelaient. Ils savaient les difficultés de l'entreprise. Ainsi, ils accompagnaient le « lexique de la Résistance française établi par le Secrétariat général de la Commission d'histoire de l'Occupation et de la Libération de la France » de la mise en garde suivante :

> Ce travail ne cherche pas à donner un tableau d'ensemble de la Résistance française. Sont seulement portés les réseaux, mouvements ou services qui étaient surtout connus par leurs initiales[12].

Dès lors, le recours aux acteurs n'était en aucun cas un pis-aller, non plus que la résultante d'une conception qui eût méconnu les embûches parsemant le chemin d'une écriture de l'histoire de la Résistance qui fût digne de ce nom. L'appel aux témoins était délibéré et opéré en toute connaissance de cause.

Lucien Febvre au cœur de la mêlée

Il n'est, pour s'en persuader, que de lire le long compte rendu donné par Lucien Febvre aux *Annales* en 1948[13] sur les ouvrages de Léon Halkin, Jean Guéhenno et Léon Werth[14] :

> Sur la guerre de 1939, sur les événements qui se sont déroulés de 1940 à 1944, chaque jour des publications nouvelles paraissent. Œuvres d'historiens patentés, certaines se donnent dès maintenant comme historiques. D'autres tiennent de l'apologie : elles sont le fait de personnages importants ou qui se croient tels. Beaucoup, enfin, prennent forme de journal intime : œuvres d'écrivains, souvent, ou d'hommes cultivés qui tiennent à apporter les dépositions sur les événements qui les ont profondément touchés dans leur sensibilité propre, leurs croyances intellectuelles et leurs sentiments nationaux. Ces livres attendent leur John Norton Cru[15]. Nous ne saurions les étudier, ni même les signaler tous : ces sortes de dénombrements bibliographiques ne sont point dans la ligne des *Annales*. Mais, à propos de deux ou trois d'entre eux, montrer en quoi de pareils témoignages peuvent et doivent être retenus par l'Histoire, alors même que leurs auteurs (et surtout peut-être quand leurs auteurs) seront sans doute étonnés, les premiers, que la vieille Clio s'intéresse à eux : ceci, nous devons le faire. C'est de l'Histoire *Annales*[16].

Soulevant lui-même la question de savoir si les meilleurs témoignages – car il séparait le bon grain de l'ivraie – étaient « dans la ligne des *Annales* », Lucien Febvre répondait donc clairement par l'affirmative. Et, sans doute pour dissiper toute équivoque possible, il soulignait encore le trait :

> Trois livres – et qui suffisent dans leur diversité, à montrer une fois de plus que tous les documents ne sont point archives. Et comment l'histoire se fait avec de la vie encore chaude. À condition que cela soit de la vraie vie, recueillie sans truquage, ni mensonge. Et non point cette vie factice, cette vie de papier noirci qu'avec un peu d'adresse et pas mal de mots, le moindre écrivailleur est capable, sans effort, de substituer à la réalité. Cela, il y a longtemps que Michelet l'a dit. Dans la Préface de 1869, ce bréviaire [...][17]

La conclusion de son compte rendu aussi élogieux que circonstancié était surprenante en ce qu'elle prenait les historiens à partie, posant comme un axiome qu'ils n'entendraient rien à la période de la guerre et qu'ils ne contribueraient pas, par voie de conséquence, à la rendre intelligible. Mieux valait en somme trois bons témoins qu'une kyrielle d'historiens :

> Les historiens. Mais liront-ils ces livres ? Ils viendront, j'en ai peur, avec un sourire satisfait – celui qu'ils prennent déjà quand ils nous expliquent, à nous qui n'y avons rien compris du tout, cette France de 1900 qu'ils composent de traits qu'aucun de nous d'ailleurs ne vit jamais. Quelle étrange « France occupée » nous dessineront-ils dans leurs manuels ? La vraie, celle qui pendant des années s'est traînée, péniblement, sur un sol sans cesse creusé de nouvelles fondrières, sans cesse hérissé de nouvelles ruines, celle qui, pendant des mois et des mois, ne s'élevait un jour que pour retomber le lendemain, un peu plus bas, et recommencer sa marche désespérante – celle qui disait avec cette femme que cite Léon Werth [...] : « Si je pouvais avoir le moindre doute, ce serait fini de moi. Mais je n'en ai point et tout est encore solide en moi... » Celle-là, la vraie, c'est dans *Déposition* qu'ils devront la chercher[18].

La teneur de ce compte rendu était en pleine cohérence avec la position tranchée adoptée par Lucien Febvre dans sa préface, déjà évoquée, au troisième numéro des *Cahiers d'histoire de la guerre*, paru deux ans plus tard. La position du chef de file des *Annales* ne devait rien à l'improvisation ou à un effet de conjoncture. Elle définissait précisément et rigoureusement la philosophie bien arrêtée des scientifiques qui avaient en charge de réunir les matériaux indispensables pour retracer l'histoire de la Résistance. C'est si vrai que, préfaçant trois ans plus tard un recueil de textes clandestins réunis par Henri Michel et Boris Mirkine-Guetzévitch, Lucien Febvre, reprenant le canevas dessiné à grands traits dès 1950, s'en prenait avec la verve polémique mordante dont il était coutumier :

> À ceux qui vont disant, en toute bonne foi pour les uns, en toute grosse malice les autres : « Il est impossible en 1953, une dizaine d'années après les événements, d'écrire l'histoire de ces années brûlantes, 1940-1944 ; l'entreprendre, c'est se vouer à un échec certain ; où sont les documents secrets, où les esprits surhumainement critiques capables de s'élever assez haut pour ne point tomber à ras de terre

dans le piège des vérités partisanes ? attendons, attendons quarante ans ; alors, les acteurs de la tragédie étant morts, ou moribonds, les historiens pourront, toutes cendres refroidies, commencer à retirer sans se brûler les marrons tout cuits de la légende officielle[19]. »

Assassin contre ceux qui doutaient de la possibilité et de l'opportunité d'élaborer une étude si près des faits, sous le regard et avec le concours de ceux qui les avaient vécus et façonnés, le trait était fort en ce que Lucien Febvre poursuivait sur un registre qui était en pleine cohérence avec ses écrits d'historien, dont on retrouvait le phrasé et l'approche :

> Tout est toujours affreusement compliqué de ce qui touche à l'homme, à ses rêves, à ses idées, à ses passions – et finalement à ses activités. [...] Tout est toujours affreusement compliqué : mais croit-on, pour rendre compte de cette complication, de ce foisonnement vital, croit-on que la bonne méthode soit d'attendre ? Évidemment, le temps simplifie. La mort aussi. Le squelette aux os verdis qu'on exhume d'une bière pourrie est plus « simple » que le vivant qui s'est couché dans la tombe, plein de force encore parfois et de vitalité. Mais c'est le vivant qui nous intéresse. C'est la vie dans sa complexité. La vie organique aussi bien que la vie psychologique[20].

Henri Michel ayant affirmé, dans son introduction, qu'il était permis de douter que toutes les idées couchées sur le papier par les résistants dans les feuilles et revues clandestines aient été totalement prises au sérieux, notamment par ceux qui les avaient exprimées, Lucien Febvre tonnait :

> Croit-on que les Sous-Mignet qui, dans cinquante ans, prendront la Résistance pour thème, ou pour cible, de leurs exercices académiques – il y aura toujours des jeux académiques ! – seront capables de formuler une pareille remarque ? Elle va loin. [...] Elle ne peut avoir été pensée que par un homme qui a vécu cette histoire en la réfléchissant.

Belle volée de bois vert administrée par une incontestable autorité scientifique mais aussi académique[21], par un homme parvenu au faîte de la renommée dans sa discipline, à des historiens encore au berceau et même… à naître ! Assignés un rang au-dessous d'Auguste Mignet, réputé pour être lui-même resté à cent coudées des Thiers, Guizot et Michelet, les historiens du futur étaient critiqués jusque dans leur souci de s'adonner à des exercices académiques par celui qui occupait depuis 1933 une prestigieuse chaire d'histoire générale et de méthode historique appliquée aux temps modernes du Collège de France et signait son avant-propos : « Lucien Febvre, membre de l'Institut. » Et le cofondateur des *Annales d'histoire économique et sociale* enfonçait le clou avec force :

> […] je dis que les hommes de la génération qui a participé directement à la mêlée tragique d'entre 1940 et 1944 – (il serait plus juste de dire de 1938 à 1945) – ont non seulement le droit, mais le devoir, le devoir absolu, le devoir impérieux, de traduire leur vérité à eux. De donner leur version des événements[22].

Que la position défendue par Lucien Febvre dans cet avant-propos n'ait pas été dictée par une courtoisie de circonstance non plus que par une complaisance qui n'était pas sa marque, qu'elle ne puisse pas davantage s'expliquer par une commande réalisée dans l'urgence sans que son auteur ait pu vraiment maîtriser sa pensée, voilà qui ne fait aucun doute. En effet, l'historien scrupuleux, qui accordait un soin jaloux aux comptes rendus qu'il signait, au point que Bertrand Müller a pu soutenir l'idée qu'ils constituaient une œuvre à part entière[23], éprouva le besoin de faire paraître dans les colonnes des *Annales* son avant-propos *in extenso* en 1954. C'était signifier l'importance de ce texte dont il n'entendait rien renier et qu'il revendiquait pleinement.

Et, puisqu'on ne saurait résoudre la question que pose ce texte, qui n'était jamais qu'une réécriture d'autres moutures antérieures de la même eau, en postulant que Lucien Febvre était d'ordinaire mieux inspiré, il faut bien tenter de comprendre comment il peut être compatible avec les fermes positions théoriques du cofondateur des *Annales*.

Sous la plume d'un historien parvenu à la pleine maturité, qui publiait la même année un recueil d'articles, *Combats pour l'Histoire*, « épluchures de bois tombées sous le rabot et ramassées au pied de l'établi[24] », où la hauteur de la réflexion le disputait à la qualité de l'érudition maîtrisée, le plaidoyer pour une histoire d'abord et avant tout prise en charge par ses acteurs ne laisse, en effet, pas d'étonner. D'autant que, dans l'avant-propos de *Combats pour l'Histoire*, Lucien Febvre disait bien qu'un nouveau type d'histoire, aux contours encore indécis, était en train de sourdre :

> En ces années où tant d'angoisses nous étreignent, je ne veux pas redire avec le Michelet du *Peuple* : « Jeunes et vieux, nous sommes fatigués. » Fatigués, les jeunes ? j'espère bien que non. Fatigués, les vieux ? je ne le veux pas. Par-delà tant de tragédies et de bouleversements, de grandes clartés luisent à l'horizon. Dans le sang et la douleur, une Humanité nouvelle s'enfante. Et donc, comme toujours, une Histoire, une Science historique à la mesure de temps imprévus s'apprête à naître[25].

Intitulé « Vers une autre histoire », l'article écrit en 1949 qui clôturait le recueil faisait une remarquable incursion dans les « zones pionnières » de la discipline. Lucien Febvre y saluait avec éclat la thèse de Fernand Braudel sur *La Méditerranée et le monde méditerranéen à l'époque de Philippe II*, mettant l'accent sur les trois temporalités dégagées par l'auteur, dont la plus déterminante n'était pas celle qui avait trait aux événements, « flot tumultueux, bouillonnant et confus des faits[26] ». Pour mesurer ce que pouvait signifier, au plan théorique, l'approbation admirative par Lucien Febvre du « plan tout nouveau et, en un sens, révolutionnaire » élaboré par Fernand Braudel, il vaut la peine de rappeler le jugement que ce dernier portait dans la préface sur « l'histoire à la dimension non de l'homme, mais de l'individu, l'histoire événementielle » :

> Une histoire à oscillations brèves, rapides, nerveuses. Ultra-sensible par définition, le moindre pas met en alerte tous ses instruments de mesure. Mais telle quelle, c'est la plus passionnante, la plus riche en humanité, la plus dangereuse aussi. Méfions-nous de cette histoire brûlante encore, telle que les contemporains l'ont sentie, décrite, vécue, au rythme de leur vie, brève comme la nôtre. Elle a

> la dimension de leurs colères, de leurs rêves et de leurs illusions. [...] Un monde de vives passions assurément ; un monde aveugle, comme tout monde vivant, comme le nôtre, insouciant des histoires de profondeur, de ces eaux vives sur lesquelles notre barque file comme le plus ivre des bateaux. Un monde dangereux, disions-nous, mais dont nous aurons conjuré les sortilèges et les maléfices en ayant, au préalable, fixé ces grands courants sous-jacents, souvent silencieux, et dont le sens ne se révèle que si l'on embrasse de larges périodes du temps. Les événements retentissants ne sont souvent que des instants, que des manifestations de ces larges destins et ne s'expliquent que par eux[27].

Au moment même où Febvre décelait dans l'œuvre de son successeur et continuateur un ferment nouveau qui se défiait de la cécité propre aux acteurs de l'histoire, incapables de résister aux passions vives qui leur font cortège leur vie durant, il se faisait donc l'avocat ardent et emporté d'une histoire de la Résistance écrite par ses protagonistes. C'est peu dire que la position qu'il prenait ainsi était à rebours du courant qu'il avait suscité, accompagné et encouragé sans relâche, jusque dans ses plus récents et féconds développements.

L'homme était toutefois trop intelligent et l'historien trop averti pour s'arc-bouter sur cette position affective dont il savait qu'elle ferait, tôt ou tard, figure de butte-témoin d'une ligne de crête évanouie par la force des choses. Après avoir allègrement cogné sur ses collègues à venir, Lucien Febvre tempérait donc son propos, sans l'atténuer pour autant, selon un raisonnement qui laissait tout de même, symboliquement et affectivement au moins, le dernier mot aux résistants :

> Ils diront, les Historiens, ce qu'ils pourront dire, étant des hommes de l'an 2000, vivant dans le climat de l'an 2000, imprégnés de l'esprit et des besoins et des nécessités de l'an 2000. Raison de plus pour que nous leur procurions, les hommes de 1950 [...] en toute honnêteté, notre version à nous des événements que, bien sûr, ils interpréteront autrement que nous. Qu'ils ne pourront pas ne pas interpréter autrement que nous, j'entends – mais aussi que les

> Historiens de l'an 2050, qui suivront. Sans que nous puissions dire qu'ils ont raison, eux, et que nous avons tort, nous. Au moins, notre version des événements a-t-elle eu ses preuves vivantes. Elle est contresignée par des milliers de sacrifices.
> Au double sens du mot, elle a eu ses Martyrs[28].

On ne peut lire ce texte flamboyant, fortement pensé assurément, sans que surgisse l'idée que, à défaut d'être capable d'influencer les historiens du futur, la charge pouvait ébranler ceux qui, dans le contexte des années 1950, auraient pu être tentés de ne pas donner la première place aux acteurs survivants de la clandestinité. D'autant que, dans la préface qu'il rédigeait pour ce même volume, Georges Bidault rejoignait l'illustre professeur du Collège de France, souhaitant que :

> des études retracent la Geste des résistants : exploits des agents des réseaux, des saboteurs des groupes d'action, des maquisards, des Forces françaises de l'intérieur, des soldats de la France libre.

Une fois n'est pas coutume : acteurs et historiens parlaient, au plus haut niveau, d'une même voix.

Mais il y a plus. Par sa philippique, Lucien Febvre donnait en quelque sorte la tonalité dominante des années à venir, posant un principe dont il devait être bien présomptueux de se défaire. De fait, son texte de 1954, en même temps hautain et résigné, fut ensuite repris tel un leitmotiv par ceux qui abordèrent l'histoire de la Résistance comme s'il avait eu la fonction de fixer un cap dont il eût été dangereux de s'écarter.

Tel fut le cas d'Henri Michel, qui, en 1956, dans un texte portant sur « les Historiens en face de la Deuxième Guerre mondiale », assénait :

> Contrairement à une idée, fortement enracinée, et qui tourne au préjugé, les études doivent commencer avant que soit sensible le fameux « recul de l'histoire » parce que, en l'occurrence, il risque de déformer la vue, au lieu de la corriger. La plupart des événements de la Seconde Guerre mondiale – Résistance et Déportation en particulier – ont été marqués d'une telle originalité que des contemporains,

> à condition qu'ils aient été aussi des acteurs ou des témoins bien placés, peuvent seuls correctement les relater[29].

Tel était bien encore le cas pour l'histoire du mouvement Combat retracée en 1957 par Marie Granet et Henri Michel, qui, dans leur introduction, plaçaient fidèlement leur entreprise sous le haut patronage de Lucien Febvre, décédé l'année précédente :

> Ainsi, la génération de la Résistance présente elle-même un récit de son comportement, pour ses contemporains qui l'ont ignoré, consciemment ou non, et pour les générations à venir qui risquent de mal comprendre un phénomène d'une originalité sans précédent. Cette version sera plus tard revue et corrigée ? Nous n'en doutons en aucune manière ; nous sommes les premiers à souhaiter que la publication elle-même, aussitôt sortie des presses, provoque critiques, compléments et, nous l'espérons, amendements. Mais, comme l'a écrit Lucien Febvre, « les hommes qui ont participé directement à la mêlée tragique d'entre 1940 et 1944, ont non seulement le droit, mais le devoir, le devoir impérieux, le devoir absolu de traduire leur vérité à eux. De donner leur version des événements… une version qui a eu ses preuves vivantes, qui est contresignée par des milliers de sacrifices ».
> De cette volonté des Résistants de faire connaître leur histoire, nous nous sommes efforcés d'être les exécutants objectifs[30].

Tout, jusqu'à la citation exacte quant à son esprit, synthétisée dans sa formulation, exprimait la reprise de l'argumentaire de Lucien Febvre, en passe de devenir une véritable *vulgate*, sorte de point de passage obligé en même temps que transposition schématisée de la pensée du maître. En 1961, Arthur Calmette livrait une étude intitulée : *L'Organisation civile et militaire. Histoire d'un mouvement de Résistance de 1940 à 1946*[31]. Cet ancien membre de l'OCM reprenait à son tour ce texte d'Henri Michel et de Marie Granet. À Georges Bidault faisait écho, dans la préface à l'ouvrage de Françoise Bruneau consacré au mouvement Résistance, Claude Bouchinet-Serreulles, en des termes qu'il faut à nouveau citer :

> L'histoire de ces années tragiques ne sera sans doute pas écrite avant longtemps et ce n'est peut-être que dans cinquante ans qu'un nouveau Michelet saura en tracer la fresque[32].

Le caractère exceptionnel de l'histoire de la Résistance, telle que la proclamait Lucien Febvre, expliquait-elle seule les libertés qu'il paraissait prendre avec des positions épistémologiques et scientifiques si fortement affirmées par ailleurs ? Rien n'est moins sûr. L'écriture incarnée, quasi charnelle, qu'impliquaient les choix du CHG, il l'avait défendue de longue date, comme en faisait foi la violente charge contre les historiens de l'école méthodique qu'il avait livrée dans sa leçon d'ouverture au Collège de France en décembre 1933 :

> Travail sédentaire, de bureau et de papier ; travail de fenêtres closes et de rideaux tirés. De là, ces paysans qui, en fait de terre grasse, semblaient ne labourer que de vieux cartulaires[33].

Par ailleurs, Lucien Febvre se faisait le chantre, dans son effort pour tendre « vers une autre histoire », du travail collectif en histoire :

> L'histoire évolue rapidement, comme toute science aujourd'hui. Avec bien des hésitations et des faux pas, quelques hommes tentent de s'orienter, de plus en plus, vers le travail collectif. Un jour viendra où l'on parlera de « laboratoires d'histoire » comme de réalités – et sans provoquer de sourires ironiques[34].

Et d'en appeler

> au chef d'équipe, alerte et mobile, qui, nourri d'une forte culture, ayant été dressé à chercher dans l'histoire des éléments de solution pour les grands problèmes que la vie, chaque jour, pose aux sociétés et aux civilisations, saura tracer les cadres d'une enquête, poser correctement les questions, indiquer précisément les sources d'information et, ceci fait, évaluer la dépense, régler la rotation des appareils, fixer le nombre des équipiers et lancer son monde à la quête de l'inconnu. Deux mois, ou trois ou quatre : la cueillette est terminée. La mise en œuvre commence. [...] Six mois, un an : l'enquête est prête à être livrée au public. L'enquête

> qu'un travailleur isolé aurait mis dix ans à ne point faire aussi riche, ni aussi vaste, ni aussi probante. Même si, surtout si il en avait conçu l'idée dans son ampleur[35].

Réfutant les critiques que cette conception collective du travail historique ne manquerait pas de soulever, Lucien Febvre refusait de voir dans cette nouvelle façon d'écrire l'histoire la disparition de l'art et de la personnalité au profit d'une « mécanisation du savoir ». Reste une question : comment pouvait-il concilier sa révérence pour le livre de Braudel, « le livre d'un homme seul[36] », et sa proclamation d'un nécessaire travail collectif ? Sans doute, en puisant dans l'expérience des *Annales* qui avait encouragé dès ses débuts les enquêtes collectives, mais aussi en pensant au CHG. Qui ne voit que la description qu'il faisait du chef d'équipe et de l'œuvre à accomplir rappelait furieusement Henri Michel et ses correspondants ?

Au surplus, on ne peut examiner l'émergence si singulière et complexe d'une historiographie de la Résistance sans l'inscrire sur la toile de fond de l'évolution de la science historique au même moment. Or, dans une période où Lucien Febvre louvoyait entre le CH2GM et les perspectives qu'ouvrait le travail novateur de Fernand Braudel, ce dernier dressait, lors de sa leçon inaugurale au Collège de France en décembre 1950, un constat fondé sur une question clef :

> Pourquoi l'art fragile d'écrire l'histoire échapperait-il à la crise générale de notre époque[37] ?

Et il dessinait le tableau d'une discipline à la croisée des chemins, sommée en quelque sorte de se régénérer et de repenser ses habitudes les plus établies :

> Je doute même que l'habituel travail artisanal de l'historien soit à la mesure de nos ambitions actuelles. Avec le danger que cela peut représenter et les difficultés que la solution implique, il n'y a pas de salut hors des méthodes du travail par équipes[38].

Ce n'était pas là le seul point de convergence avec Lucien Febvre, qu'il créditait de la volonté de ne renier aucune des dimensions souhaitables de l'exercice historique :

> Et la difficulté n'est pas de concilier, sur le plan des principes, la nécessité de l'histoire individuelle et de l'histoire sociale ; la difficulté est d'être capable de sentir l'une et l'autre à la fois, et, se passionnant pour l'une, de ne pas dédaigner l'autre[39].

Bel « exemple d'histoire synthétique[40] », le *Luther* de Lucien Febvre avait, dès 1927, ouvert la voie à une conception de l'exercice biographique qui (ré)conciliât histoire individuelle et histoire sociale. De cette tentative, l'auteur s'expliquait dans l'avant-propos de la première édition :

> [...] poser ainsi, à propos d'un homme d'une singulière vitalité, ce problème des rapports de l'individu et de la collectivité, de l'initiative personnelle et de la nécessité sociale qui est, peut-être, le problème capital de l'histoire : tel a été notre dessein[41].

Rappelant en 1947 ce précédent de haute volée dans des « réflexions sur des biographies », Paul Leuilliot ne se montrait tendre ni pour la production biographique appliquée aux années noires, ni pour les ouvrages qui traitaient de façon générale de cette période :

> Nous n'en sommes encore, hélas qu'à l'histoire *pointilliste* [...] en ce qui concerne les biographies relatives à la Seconde Guerre mondiale. Combien elles nous apparaissent fort inégales de valeur et, partant, d'intérêt historique, malgré la bonne volonté et surtout les bonnes intentions de leurs auteurs. Sans doute est-ce la même impression que laissent toutes les publications historiques de la période[42].

Il était plus sévère encore dans la note de bas de page qui accompagnait cette appréciation peu flatteuse :

> Et je pense surtout à toute la « littérature » de la Résistance ! Il faut déjà, cependant, tenter l'analyse et la critique de ces souvenirs[43].

Non seulement l'analyse de Paul Leuilliot parvenait donc à émettre un jugement critique sur la production du temps, mais encore elle s'appuyait sur des considérations peu en vogue alors, dont la seule mention doit inciter les successeurs que nous sommes à beaucoup d'humilité tant il est vrai que nos devanciers ne fonçaient pas la tête la première dans les pièges redoutables que recelait – et que recèle toujours – l'écriture d'une histoire de la Résistance :

> La valeur relative actuelle des biographies est dans la représentation mentale que les contemporains ont de tel ou tel personnage de premier plan, de tel acteur, et de son rôle, dans le grand drame contemporain. Cette donnée psychologique est aussi, à sa manière, un élément important, même une donnée primordiale des futures constructions historiques. Car la légende a commencé avec l'événement. Déjà il faut faire la part, et de cet inconscient mystérieux, et de la documentation précise, puisque l'histoire se fait encore, sinon exclusivement, avec des textes[44].

À l'agilité épistémologique dont pouvaient faire preuve ceux que Lucien Febvre eût appelé « les hommes de 1947 » s'ajoutait une inventivité incontestable qu'atteste, dans le même numéro de la *Revue de synthèse*, une sorte d'avis de recherche intitulé : « Sources du folklore de la guerre et des résistances » :

> À notre connaissance le folklore de la guerre et des résistances n'a pas encore fait, dans les pays occidentaux, l'objet de récoltes systématiques. [...]
> Il se peut que des textes folkloriques aient été recueillis soit par la Commission d'histoire de l'Occupation et de la Libération de la France (12, rue Guénégaud, Paris 6e), soit par M. Bonnerot, bibliothécaire de la Sorbonne, lequel a rassemblé une importante documentation depuis la Libération.
> Il y a certainement eu un folklore enfantin de la Libération. Nous avons personnellement entendu des enfants de la banlieue (Le Pecq) chanter, sur l'air *Au clair de la Lune*, les couplets suivants qui en sont un bon exemple :
>
> *Au clair de la Lune,*
> *Les Anglais sont là ;*
> *Ils lâchent des prunes*
> *Et du chocolat.*
> *Ça flamb', ma voisine !*

> *Mais ça ne fait rien,*
> *Hitler se débine*
> *Et de Gaull' revient.*
>
> La Société Française de Folklore, nouvellement constituée (siège social : École pratique des Hautes Études, 47, rue des Écoles, Paris 5e), se propose de diffuser un questionnaire systématique en vue de la récolte de ce folklore.
>
> A. Varagnac[45]

C'est donc en toute connaissance de cause que Lucien Febvre, qui aurait pu se contenter de donner son patronage prestigieux au Comité, prit fait et cause pour qu'on entreprît l'histoire de la France des années noires et plaida pour que la parole des acteurs fût vraiment entendue. Qu'il l'ait fait dans les *Annales* ajoute à l'engagement que traduisaient ses positions. On se souvient peut-être que, ployant sous les honneurs et surchargé de travail, il écrivait à Henri Berr en 1952 qu'il ne pouvait lâcher « l'écrasant Comité d'histoire de la guerre mondiale », « le laisser tomber aux mains des collaborateurs et des pétinistes, sans forfaiture ! ». De fait, Lucien Febvre soutint sans désemparer le Comité et les publications qui voyaient le jour dans son sillage. En 1955, dans la rubrique « Coupe-Papier » qu'il signait, il publiait par exemple dans les *Annales* ce texte :

> Pour connaître la Résistance française. – Les *Annales* ont déjà signalé l'apparition aux Presses universitaires d'une nouvelle collection intitulée *Esprit de la Résistance* – à propos d'un livre important, intitulé : *Les Idées politiques et sociales de la Résistance*, livre dû aux deux directeurs de la nouvelle collection : Henri Michel, le très actif et excellent secrétaire général du Comité d'histoire de la Seconde Guerre mondiale (rattaché à la Présidence du Conseil) et Boris Mirkine-Guetzévitch, juriste de haute qualité, spécialiste des problèmes constitutionnels contemporains, dont l'action aux États-Unis, pendant les années 40-45 fut si remarquable et importante en faveur de la France résistante : on sait qu'il vient malheureusement de nous quitter prématurément. – Le second volume de la collection réunit des *Écrits des condamnés à mort sous*

> *l'occupation allemande*; il a été procuré par Michel Borwicz. – Le troisième, signé d'André Truchet, est consacré à *l'Armistice de 1940* et à *l'Afrique du Nord*; il s'ouvre sur une préface de Louis Marin. – Volumes remarquables ; douloureux et réconfortant, celui de Borwicz ; terrible dans sa sobriété, celui d'André Truchet ; à lire tous les deux par tous les Français qui portent en eux le souci des destinées de leur pays. Ces livres rejoignent l'effort poursuivi, en dehors d'eux, par le Comité d'histoire de la Guerre et par cette *Revue d'histoire de la Deuxième Guerre mondiale* qu'il a permis de fonder – et qui est seule dans le monde à essayer de faire de la lumière sur les tragiques et obscurs événements de 1940-1944[46].

L'appui sans failles de Lucien Febvre et des *Annales* puisait sans doute aussi sa raison d'être dans l'attention que la revue et ses fondateurs avaient toujours portée au temps présent. Dressant en 1947 le bilan de l'année écoulée, la revue défendait cette même ligne dans son éditorial :

> [Grâce aux lecteurs,] grâce à leur approbation non point seulement tacite, mais effective, nous savons que nous ne nous trompions pas en donnant, dans nos fascicules, une place plus grande encore qu'autrefois à cette histoire qui se fait sous nos yeux, et que nous pouvons, que nous devons expliquer, nous historiens, que nous devons faire comprendre en l'éclairant des feux d'une histoire qui n'entend « obliger » personne, qui ne prétend pas dicter à nos contemporains ces fameuses « leçons du passé » en qui seuls, dirions-nous, les apprentis stratèges ont eu foi (et pour quels résultats !). Mais elle sait, cette histoire, qu'en leur permettant de mieux saisir les origines historiques des événements présents, elle dote nos contemporains d'armes précieuses pour ces luttes d'influence, à propos desquelles les *Annales* ont leur mot à dire. Et le diront. À la fin de sa vie, Marc Bloch, – le Marc Bloch de *L'Étrange Défaite* – avait conclu : « C'est un devoir » [47].

En 1947 toujours, Fernand Braudel rendait compte dans les *Annales* de l'ouvrage de Gabriel Esquer *8 novembre 1942, jour premier de la Libération*[48], paru l'année précédente :

[…] Ceux qui connaissent et qui aiment Gabriel Esquer (et l'auteur de ces lignes le connaît et l'aime depuis plus de vingt ans) ne s'étonneront pas de la passion avec laquelle, historien, et historien chargé de gloire, il s'est hâté de réunir, alors qu'il était encore temps, preuves, documents, témoignages et arguments, sur une aventure qu'il a connue de près, suivie et peut-on dire vécue souvent au jour le jour et au récit de laquelle, malgré tout son calme qui est grand, il se brûle encore les mains.
Ce n'est pas nous, aux *Annales*, qui protesterons contre cette entreprise, qui critiquerons cette passion brutale de saisir l'actuel, ou qui nous amuserons au jeu stérile d'opposer l'historien érudit de la prise d'Alger ou de l'iconographie de l'Algérie ou de tant de publications savantes d'une perfection impeccable de chartiste, au livre d'un ton en apparence différent qu'il consacre aux années qui suivirent en Afrique du Nord l'amère défaite de 40… […]
Mais à moi qui n'ai pas vécu – et pour cause – au milieu des hommes qui firent la Résistance et la contre-Résistance, au Maroc, comme en Algérie ou en Tunisie, et qui vois ce livre avec la même absence de parti pris que j'ai eue en parcourant les autres écrits de Gabriel Esquer, le présent ouvrage me semble indéniablement sous le signe de la bonne foi, de l'honnêteté, de la saine critique, donc sous le signe redoutable et réconfortant de l'histoire. Tout ce que ce livre bouscule, par son témoignage direct, d'un folklore hélas rapide à pousser, est autant de gagné pour l'histoire… […]
L'important, comme toujours, reste l'ensemble de ces détails, le tissu dont ils sont les fils, l'important ce sont ces vérités ajoutées les unes aux autres et qui donnent un premier croquis vivant et valable de ce que fut l'aventure compliquée et passionnante et belle de la Résistance à travers l'Afrique du Nord… […]
Ce dont je suis sûr, c'est que ce livre restera une source de cette histoire encore brûlante – un classique. Raison de plus pour souhaiter que de nouvelles éditions aménagées, munies d'un index et de références, nous en soient données par l'auteur. Raison de plus pour souhaiter que ce moment passionnant d'histoire, dans ses futurs tirages, soit mieux encore qu'il y apparaît dans la première mise au point, encadré dans la vaste histoire de l'Afrique du Nord, lente, complexe, originale, sous les vastes courants de la

> vie du monde, qui l'encadrent sans toujours la déterminer. Savoir ce qu'était l'Afrique du Nord avant 40, puis de 40 à 42, et au-delà de 42, quelle est la pente sur laquelle glisse son destin, voilà qui n'est pas une tâche aisée. Mais celle-là, comme tant d'autres, n'est au-dessus ni du courage, ni du talent de Gabriel Esquer[49].

Certes, l'évaluation du livre – qui ne portait le label d'aucun des deux comités alors en exercice – n'était pas dithyrambique. Le souhait de voir l'histoire du débarquement de novembre 1942 prise « dans la vaste histoire de l'Afrique du Nord » allait évidemment au-delà d'une critique vénielle. Braudel n'en saluait pas moins le fait que l'ouvrage bousculait, « par son témoignage direct, un folklore hélas rapide à pousser ». Cet éloge du témoignage direct, l'idée qu'il était bon de réunir pendant qu'il en était encore temps les matériaux nécessaires à l'écriture de cette histoire, tout cela s'inscrivait dans le droit-fil de la logique suivie depuis 1944 et appuyée depuis lors par Lucien Febvre. À défaut de se comporter en disciple des *Annales* – tel n'était manifestement pas le cas ! –, le Comité bénéficia de sa protection tutélaire dans une phase cruciale, celle de sa croissance, où il était particulièrement vulnérable. Aux hypothèses explicatives que nous avons déjà avancées, il faut en ajouter une autre : soutenir le Comité et sa tentative de réunir les matériaux pour une histoire du très contemporain, c'était damer le pion à l'antique et vénérable Sorbonne qui, on le verra plus avant, s'arc-boutait sur l'idée qu'il n'était de bonne et saine histoire que suffisamment distanciée des contemporains.

Sur le fond, la tension entre la ligne des *Annales*, telle que Lucien Febvre l'incarnait, et le Comité et ses travaux était extrêmement forte. Le moderniste qu'il était ne défendait nullement l'idée que seuls les acteurs pouvaient et devaient écrire l'histoire qu'ils avaient vécue. Il tenait qu'il leur revenait de donner leur version des événements et des faits qu'ils avaient connus. Donner sa version, ce n'est pas faire œuvre d'historien[50]. C'est témoigner au plein sens du terme. Il tenait aussi que les historiens devaient – et devraient – être au plus haut point attentifs aux témoignages des acteurs.

L'argumentaire en faveur de cette disposition d'esprit apparaissait d'autant plus fort que l'idée était communément admise qu'une histoire clandestine sécrétait peu d'archives écrites. À situation exceptionnelle, position exceptionnelle ; il fallait tenter d'amasser au plus vite des matériaux, puis écrire sans tarder une première version.

Quel statut pour l'histoire de la Résistance ?

La situation ainsi créée était inédite et déroutante. Elle pouvait également se révéler inconfortable, voire intenable. En temps normal, les historiens glanent au gré de leur fantaisie, de leurs centres d'intérêt, de hasards et de rencontres. Rien de pareil pour l'histoire de la Résistance, placée tout de suite sous la coupe d'organismes officiels. Cette singularité n'échappa évidemment pas aux maîtres d'œuvre désignés par les pouvoirs publics. On trouve trace, dans les travaux du CHG, de discussions relatives à ce cas de figure inouï. Ainsi, en juin 1951, à l'occasion de la séance inaugurale de la sous-commission de la Déportation du CHG, un échange de vues entre Jacques Brunschwig-Bordier, ancien dirigeant de la Résistance et ancien déporté, et Lucien Febvre précisait les enjeux et les risques de l'entreprise :

> M. Brunschwig se déclare favorable à un rassemblement de documents, mais hostile à des publications « qui porteraient une estampille officielle ». Il estime que les passions sont loin d'être éteintes.
> M. Lucien Febvre répond qu'il est impossible dans l'état actuel des choses de parler d'une publication officielle « qui refléterait les tendances de l'État ». Aucun historien, ici présent, n'accepterait d'ailleurs de travailler à une « histoire officielle » mais il y a souvent intérêt à ne pas remettre des études à trop tard, elles peuvent être conduites à bien par des contemporains « capables de comprendre les documents par le dedans et de les éclairer ». D'ailleurs, pour le moment, une histoire de la Guerre ayant le caractère d'une synthèse est « impensable ». La Commission sera maîtresse de ses ordres du jour, de son tableau de travail et de ses décisions[51].

Outre l'affirmation d'une indépendance totale, ce dialogue recèle un autre enseignement : Lucien Febvre et Henri Michel ne se leurraient pas sur la possibilité d'écrire une synthèse. Toutes les publications des années 1950 et 1960 ne cessèrent d'insister sur les imperfections et les lacunes qu'elles présentaient. Ils eurent même conscience de la difficulté d'écrire librement sous l'œil des acteurs. Henri Michel le disait explicitement en 1964 :

> Lorsque des historiens ont essayé de saisir toute l'action d'un grand mouvement, ils n'ont pu le faire qu'avec le concours de l'association des membres survivants, qui en défend le souvenir avec passion, tout en étant en règle générale divisée en fractions rivales. Il en est résulté des servitudes.

Et de citer, pour étayer son propos, l'étude consacrée par Françoise Bruneau au journal clandestin *Résistance*, parue en 1951, chez Sedes, qui « tourne un peu au palmarès et au martyrologe par de nombreuses citations de noms de résistants[52] ». Éclipsé par la suite par l'étude sur le mouvement Combat, c'était tout de même le premier ouvrage du genre. Précisément, dans sa préface, déjà citée, à l'ouvrage de Françoise Bruneau, le résistant Claude Bouchinet-Serreulles n'y allait pas de main morte :

> Chaque « Kollaborateur », grand ou petit, est à présent occupé à ses mémoires, à la rédaction d'un plaidoyer *pro domo*. Les livres à la gloire de Vichy, du défaitisme et de la trahison, abondent et abonderont. Il n'est pas de meilleure réponse qu'un ouvrage comme celui-ci. C'est le devoir de chaque organisation de résistance d'en publier un semblable. Les survivants le doivent à l'avenir, ils se le doivent à eux-mêmes, ils le doivent à leurs morts[53].

De fait, l'ouvrage, que son auteur, militante active de Résistance, signait d'un pseudonyme, avait associé étroitement l'historienne-actrice à ses camarades de combat. L'avant-propos, qui portait la signature « Résistance », le disait sans ambages :

> Cet ouvrage est le résultat d'un travail collectif : un grand nombre de nos camarades de province ont bien voulu

> consigner par écrit les souvenirs qu'ils ont gardés de leur action au sein de notre mouvement. Des responsables parisiens se sont souvent réunis pour comparer leurs propres souvenirs à ces témoignages. Notre camarade « Françoise BRUNEAU » s'est chargée d'étudier la documentation ainsi rassemblée, de solliciter sur tel ou tel point l'appréciation de camarades d'autres mouvements ou de chercheurs locaux, enfin de rédiger cet essai d'historique[54].

C'était ainsi le mouvement qui, par le biais d'une plume autorisée mais rendue volontairement anonyme[55], avait entrepris d'écrire sa propre histoire. Le cas était extrême et le résultat ne satisfaisait manifestement pas entièrement Henri Michel.

Le temps aidant, les historiens tendirent à se dégager de l'emprise des acteurs sans jamais perdre de vue les limites de leurs travaux. Prenons l'exemple de l'étude pionnière sur *L'Opinion publique sous l'Occupation* publiée en 1960 dans la collection « Esprit de la Résistance ». Elle portait sur le département de l'Eure, que l'auteur, Marcel Baudot, archiviste de son état, habitait depuis 1925 et qu'il connaissait intimement pour l'avoir pratiqué avant la guerre et sous l'Occupation. Résistant, chef départemental des FFI, membre du Comité départemental de Libération, Marcel Baudot ne se payait pas de mots et avertissait d'emblée :

> Il appartiendra aux historiens de demain qui auront à leur disposition d'autres sources d'informations de formuler des jugements sur les positions prises par les uns et par les autres. Il convenait à un témoin de noter seulement ce qu'il a pu saisir du comportement de la population d'une région de France[56].

Même prudence lors de la publication d'un travail sur *Le Comité parisien de la Libération* par Henri Denis en 1963. Dans sa préface, Maurice Baumont niait, une fois de plus, qu'il fût impossible d'écrire sur la Résistance sans le recul d'une génération au moins. Cette réaffirmation d'une position définie fortement par Lucien Febvre dix ans tout juste plus tôt disait bien la force et la constance de l'opposition des tenants d'une histoire qui sût rester à bonne distance des événements. Cela ne l'empêchait nullement d'affirmer, une fois de plus, que le temps n'était pas venu encore de véritables synthèses :

> Toutefois, ce livre n'est pas une histoire de la Résistance française, ni même une histoire de la libération de Paris. On a pu tenter, dans les premières années de l'après-guerre, de photographier les principaux aspects de la Résistance et de la Libération pour en fixer l'image. Cette première synthèse – qui venait à son heure – rendait nécessaire une analyse dont la collection « Esprit de la Résistance » assemble quelques pièces. *Le Comité parisien de la Libération* n'ambitionne qu'une place à l'intérieur de cette œuvre collective[57].

Nommé président du CH2GM en décembre 1961, par arrêté du Premier ministre, Maurice Baumont n'avait pas rédigé pas cette préface par hasard. Il était de ceux qui, parmi les universitaires, s'employaient à faire sauter le verrou qui interdisait de prendre pour sujet de thèse la France des années noires. La digue était cependant solide et, en 1963, les travaux en cours à l'Université se comptaient sur les doigts de la main, comme le montrait ce compte rendu publié dans le *Bulletin interne* du Comité :

> M. Michel rappelle que trois diplômes d'Études supérieures consacrés à la Résistance ou à la Libération ont été présentés grâce à M. Baumont. M. Denis : le Comité parisien de Libération (qui va être publié) ; M. Fiat : L'Insurgé ; M. Eschalier : Libération-Sud. Cette année, un seul est en cours, concernant un réseau franco-belge d'évasion. Mlle Leclerc a entrepris ce travail parce qu'elle connaît plusieurs membres de ce réseau. Un de nos correspondants, M. Huguen, veut présenter une thèse de 3e cycle sur le réseau Shellburn. Il convient de signaler que récemment deux thèses de Doctorat ès Lettres ont été refusées.
> Mme Wormser pense qu'il convient de signaler aussi quelques Diplômes d'instituteurs.
> Le Président Cassin estime qu'il faut demander aux Doyens des Facultés de Lettres et de Droit si on a réellement le droit de refuser une thèse.
> M. Baumont souligne qu'en général les Facultés de Droit

> sont plus compréhensives. D'autre part, il s'est aperçu que les étudiants s'intéressaient beaucoup à ces questions.
> Le Président Mayer suggère de faire une enquête afin de savoir d'où vient l'opposition[58].

En vérité, l'opposition était réelle et ne manquait pas d'arguments. Le plus fondamental tenait, on l'a dit, au déficit de légitimité dont souffrait l'écriture d'une histoire proche, suspectée de ne pas être en mesure de se conformer strictement aux règles scientifiques élaborées par l'école méthodique. Or, chercher à réfuter ce déficit de légitimité en raison du caractère particulier de l'histoire de la Résistance, c'était plaider un cas bien difficile dans la mesure où elle concentrait à plaisir, et à un degré rarement égalé, tous les écueils d'une phase historique encore chaude et, en l'espèce, brûlante. Parlant en 1958 du haut d'une tribune internationale à Liège, Henri Michel lui-même n'en disconvenait pas :

> [...] il est évident que nous sommes tous plus ou moins engagés, pour ou contre. Si on ajoute que la Résistance a donné naissance à des régimes politiques nationaux ou à une génération d'hommes politiques et que son évocation a été largement utilisée par les partis dans les querelles de politique intérieure et par les États dans les problèmes de politique internationale, il faut bien conclure qu'il n'est pas de matière où la quête, et la permanence, de l'objectivité relèvent davantage de la gageure. Tout cela incline à la modestie et à la prudence[59].

Il reconnaissait également que l'histoire de la Résistance présentait des difficultés très particulières qui en rendaient l'étude extrêmement complexe :

> Il est toujours difficile d'écrire l'histoire contemporaine, le chercheur est marqué par sa propre expérience et risque de colorer subjectivement les faits qu'il relate ; des acteurs sont encore vivants, parfois puissants, souvent gênants et ils ont autant d'intérêt à brouiller les pistes à leur profit que l'historien d'appréhension à les éclaircir ; les événements les plus importants sont difficilement séparés de leur contexte, quotidien ou affectif, etc. Ces difficultés sont bien connues. Si elles n'ont pas rebuté les historiens américains, elles ont conduit la Sorbonne à ne pas accep-

> ter de thèse de doctorat sur des sujets vieux de moins de 20 ans.
> Pour l'histoire de la Résistance, ces difficultés ordinaires se compliquent encore. Les plus graves complications concernent la documentation. La nature du combat de la Résistance confère à ses archives une triple origine : ennemie, alliée, spécifiquement résistante[60].

La règle tacite édictée par la Sorbonne avait bien souffert une première exception avec la soutenance de thèse de Michel Borwicz, qui avait eu lieu le 9 juin 1953[61]. Ce travail, consacré aux écrits des condamnés à mort sous l'occupation allemande entre 1939 et 1945, n'avait cependant pas été présenté en histoire mais en sociologie[62]. Il avait fallu attendre l'année 1962 pour qu'une nouvelle brèche entamât la digue sorbonnarde avec la soutenance d'Henri Michel. Là aussi, cependant, il s'agissait bien d'une exception. L'impétrant n'était pas seulement agrégé d'histoire. Nommé inspecteur d'académie à la Libération, devenu secrétaire général du CH2GM, ayant obtenu en 1954 rang et prérogatives d'inspecteur général de l'Instruction publique[63], il était une personnalité en vue et bien introduite auprès des autorités politiques du plus haut niveau. Pour l'essentiel, la digue tenait bon, même si Annie Kriegel y ouvrait à son tour une brèche en soutenant, deux ans plus tard, en Sorbonne sa thèse sur les origines du communisme français[64].

Outre que le choix d'un sujet de thèse portant sur une période proscrite par l'Université n'ouvrait pas de perspectives de carrière très souriantes, il fallait aussi compter avec le surcroît de difficultés qu'il impliquait. Comme Henri Michel le notait en 1964, s'engager sur cette sente escarpée, c'était se condamner à « inventer » des sources, à prospecter quand les historiens étaient accoutumés à écumer des séries répertoriées depuis longtemps et bien ordonnées :

> Les historiens de la Résistance ont été ainsi amenés à effectuer une véritable concentration verticale de la recherche historique ; ils ne pouvaient pas se borner à travailler sur des matériaux déjà amassés ; il leur fallait mener conjointement la prospection et le classement de la documentation, être à la fois enquêteur, archiviste, biblio-

thécaire et chercheur, mettre constamment à jour leurs connaissances au fur et à mesure des nouveaux apports de documents[65].

Bref, les obstacles de toutes sortes abondaient et leur contournement n'allait vraiment pas de soi. Il fallait définir une stratégie qui pût les lever graduellement. L'affaire fut compliquée et exigea opiniâtreté et habileté. Elle fut engagée en 1955, soit huit ans avant que Daniel Mayer ne s'interrogeât sur les racines d'une opposition irritante.

Le premier jalon fut la décision prise en séance plénière du Comité, en décembre 1955, de créer une Commission d'histoire de la Résistance[66]. Cette création répondait à un souci que le *Bulletin interne* du Comité exposait sans fard :

> Il est certain que les publications sont rendues moins nombreuses par le veto de principe de la Sorbonne à tout sujet de thèse portant sur des faits vieux de moins de 20 ans. Pour pallier cet état de choses, il est prévu, selon la suggestion de M. Julien Cain, que le Comité dressera une liste de sujets pouvant être traités, avec le nom des chercheurs capables ; ce plan de travail sera intégré dans le plan général de 5 ans qu'établit le CNRS.
> La Commission d'histoire de la Résistance comprendra, outre les membres du bureau qui font partie de droit de toutes les commissions : MM. Baudot, de Bouard, général Cochet, Cassin, Mme Granet, général Lestien, MM. Louis Marin, Vaucher, Cosse-Brissac, de Ste-Péreuse, Mlle Tillion. Le Comité fait confiance au bureau pour compléter la composition avec des Résistants. La commission déterminera l'ordre et l'ampleur de ses travaux qui doivent, en principe, porter sur la France libre, les Français libres dans le monde et tous les aspects de la Résistance intérieure[67].

En clair, une instance relevant d'un comité officiel prenait à bras-le-corps le problème et se fixait pour objectif de planifier, de conserve avec le CNRS, un programme en bonne et due forme. On eût voulu forcer la main à l'Université qu'on ne s'y fût pas pris autrement ! Si l'on ajoute que la Commission d'histoire de la Résistance s'agrégea l'année suivante en tant que membres à part entière Lucie Aubrac,

Marie-Madeleine Fourcade, Maxime Blocq-Mascart et Henri Ribière, on conviendra que le prestige et les réseaux dont elle pouvait se prévaloir n'étaient pas minces[68].

Évidemment, le moyen choisi pouvait prêter le flanc à la critique. N'était-on pas en train de mettre sur pied une sorte de mission ayant vocation à faire une histoire officielle en sollicitant de surcroît des acteurs d'envergure qui seraient en position de dicter leur version des faits ? Les défiances nourries depuis longtemps à l'égard du Comité trouvaient avec cette nouvelle commission dédiée à l'histoire de la Résistance du grain à moudre. Soucieux de prévenir ces objections, Henri Michel prit tout de suite soin de définir le cahier des charges de la Commission. Maîtresse de ses travaux, elle les orienterait dans le sens qu'elle jugerait bon et pourrait s'adjoindre chemin faisant qui elle voudrait, temporairement ou définitivement. Surtout,

> à la différence de la Commission d'histoire de l'Occupation et de la Libération de la France, c'est moins dans le domaine des archives, que dans celui des *études*, pouvant donner lieu ou non à publication, que la Commission devra s'engager. […]
>
> Les études doivent être entreprises dès maintenant sous peine de ne l'être jamais. Question d'optique d'abord et de compréhension intime des faits : ceux de nos contemporains qui n'ont pas eu l'« esprit résistant » ne comprennent rien à la Résistance : que sera-ce dans cinquante ans ? Question de pratique ensuite : la plupart des documents sont des hiéroglyphes – une forêt de sigles, de pseudonymes et de langage codifié ; les historiens à venir s'y perdront ou ne seront guère incités à s'y engager. Il ne faut pas laisser toute la documentation existante sur la Résistance s'endormir du sommeil de la terre.
>
> L'absence d'études sérieuses n'empêchera pas, au contraire, la sortie d'ouvrages peu sérieux ; toute la littérature d'aventures.
>
> Le travail essentiel de la Commission sera de déterminer, d'abord, les études possibles. Une étude est possible lorsque la documentation rassemblée et utilisable est suffisante, et a peu de chances d'être augmentée, lorsqu'on dispose de chercheurs capables de la dépouiller.
>
> Ensuite, de déterminer les études à publier. Question

> d'opportunité ; on peut s'inspirer du système anglais ; études confiées à des historiens qualifiés, donnant lieu ou non à des publications.
> Il serait de bonne méthode de commencer par établir des monographies types de mouvements, réseaux, partis ou régions. Ainsi des historiques de Combat et du Parti socialiste sont en cours de rédaction. L'intérêt serait grand, aussi, d'une bonne monographie départementale.
> Pour commencer, on pourrait publier une bibliographie dans une grande revue scientifique, et préparer un numéro spécial de la revue, consacré à « Des Aspects de la Résistance Française ».
> En conclusion et pour terminer sur les moyens d'action nécessaires à cette Commission, à la différence, par exemple, des Commissions de la Déportation ou de la captivité de guerre, ses aînées, la Commission que nous constituons aura moins besoin d'enquêteurs et de correspondants provinciaux – il lui en faudra tout de même – que de rédacteurs d'études historiques, celles-ci étant devenues possibles dans bien des cas et devant être rapidement menées à bonne fin sous peine de ne l'être jamais[69].

La nouvelle cellule du Comité se mit au travail, « une sous-commission de travail, composée de Mmes Aubrac et Granet, et de MM. Calmette, Villate et H. Michel [ayant] mis au point les types de questionnaires destinés à être envoyés aux agents de réseaux et aux chefs de mouvements, de services ou de réseaux[70] ». En février 1958, le *Bulletin* du Comité précisait que ces questionnaires seraient utilisés « par les enquêteurs dans leurs recherches : Mme Granet sur Défense de la France, Mme Aubrac sur Libération-Sud, M. Calmette sur l'OCM, M. Villate sur les FFI, etc.[71] ». La précision était d'importance. Elle démontrait que, dans un premier temps et faute de candidats opérant dans le cadre universitaire, les « monographies types de mouvements » qu'Henri Michel appelait de ses vœux seraient l'œuvre de « rédacteurs d'études historiques » qui relevaient exclusivement du Comité. Si l'étude de Lucie Aubrac sur le mouvement qu'elle avait contribué à fonder – Libération-Sud – ne devait pas voir le jour, celles qui étaient annoncées sur Défense de la France et l'OCM donnèrent lieu à publication.

Parallèlement, la *Revue d'histoire de la Deuxième Guerre mondiale* marquait un intérêt accru pour la Résistance[72]. Henri Michel relevait que l'accueil réservé au numéro de juillet 1959 dédié à la Résistance française confirmait « que peu à peu disparaissent les interdits jetés sur des sujets tabous[73] ».

Petit à petit, le travail entrepris pour lancer des travaux universitaires portait ses fruits. De jeunes universitaires faisaient leur entrée dans la Commission d'histoire de la Résistance. Tel était le cas, en octobre 1963, de François Bédarida, alors maître assistant à la Sorbonne[74], où Françoise Leclère soutenait un diplôme d'études supérieures sur le réseau « Zéro France[75] ». En 1966, Dominique Veillon acceptait d'entreprendre une thèse de troisième cycle sur le mouvement Franc-Tireur et Henri Michel se réjouissait de « l'augmentation régulière des sujets universitaires consacrés à la Deuxième Guerre mondiale et à la résistance ». Ayant réuni des professeurs de faculté spécialistes d'histoire contemporaine, il constatait : « Tous sont maintenant dans les meilleures dispositions pour aider les étudiants dans des recherches sur cette période[76]. »

En 1974, Henri Michel, qui avait incité les correspondants du Comité à entreprendre une thèse, pouvait se féliciter de l'évolution en cours :

> Une vingtaine d'entre eux ont d'ailleurs commencé une thèse ; trente-trois autres sont entreprises par des étudiants. L'histoire contemporaine a cessé d'être un domaine interdit, beaucoup de jeunes s'intéressent à la guerre et à la Résistance ; ils peuvent au niveau des mémoires de maîtrise réaliser de bonnes monographies départementales. Les correspondants peuvent les conseiller et les aider[77].

Un tableau des thèses en préparation, publié dans le *Bulletin* du Comité au début de l'année 1974, détaillait les sujets traités[78]. On y trouvait les noms de beaucoup de jeunes professeurs de l'enseignement secondaire appelés à devenir des spécialistes reconnus du champ. Après bien des vicissitudes et d'âpres batailles, la relève commençait à poindre. Ce changement fondamental était l'œuvre du Comité. Avec le recul du temps, on doit noter que ce ne fut pas son moindre succès que d'amorcer ainsi un virage décisif. Henri Michel n'avait pas tort de penser que « l'histoire contemporaine [avait] cessé d'être un domaine interdit ».

Avant de voir ses efforts aboutir, le Comité avait donc engagé le travail pour lequel il avait été constitué dans des conditions hostiles. Après la collecte de témoignages, le repérage et la sauvegarde d'archives, vint le temps de la recherche. Elle fut entreprise à deux niveaux distincts, départemental et national, avec des visées différentes.

À l'échelle départementale, le Comité mobilisa tous ses correspondants. Réunis le 3 janvier 1959, ils reçurent mission d'élaborer une chronologie de la Résistance pour leur département. Les faits dont l'importance dépassait le cadre départemental feraient l'objet d'une chronologie nationale qui serait établie à Paris et envoyée à tous les correspondants[79]. L'ampleur et la complexité de la tâche étaient telles que le Comité ressentit la nécessité d'unifier les procédures de mise en forme des données collectées partout en France. Dans l'été 1960, le *Bulletin* du CH2GM édictait des règles strictes d'uniformisation du travail :

> Il avait été entendu jusqu'ici que, étant donné la diversité des faits selon les régions, il était difficile de prévoir des fiches standard. Il semble que cette façon de voir ne peut être maintenue. En effet, d'une part, le secrétariat général va procéder à un relevé de faits tirés de ses archives et envoyer aux correspondants copie de ceux qui les intéressent ; d'autre part des échanges sont à prévoir entre correspondants, soit que dans les archives d'un département figurent des renseignements qui en concernent un autre, soit tout simplement pour éclairer ou préciser des indications incomplètes.
>
> Dans ces conditions, la tâche de tous serait simplifiée si les fiches ainsi échangées pouvaient prendre place automatiquement dans un fichier, sans avoir besoin d'être reproduites. Il ne faut pas perdre de vue non plus que les fichiers départementaux risquent d'être un jour rassemblés dans un fichier national qui ne saurait être constitué d'un agrégat de parties disparates.

> Bref, au moment où commence véritablement la deuxième étape de notre œuvre collective, il paraît nécessaire que, dans toute la mesure du possible, les fiches soient établies sur un modèle identique, et libellées de la même façon. Nous avons donc choisi un format standard et trois couleurs : une pour les faits de guerre, une deuxième pour l'administration allemande ou française, une troisième pour les actes de résistance. Chaque correspondant va recevoir prochainement des exemplaires de ces fiches. Il lui appartiendra de demander à la préfecture de son département de lui fournir le nombre d'exemplaires de chaque catégorie dont il a besoin. En cas de refus ou d'impossibilité motivée, des envois seront effectués, sur demande, par le secrétariat général (comme il a été fait jusqu'ici pour l'élaboration de la statistique de la déportation) [80].

Au même moment, Henri Michel définissait, dans un article donné à la *Revue historique*, les buts poursuivis à travers ce qui apparaissait être à l'usage un gigantesque Meccano[81]. Le but ? « Un sec établissement des faits[82]. » La Commission d'histoire de la Résistance avait « décidé, sans plus attendre, alors que, les passions et les conflits s'apaisant peu à peu, l'opportunité s'en était dessinée, et avant qu'il ne soit trop tard, par la disparition de la génération de la Résistance, d'entreprendre l'élaboration, dans toute la France, d'une chronologie de la Résistance[83] ». La réalisation de chronologies départementales était le préalable indispensable à toute monographie locale :

> Effectuée en même temps, dans toute la France, son élaboration permettra de mesurer les variations d'implantation et d'intensité de la Résistance selon la géographie et le moment, de façon, ultérieurement, à permettre qu'en soient tracées la carte, ou la courbe.
> En même temps, elle permettra de mieux connaître et de caractériser ce qu'a été, en France, selon les zones entre lesquelles le pays était divisé, le *fait résistant*[84].

Pour être bien compris de ses troupes, le secrétaire général du Comité précisait encore en décembre 1961 les principes d'élaboration de la chronologie :

> Il n'est pas question encore d'écrire d'histoire locale de la Résistance, mais d'établir les faits. Les travaux sont confidentiels, les documents utilisés ne sauraient être divulgués. Il n'est pas question d'histoire officielle : le Comité ne reçoit ni directives, ni interdictions. Le travail est un travail d'équipe, qui conduit à l'échange de documents. L'administration a accepté d'aider, elle n'est pas à notre service[85].

La difficulté résidait beaucoup moins, à dire vrai, dans le type de rapport noué avec l'administration que dans la logique qui sous-tendait cette immense collecte. Se donner pour but, apparemment simple et raisonnable, d'établir les faits, c'était poser le principe qu'à la condition d'être précis et exact on pourrait en dresser une liste exhaustive pour chaque territoire concerné. Les maîtres d'œuvre de ce recensement ne virent manifestement pas que la redoutable question de la définition des faits et des actes de Résistance se profilait en amont de leur entreprise. Il en résulta que ce travail sans fin et sans véritable cadre théorique prit graduellement une ampleur démesurée. Sur le terrain, les difficultés s'amoncelèrent de sorte que le Comité dut, à plusieurs reprises, éditer des numéros spéciaux de son bulletin interne, tout entier consacrés à la méthode à mettre en œuvre. Le fait même qu'il ait fallu répéter ces consignes semble démontrer qu'elles n'éclairaient pas beaucoup des correspondants pleins de bonne volonté mais passablement désorientés[86].

Le résultat de ce travail de bénédictin mené une vingtaine d'années durant, ce fut un fichier central d'environ 150 000 fiches « pour lequel il a fallu construire un meuble spécial[87] ». Quand, en 1980, l'Institut d'histoire du temps présent prit, dans des conditions que nous verrons, le relais du Comité, l'enquête était en cours et on tablait alors, le labeur achevé, sur 200 000 fiches au total. Dans un article destiné à faire le point sur l'histoire de la Résistance, Henry Rousso évoquait, en janvier 1982, ces fameuses fiches « recensant tous les faits de résistance, leur date, leur lieu, leurs auteurs ; un travail considérable qui montre l'intérêt de situer dans le temps, avec beaucoup de précision, toute analyse du phénomène de la Résistance[88] ».

Malgré l'appréciation positive qu'on pouvait encore porter au début des années 1980 sur cette très vaste enquête, il fallut bien déchanter. « Inutilisable, de l'aveu même de ceux qui en ont eu en partie la charge[89] », ce fichier « jamais achevé[90] », qui avait eu pour vocation de mettre toute la Résistance dans une armoire construite à cette seule fin, avait été conçu avec l'idée, qui remontait à la période de la guerre elle-même, que la connaissance de la clandestinité passerait par la collection exhaustive des faits qui l'avaient constituée ou avaient jalonné son existence. Cette façon de voir faisait l'économie d'une réflexion sur la notion de « fait », sur ce qui pouvait bien définir un événement, sur la perception du temps résistant, tantôt d'écoulement lent et insignifiant, tantôt dense et dilaté dans la mémoire des acteurs. Elle ressortissait à l'histoire événementielle la plus classique, loin, très loin des questionnements générés par le succès des *Annales* notamment. Elle ne fut pas sans vertu cependant. Bien que les instructions d'Henri Michel les aient cantonnés dans « un sec établissement des faits », des correspondants devaient faire leur miel de la collecte qu'ils avaient accomplie en travaillant à des monographies départementales ou régionales qui étaient loin d'être dénuées d'intérêt.

Au niveau national, la production du Comité fut, dans la double acception du terme, considérable. Elle prit appui sur les huit commissions qu'il mit sur pied, au fil de ses quelque trente années d'existence, sur le système concentrationnaire nazi (présidée par Julien Cain), la captivité de guerre (Fernand Braudel, avec F. Boudot et J.-M. d'Hoop comme secrétaires), la Résistance (Daniel Mayer), l'histoire militaire (Pierre Renouvin, puis le général Gambiez, avec J.-M. d'Hoop comme secrétaire), l'histoire économique et sociale (Jean Fourastié, puis Jean Bouvier, avec Robert Frank comme secrétaire), la collaboration (Paul Bastid, puis René Rémond), l'empire colonial (Charles-Louis Ageron) et les groupements religieux (Jean-Marie Mayeur).

Le travail du Comité d'histoire de la Deuxième Guerre mondiale

S'agissant de l'histoire de la Résistance, le vecteur le plus autorisé, et le plus prestigieux, des travaux qu'il supervisait et coordonnait fut la collection « Esprit de la Résistance » publiée par les Presses universitaires de France. Dirigée par Henri Michel et Boris Mirkine-Guetzévitch (que Daniel Mayer remplaça après sa disparition), cette collection importante, sorte de phare de la production labellisée par le Comité, était prise en charge par des historiens qui se trouvaient être aussi des acteurs des faits qu'ils relataient.

L'examen des bulletins internes du CH2GM fait clairement ressortir que les ouvrages qui avaient son *imprimatur* étaient coordonnés, suivis et épaulés par l'équipe d'Henri Michel. Pour ne prendre qu'un exemple, en mai 1959, la Commission d'histoire de la Résistance faisait le point en ces termes sur l'avancement de différents travaux :

> Les études de M. Calmette sur l'« Organisation civile et militaire » et de M. Baudot sur « Le département de l'Eure » sont achevées ; celle de Mme Granet sur « Défense de la France » est en voie d'achèvement ; celles de M. Durand sur « La Résistance Fer » et de M. H. Michel sur « La Résistance PTT » suivent leur cours.
> Les documents sont suffisamment nombreux, ainsi que les bonnes volontés agissantes pour que d'autres enquêtes aient pu être entreprises par : Mme Aubrac (« Libération-Sud »), Mme Altman (« Franc-Tireur »), M. Hostache (« Les Jeunes dans la Résistance »), M. Vidalenc (« Les Comités de Libération »), M. Rude (« Les maquis du Vercors »), Mme Wormser (« Le Front national »)[91].

Certains des travaux mentionnés dans cette liste à usage interne et confidentiel ne devaient être menés à bien que beaucoup plus tard et par d'autres que celles et ceux qui avaient songé un moment à faire œuvre d'historien(ne)s. Il demeure que le terrain était méthodiquement balisé en 1959 et les sujets confiés à chacun en fonction de la proximité qu'il entretenait avec eux. Conformément aux règles édictées pour le fonctionnement des comités successifs et pour les critères de choix des correspondants, on constate que la garde rapprochée de la Commission d'histoire de la Résistance, celle qui s'adonnait aux travaux d'intérêt national, comptait dans ses rangs des actrices et des acteurs de la clandestinité. Loin d'être perçue comme un empêchement, l'appartenance à un mouvement semblait qualifier les historiens pressentis puisque Lucie Aubrac, Micheline Altman, Arthur Calmette, Fernand Rude avaient en charge l'écriture de l'histoire de la collectivité clandestine dont ils avaient été membres.

Au reste, à la même époque, les auteurs exposaient devant la Commission d'histoire de la Résistance leurs travaux :

> Mme Granet fait le point de son travail sur *Défense de la France*. La rédaction est à peu près achevée. Au texte proprement dit s'ajouteront, en annexes, les « Cahiers » du mouvement, aujourd'hui introuvables, et le journal. Mme Granet expose le plan général du livre, retrace l'évolution politique du mouvement par rapport à de Gaulle et à Vichy et relate ses principales activités[92].

À tous égards, la coupure entre historiens et acteurs n'était pas si nette que cela. Faire appel à ces derniers, c'était contourner la position obstinément hostile de l'Université mais aussi, en un temps où la consultation des archives restait soumise à l'observation d'un délai de cinquante ans, montrer patte blanche aux membres survivants – souvent détenteurs de pièces d'archives – des organisations qu'on étudiait. On conçoit que Lucie Aubrac, liquidatrice nationale de Libération-Sud, devait éprouver moins de difficultés à être reçue et entendue par les membres du mouvement qu'un *quidam* sans autre titre que celui de s'intéresser à la Résistance.

Quoi qu'il en soit, la collection, dont les parutions s'étagèrent de 1954 à 1968, publia dix-sept titres dont certains eurent une grande audience et exercèrent une forte influence sur l'historiographie de la Résistance. Le premier, *Les Idées politiques et sociales de la Résistance*, qui inaugura la collection, était signé d'Henri Michel et de Boris Mirkine-

Guetzévitch[93]. En dehors de l'avant-propos de Lucien Febvre, dont on a souligné l'importance et l'écho qu'il eut, l'ouvrage mettait à la portée du plus grand nombre quantité d'écrits clandestins. En les assortissant d'un appareil critique et en relativisant l'importance qu'il convenait de leur prêter, le livre adoptait une distance qui avait sans doute valeur de manifeste pour les travaux à venir. Publié en 1957 et signé conjointement par Marie Granet et Henri Michel, *Combat. Histoire d'un mouvement de Résistance, de juillet 1940 à juillet 1943* fut un deuxième jalon capital posé par la collection des PUF dans le domaine de l'histoire de la Résistance. Les deux auteurs n'avaient pas choisi la facilité en prenant pour objet d'étude le plus puissant des mouvements de la Résistance non communiste en même temps que celui dont la cohésion interne demeurait particulièrement forte en dépit des inévitables dissensions apparues depuis la Libération. D'une extrême prudence sur les questions susceptibles de fâcher – et l'on pense en particulier à l'attitude d'Henri Frenay, patron du mouvement, vis-à-vis de Vichy en 1940 et 1941 –, l'ouvrage avait le mérite, dans un délai remarquablement court, de présenter une étude précise et rigoureuse. Henri Michel ne se trompait pas sur le rôle assigné à ce travail pionnier quand il voyait en lui « une sorte de prototype[94] ». Bien qu'il n'ait pas été le premier ouvrage consacré à un mouvement[95], il fut perçu comme tel et, compte tenu de la forte réputation de ses deux auteurs, il fit figure de modèle pour nombre de ceux qui s'essayèrent ultérieurement au même périlleux exercice.

La thèse de droit de René Hostache sur le Conseil national de la Résistance en 1958[96], les recherches de Marie Granet sur le mouvement Défense de la France et son journal en 1960 et 1961[97], celles d'Arthur Calmette consacrées à l'Organisation civile et militaire[98], sans oublier la thèse d'Henri Michel sur les courants de pensée de la Résistance[99] et l'historique des groupes francs des mouvements unis de Résistance des Bouches-du-Rhône dû à Madeleine Baudoin[100], tous deux parus en 1962, vinrent étoffer une collection qui avait fière allure et dont le point final fut donné par Daniel Mayer avec *Les Socialistes dans la Résistance*[101].

Si l'on ajoute à ce bilan déjà impressionnant les premières synthèses succinctes données par Henri Michel dans la collection « Que sais-je ? »[102], et d'autres publications de collaborateurs du Comité, comme *Ceux de la Résistance*[103], paru aux Éditions de Minuit en 1964 sous la signature de Marie Granet, force est de constater que l'effort fourni avait été intense.

L'ensemble présentait évidemment des lacunes compréhensibles mais dommageables. Un seul des trois principaux mouvements de la Résistance non communiste de zone sud avait été étudié. Pour la zone nord, des mouvements aussi importants que Libération-Nord[104], le réseau du musée de l'Homme[105] n'avaient pas trouvé leur historien. L'histoire de la Résistance communiste, enjeu de luttes féroces, restait dans le giron partisan, piétinant dans les mêmes ornières. Par ailleurs, c'était dans son ensemble la Résistance en son sommet qui avait surtout retenu l'attention. « La résistance spirituelle, celle des réseaux et, plus généralement, celle des militaires [était] négligée, alors qu'une large place [était] faite à l'action de Londres et du gaullisme[106]. »

Les carences et les écueils d'une historiographie foisonnante

On ne saurait dire que le Comité était insensible aux carences de l'historiographie de la Résistance. Ainsi, Henri Michel présentait en 1963 un numéro de la *Revue d'histoire de la Deuxième Guerre mondiale* portant sur les maquis de la manière suivante : « Nous ne disposons pas encore – en dépit d'une littérature très abondante en récits, souvenirs, témoignages – de bonne étude sur les maquis[107]. » Il attribuait d'abord cette lacune au fait que les maquisards, qui avaient peu écrit, se prêtaient mal à l'enquête orale. Il insistait aussi sur les ravages exercés par la répression. Il notait, par ailleurs, avec justesse que « [...] de son vivant, le maquis [avait] eu ses légendes, contradictoires mais également burinées par le temps[108] », en tout état de cause difficilement conciliables avec une recherche de caractère scientifique. Enfin, il pointait un fait essentiel :

> La politique a tout compliqué : lorsque a été entreprise « l'homologation des unités combattantes de la Résistance », de nombreux groupements FTP ne se sont pas fait connaître ; par contre, d'autres maquis, pour se mouler dans les cadres que les règlements leur imposaient, se sont dotés d'une hiérarchie et d'une organisation qui, dans la clandestinité, n'ont la plupart du temps existé que théoriquement[109].

Pour conclure, il soulignait que sur l'absence d'archives venait se greffer « le manque d'historiens, car pour le maquis comme pour toute action de la clandestinité – plus peut-être que pour les autres formes d'action – ceux qui ne l'ont pas personnellement connu ont peu de chances de comprendre et de rendre son originalité spécifique[110] ». La boucle était ainsi bouclée puisque, tout en énumérant d'incontestables écueils, Henri Michel retrouvait *in fine* le postulat théorique qui avait pesé si lourd sur les conditions d'élaboration de l'histoire de la Résistance. Son introduction n'en reflétait pas moins une indéniable capacité critique.

De cette faculté à évaluer assez lucidement la qualité du travail effectué portait témoignage la très importante *Bibliographie critique de la Résistance*[111], publiée en 1964 par Henri Michel, qui s'ouvrait significativement par un avant-propos où étaient retracés à grands traits l'histoire et le labeur des avatars successifs du Comité qu'il dirigeait. Cette entrée en matière dans un ouvrage destiné à faire le point, vingt ans après la Libération, sur les publications et recherches qui avaient vu le jour disait le rôle éminent tenu par le CH2GM. À dire vrai, son rôle était plus qu'éminent, il était tout à fait central, l'instance animée par Henri Michel faisant figure de point de passage obligé pour quiconque entendait faire œuvre d'historien sur la période. Au reste, le mentor du Comité se défendait d'emblée d'être la voix de la France :

> Bien que rattaché au Premier Ministre, le Comité n'a aucun caractère officiel. Il vit d'une subvention du C.N.R.S. et il est dirigé par des historiens ; il n'a jamais reçu des pouvoirs publics ni directives ni interdiction[112].

Par ailleurs, de la collecte d'une documentation dispersée à celle de « près de deux mille témoignages, d'intérêt et de longueur variables[113] », il mettait l'accent sur les matériaux qui avaient été engrangés et sauvegardés. À propos des sources orales, Henri Michel dévoilait la pratique qui avait été mise au point à son initiative plus clairement qu'il ne l'avait jamais fait. Le moins qu'on puisse en dire est qu'elle n'était pas exempte de préjugés sociaux qui ne pouvaient pas ne pas avoir eu des effets sur la nature de la collecte opérée :

> Toutes les catégories de résistants ne pouvaient pas être interrogées ; les uns étaient inaccessibles, d'autres liés par le secret professionnel ; la plupart des Résistants de la base, les maquisards surtout, sont des gens frustes et ignorants, qui ne se souviennent ni des lieux ni des dates. Par définition, l'enquête ne pouvait porter ses fruits qu'auprès de Résistants d'un certain niveau et, au premier rang, des intellectuels. Le responsable de l'entreprise s'efforça de faire toucher toutes les catégories d'acteurs, ayant opéré dans toutes les régions, du chef national de réseau au modeste agent de liaison, du diffuseur de tracts clandestins au maquisard et aux FFI. Dans l'ensemble, cette documentation n'exprime certes pas toute la Résistance ; on peut penser toutefois qu'elle en fournit un microcosme à peu près exact[114].

Quant à l'état de la littérature historique sur la Résistance française, le fait qu'il eut partie étroitement liée avec l'activité déployée par le Comité, dont il était le véritable patron, n'empêchait pas Henri Michel de le caractériser par deux traits mettant en évidence tout le chemin qui restait à parcourir :

> la prolifération des ouvrages de toutes natures et de toutes dimensions, la rareté des études et même leur absence sur quelques-uns des aspects les plus importants[115].

Il avançait trois hypothèses explicatives complémentaires. D'une part, la nature clandestine de la Résistance avait empêché la tenue d'archives bien ordonnées et complètes. D'autre part, la Résistance continuait à être « un sujet de division entre les Français [...][116] ». Enfin, la Résistance ayant connu ses lumières et ses ombres,

> il était normal que les premières fussent mises en valeur et que l'accent fût placé de préférence sur l'héroïsme des uns et sur le sacrifice des autres, au risque, par l'obsession de l'ampleur et de l'horreur du drame, de créer de pieuses légendes. Il était tout aussi normal de laisser les ombres s'épaissir, et de faire le silence tant sur les affaires louches de trahison que sur certains faits de la Libération[117].

Contrairement à une idée développée à satiété après la disparition du CH2GM, la concrétion de « pieuses légendes » – formulation expressément employée par Henri Michel – fut par conséquent diagnostiquée dès cette époque. Elle participait d'un faisceau d'éléments qui ralentissaient, voire interdisaient la venue au jour d'une histoire qui fût digne de ce nom.

Pour toutes ces raisons, l'histoire de la Résistance telle qu'elle s'était écrite jusqu'en 1964 était simultanément prolixe et lacunaire, bavarde et inégale. Henri Michel faisait preuve d'une distance critique remarquable au moment d'analyser cette production. Parlant de « cette abondance presque excessive de la littérature historique de la Résistance », il précisait immédiatement : « On n'ose pas écrire l'historiographie au stade actuel de la recherche[118]. » Au fond, l'histoire de la Résistance en était encore à ses balbutiements malgré les efforts consentis de toutes parts. La plupart des articles et ouvrages étaient « rédigés dans une intention de justification et un esprit de polémique ; leur ton demeur[ait] passionné, apologétique ou réprobateur », et ils étaient, « considérés isolément, d'un intérêt assez mince pour l'historien ».

La primauté réaffirmée des acteurs-témoins et l'amorce d'une professionnalisation de la recherche

Henri Michel avait beau déceler et reconnaître des faiblesses dans la construction qui s'ébauchait, il n'en restait pas moins fils de son temps. Il affirmait avec vigueur, dans la droite ligne de ce qu'avait écrit Lucien Febvre en 1953, que la génération qui avait vécu la Résistance devait, la première, en donner sa version, « pas seulement sous la forme de souvenirs, mais par des essais de bilans, de mises au point et d'explications des faits, fussent-ils partiels et provisoires[119] ». Il appelait donc de ses vœux la rédaction urgente de monographies de mouvements et de réseaux pendant que leurs membres étaient encore de ce monde.

La primauté des acteurs-témoins restait donc en 1964, sous la plume du principal maître d'œuvre des études dédiées à la Résistance, la clef de voûte de toute construction :

> [...] faute de documents écrits, ou simplement de documents accessibles au chercheur, les acteurs détiennent une connaissance irremplaçable du sujet, il est clair que, sur bien des points, attendre pour entreprendre la rédaction d'études sur l'histoire de la Résistance, c'est courir un grand risque de ne les écrire jamais[120].

En contrepoint de ce *credo*, Henri Michel esquissait une réflexion qui marquait, sans y insister, une nette inflexion. Il appelait à une intensification et à une professionnalisation de la recherche historique en réalisant deux conditions : l'assouplissement des règles de communication des archives publiques ; l'orientation d'étudiants vers des thèses chaque fois que la documentation et la conjoncture le permettaient. « Ces conditions ne sont pas irréalisables. Elles permettraient à des chercheurs de bonne volonté de ne plus être rebutés par les difficultés de la tâche, avant même de l'entreprendre[121]. » À bas bruit, une révolution était en marche puisqu'on sait que les thésards se firent plus nombreux à dater de la seconde moitié des années 1960 et que les chercheurs purent, à dater de 1979, tirer bénéfice d'une loi autorisant une pratique plus libérale de la communication des pièces d'archives. En 1964, quand parut la *Bibliographie critique de la Résistance*, on était, de ce double point de vue, au milieu du gué et l'affaire, qui n'était pas simple, demandait patience et prudence pour évoluer favorablement. Henri Michel, celles et ceux de sa génération, pour reprendre une notion chère à Lucien Febvre, eurent à essuyer les plâtres d'une construction inédite.

Comment trouver la bonne distance, au fond, pour écrire sur la Résistance ? La question était, toujours et encore, au cœur du travail à mener. Ainsi, cette même année 1964, Henri Michel écrivait la biographie de Jean Moulin, « l'unificateur », dont le transfert des cendres au Panthéon devait sceller le destin de héros de la Résistance. La manière même dont il introduisait son sujet démontrait combien il était difficile de tenir la balance égale entre une démarche scientifique et la prise en compte de ce que pouvait représenter « le pauvre roi supplicié des ombres » célébré par André Malraux le 19 décembre 1964 :

> Nous ne cèlerons pas que, dans notre recherche de Jean Moulin, à partir des rares vestiges de son action clandestine que ce résistant modèle avait laissés, nous avons été pris d'admiration, et comme d'une amitié posthume pour notre héros, au fur et à mesure que se découvraient à nous toutes les facettes de sa riche personnalité, en même temps que prenaient leurs dimensions réelles les difficultés qu'il avait dû vaincre – pour succomber héroïquement une fois sa tâche accomplie. Cette admiration, teintée de reconnaissance, pour ce résistant sans peur et sans reproche, ce grand Français et ce vrai démocrate, nous espérons que nos lecteurs voudront bien la partager avec nous ; nous souhaitons plus encore que les jeunes méditent sur ce destin pour s'inspirer de ce valeureux exemple[122].

Dressant le portrait de « ce résistant sans peur et sans reproche », il le peignait en des termes susceptibles d'accorder la valeur d'exemple qu'il était en train de prendre à ses caractéristiques physiques :

> Physiquement, Jean Moulin était de petite taille, mais il n'en ressentait aucune gêne, car sa minceur le rendait naturellement gracieux[123].

Que l'histoire de la Résistance demeurât marquée par une attitude combattante, voire militante, cela ne fait aucun doute. D'autant qu'elle restait le domaine de prédilection d'acteurs mués en historiens. Ces traits auraient à l'évidence eu tout pour satisfaire les résistants. Or, c'est un sujet d'étonnement de découvrir que tel ne fut pas le cas. Les acteurs mués en témoins ne trouvaient pas leur compte dans les récits forgés par l'histoire en marche.

Que les résistants aient depuis l'origine éprouvé la crainte de voir leur œuvre oubliée, d'en lire des récits édulcorés ou désincarnés, voire de constater que la réalité en était niée, les textes que nous avons cités antérieurement le prouvent assez. Au tournant des années 1960-1970, cette crainte se fit cependant plus présente. Il en existe de nombreux indices.

Le plus visible fut la publication des deux volumineuses chroniques d'Henri Noguères et d'Alain Guérin[124]. Dans la déclaration liminaire du premier tome d'*Histoire de la Résistance en France de 1940 à 1945*, paru en 1967, Henri Noguères et ses deux compères, Marcel Degliame-Fouché et Jean-Louis Vigier, affirmaient clairement leur volonté de peser sur la vision de la Résistance que distillait l'histoire telle qu'elle était en train de s'écrire :

> Les lacunes, enfin…
> Elles étaient inévitables, elles sont innombrables, et nous savons d'avance que certains les jugeront considérables. Il fallait ou bien se résoudre à les admettre, ou renoncer à écrire un tel livre – et compromettre, du même coup, les chances de voir un jour cette Histoire plus complètement et plus définitivement écrite.
> En effet, d'une part, par le jeu même d'une règle que subissent, en France, tous les historiens, une masse importante de documents essentiels se trouve bloquée aux Archives nationales jusqu'à l'expiration du délai fatidique de cinquante ans, de telle sorte que moins d'un demi-siècle après une période historique quelconque, il n'est pas matériellement possible de l'évoquer avec la *certitude* de disposer de tous les matériaux existants. Mais, d'autre part, attendre, pour entreprendre un tel travail, que soient écoulées ces cinquante années, c'eût été renoncer à ce que cette

> Histoire fût non seulement écrite, mais encore discutée – et contrôlée – par ceux qui l'ont vécue[125].

On a déjà eu l'occasion de relever ce souci d'un contrôle explicitement revendiqué. Il convient de souligner que le type d'écriture choisi par les trois auteurs, à savoir une chronique donnant abondamment la parole aux témoins, tentait de placer les acteurs au cœur du processus d'historisation à l'œuvre. Prendre ce parti, c'était du même coup déplorer que la parole résistante fût par trop absente des ouvrages historiques publiés jusque-là. Redoublant l'activité déployée par les comités constitués depuis 1944, les auteurs n'hésitèrent pas à solliciter les témoignages d'anciens acteurs, en faisant parfois fond sur la complicité qui pouvait les unir. Ainsi, le témoignage de Pascal Copeau fut recueilli par son ami Marcel Degliame-Fouché.

Mais la complicité résistante avait ses limites, comme les trois auteurs ne tardèrent pas à l'éprouver. Commencée à trois avec l'ex-communiste Marcel Degliame-Fouché, le gaulliste Jean-Louis Vigier et le socialiste Henri Noguères, l'aventure éditoriale se termina à deux, Jean-Louis Vigier ayant jeté l'éponge dès la parution du deuxième tome, non sans avoir publié dans le premier une mise au point où il prenait ses distances avec une vision qu'il jugeait trop bienveillante pour les communistes. Quant à Marcel Degliame-Fouché, il fit paraître dans le cinquième et dernier volume une « mise au point » réfutant la thèse d'un noyautage de la direction des mouvements de Résistance non communistes au printemps 1944, développée par Henri Noguères dans le volume précédent[126]. Il terminait ce texte en invoquant la mémoire de trois de ses camarades, Robert Ducasse, Robert Rossi et Jacques Renard, fusillés dans l'été 1944. Sous le titre « Une mise au point peut en cacher une autre », Henri Noguères lui répondait dans ce même cinquième volume, clôturant ainsi l'entreprise entamée quatorze ans plus tôt :

> Je me garderai bien de faire, à mon tour, l'appel des morts : je ne demande à personne de partager, à leur sujet, mes souvenirs. Mais c'est en songeant à ceux qui ressentaient alors, comme moi, dégoût et colère, et n'ont pu, hélas,

> depuis lors « nuancer et rectifier leur jugement », que je persisterai à porter témoignage[127].

La preuve était ainsi apportée que si les résistants ne se reconnaissaient pas dans les ouvrages des historiens de métier, il leur était difficile de se reconnaître dans les récits qu'ils faisaient, les uns et les autres, des événements qu'ils avaient vécus. La passion décidément colorait cette histoire de quelque côté et de quelque manière qu'on l'abordât. Au surplus, le souvenir et l'invocation des morts, implicitement ou explicitement, s'inscrivaient toujours en toile de fond des écrits relatifs à la Résistance.

La chronique d'Alain Guérin portait, elle aussi, trace des divisions internes au monde résistant. Une postface de Robert Vollet, lieutenant-colonel de l'Armée secrète, fermait le cinquième tome. Il relevait l'évolution dont il témoignait :

> [...] ce livre a un ton nouveau. Aurait-on pu parler, dans les années cinquante, comme le fait Alain Guérin aujourd'hui de Frenay, de Marie-Madeleine Fourcade, de Paillole, de Guingouin, du général de Gaulle, sans blesser personne[128] ?

Il évaluait surtout, de façon critique si courtoise, l'équilibre général de l'entreprise qui amplifiait la part du Parti communiste français :

> Dans ce livre où l'auteur s'est efforcé d'examiner avec courage l'activité de tous les mouvements de Résistance, il aurait été inélégant pour le postfacier de ne pas saluer avec estime et respect une part si importante de la Résistance[129], et un peu lâche de taire complètement les méfiances et réserves suscitées par cette importance même et qui sont un fait[130].

Les cinq tomes, préfacés à tour de rôle par Louis Saillant, Jacques Debû-Bridel, Marie-Madeleine Fourcade, Jacques Bounin et Henri Rol-Tanguy, avaient beau manifester une forte volonté d'entente entre les diverses composantes de la Résistance, la postface de Robert Vollet faisait, discrètement mais nettement, résonner des divergences sous-jacentes.

Pour Noguères comme pour Guérin, l'union était bien, au bout du compte, un combat, dans la clandestinité comme au temps de la paix retrouvée.

Peu après la publication du premier volume d'*Histoire de la Résistance en France*, l'ancien chef de la région R1 de la Résistance[131], le compagnon de la Libération Alban Vistel, faisait paraître en 1970 une monographie régionale, *La Nuit sans ombre*[132], qui, en s'appuyant sur les documents détenus par ses camarades et sur sa remarquable connaissance du terrain, s'attachait à restituer l'atmosphère de la lutte clandestine. Émaillé de portraits des protagonistes qu'il avait personnellement côtoyés, rendant hommage par leurs noms à quantité de résistants demeurés anonymes, Alban Vistel livrait là une remarquable étude qui, à sa façon, était une sorte de plaidoyer pour une histoire vraiment incarnée. C'est sur une longue citation extraite de *La Nuit sans ombre* que se terminait une autre monographie régionale, *À nous, Auvergne !*, publiée en 1974 par Gilles Lévy et Francis Cordet, tous deux médaillés de la Résistance[133]. Largement fondé sur les archives et les témoignages de résistants auxquels il était dédié, le livre brossait un panorama chaleureux et très informé de la Résistance dans les quatre départements de l'Allier, du Cantal, de la Haute-Loire et du Puy-de-Dôme.

Il faut également mentionner, dans un tout autre genre, le remarquable travail dirigé par Jean-Louis Crémieux-Brilhac, dont on a dit déjà qu'il était un ancien de la France libre, proposant une sélection des textes des émissions prises en charge sur les antennes de la BBC par les Français libres, accompagnée d'un appareil critique très utile[134]. Cette véritable mine fut une manne dans la mesure où les publications de cette nature n'avaient pas jusqu'alors abondé ; des textes majeurs devenaient ainsi aisément accessibles.

Il n'est jusqu'à la mémoire giraudiste qui n'ait tenté alors, en mettant à profit le recul relatif du gaullisme historique, de faire entendre sa voix sans y parvenir réellement. Le colonel Paillole livra ses souvenirs tandis qu'Augustin de Dainville proposait un historique de l'Organisation de Résistance de l'armée[135].

Quelque forme que revêtit la mue d'acteurs en historiens, il était clair que le feu couvait sous la cendre en quelque sorte. Insatisfaits, mécontents ou anxieux de ne pas se reconnaître dans l'histoire qu'on leur donnait à lire après une génération de labeur, les acteurs (ré)investissaient en force le terrain historique. C'est à Pascal Copeau qu'il revint d'énoncer avec le plus de netteté cet état d'esprit navré. En 1974, le Comité célébra le trentième anniversaire de la Libération en organisant au mois d'octobre un « colloque de prestige[136] » à Paris. Le ban et l'arrière-ban des dirigeants de la Résistance, les plus hautes autorités civiles et militaires et les historiens spécialisés dans le champ y avaient été conviés. Le principe ayant été adopté de donner la parole à la salle au terme de chaque série de communications, Pascal Copeau intervint pour réagir à celle qu'avait faite René Hostache sur l'organisation des instances dirigeantes de la Résistance intérieure. Il le fit sur un ton vibrant qui frappa l'auditoire :

> Nous avons fait ce que nous avons pu pour construire une cité clandestine, la cité clandestine de l'honneur puisque toutes les élites françaises ou presque avaient démissionné. Et alors, lorsque nous retrouvons dans vos études, chers jeunes chercheurs, notre cité, elle nous apparaît un peu glacée. Il ne faut pas craindre, et excusez-moi si je parais encore grandiloquent, mais je dis qu'il ne faut pas craindre de tremper vos plumes dans le sang, car derrière chacun des sigles que vous explicitez avec beaucoup de connaissances livresques, il y a des camarades qui sont morts, et, en réalité, ce n'était pas ce bel édifice que vous pouvez croire, c'était une faible toile d'araignée et nous, Pénélope infatigable, nous avons passé notre temps en circulant à bicyclette ou comme nous pouvions, à réparer cette toile d'araignée, à la rapetasser, à renouer les fils, à remettre des hommes là où ils étaient tombés. Alors, que nous ayons eu encore le temps, peut-être que nous avions une vitalité assez remarquable, que nous ayons eu encore le temps de nous opposer, de nous déchirer même quelquefois, cela prouve que nous étions jeunes et que les affrontements correspondaient à quelque chose. J'ai essayé de dire l'autre jour à quoi ils correspondaient de profond : la vraie Histoire, c'est l'histoire de cette toile d'araignée de la cité clandestine de l'honneur[137].

Ce conseil en forme d'admonestation d'un Copeau tançant les historiens pourrait être perçu comme un regret de ne pas voir célébrer – et commémorer – la Résistance comme une geste. Il nous semble que ce serait prendre le propos par le petit bout de la lorgnette. Comme en écho aux paroles de Copeau, il faut citer ici Marc Bloch :

> Un nom d'homme ou de lieu, si l'on ne met derrière lui des réalités humaines, est, tout bonnement, un vain son ; qu'aux yeux de l'historien un fait existe seulement par ses liaisons. Être « précis », c'est se tenir proche du concret ; ce n'est pas étiqueter, à tour de bras, des tiroirs vides[138].

Il y avait beaucoup à glaner dans le propos de l'ancien membre du bureau permanent du Conseil national de la Résistance. Et d'abord, cette image d'une toile d'araignée qui suggérait excellemment la fragilité et la complexité de l'organisation de la Résistance telle que Copeau l'avait connue et pratiquée entre 1942 et 1944. Ensuite, la précarité de toute vie clandestine, sur laquelle planait en permanence un danger de mort. Enfin, la mort elle-même ou, pour mieux dire, les morts envers lesquels les vivants étaient redevables. Réunissant tout cela en gerbe, le casse-tête du registre d'écriture : « tremper sa plume dans le sang », un historien le pouvait-il ? Ne risquait-il pas, s'il s'y essayait, de faire figure de pâle et grotesque caricature d'un Pierre Brossolette ?

Qu'il fût insoluble ou pas, le questionnement de Pascal Copeau vaut surtout pour nous, aujourd'hui, par le fait qu'il exprimait cette insatisfaction, cette frustration ressenties par les acteurs de la clandestinité. Mais c'est bien là où le bât blesse. En 1974, en effet, les travaux à visée scientifique avaient pour auteurs, depuis la Libération, des résistants. Mieux, sur les quinze volumes programmés par le CH2GM pour ce trentième anniversaire de la Libération afin de rendre compte de son déroulement dans l'ensemble des régions françaises et publiés dans une même collection chez Hachette, plus de la moitié avaient pour auteurs d'anciens résistants, parmi lesquels des noms aussi prestigieux que Pierre Bertaux, Fernand Gambiez, Georges Guingouin, Henry Ingrand ou Henri Romans-Petit.

Au moment où la présence des acteurs mués en historiens culminait, se trouvait ainsi mis en danger l'axiome selon lequel seuls les acteurs pouvaient convenablement restituer cette histoire parce qu'ils l'avaient vécue. En témoigner sur un mode personnel, quasi intime, comme Copeau le faisait après beaucoup d'autres, c'était une chose. Distiller ce vécu personnel et intime dans des écrits ayant pour finalité de livrer un récit historique, c'était tout autre chose. La génération de celles et ceux qui écriraient sur la Résistance sans l'avoir vécue – et moins encore faite – était à peine en train d'éclore. Si Renée Bédarida, résistante, puis historienne de *Témoignage chrétien*[139], représentait la génération des acteurs, Dominique Veillon, qui soutint sa thèse en 1975 et la publia deux ans plus tard, était, à l'échelle nationale, la première représentante de cette deuxième génération que le Comité avait appelée de ses vœux[140]. Il résulte de ce constat que la vive critique de Pascal Copeau s'adressait, en réalité, à ses pairs. Si on tire les conséquences logiques de cet état de fait, on doit bien conclure que ce n'était pas le statut et l'itinéraire personnels de celui qui écrivait qui étaient en cause mais le type de travail qu'impliquait la logique historienne. Celle-ci vise à donner des grilles d'intelligibilité du passé, il n'est pas en son pouvoir de le faire ressurgir intact. Là était sûrement le fondement du divorce désenchanté dont Copeau se faisait le porte-voix affligé.

Cette quête d'intelligibilité, qui est en principe la marque des études scientifiques, on en retrouvait au même moment des éléments dans les publications d'acteurs qui tendaient à s'éloigner du schéma narratif inauguré juste après la guerre. Si Henri Frenay, l'un des chefs les plus prestigieux de la Résistance intérieure, s'y conformait encore avec *La nuit finira* en 1973[141], son adjoint dans la clandestinité, Claude Bourdet, s'en distinguait fortement deux ans plus tard. *L'Aventure incertaine* mêlait essai d'interprétation et souvenirs en empruntant à une veine contestatrice et démythifiante qui n'était pas sans liens avec les bouleversements idéologiques et sociaux consécutifs à la secousse de Mai 1968[142].

Henri Frenay complétait en 1977 le récit de facture classique de ses Mémoires par un ouvrage[143] qui mettait gravement en cause Jean Moulin en qui il voyait un agent du Parti communiste. La thèse n'était pas nouvelle puisque le patron de Combat l'avait esquissée dès le début des années 1950 dans la lettre publiée par le colonel Passy en annexe du deuxième tome de ses souvenirs. Bien qu'Henri Michel eût attiré l'attention des lecteurs du Bulletin du Comité sur cette lettre « qui donne sur le rôle de Jean Moulin une interprétation qui sera à coup sûr passionnément discutée[144] », elle était passée inaperçue du plus grand nombre. Frenay avait persisté en attaquant sans ménagement Jean Moulin à l'occasion du compte rendu qu'il avait fait du deuxième tome des *Mémoires de Guerre* du général de Gaulle dans la revue *Preuves* en 1956 :

> Disons tout d'abord que cet homme a milité et est mort courageusement, et à ce titre notre admiration ne peut lui être marchandée. L'hommage rendu à ses qualités et à son sacrifice n'est pas contradictoire avec l'examen critique de son attitude politique. [...] En fait, son action eut comme but principal de subordonner aux anciennes formations politiques les forces neuves de la Résistance, et, ce qui est plus grave encore, de permettre aux communistes de s'assurer une place prépondérante dans la Résistance tout entière. [...] Si en août 1944, le PC eut la place que l'on sait, c'est en raison directe du choix exercé par de Gaulle en la personne de Jean Moulin et d'Astier. Les liens de ce dernier avec les communistes apparurent clairement dès la première réunion de l'Assemblée consultative à Paris. Quant au premier, il suffit de voir le prestige dont il jouit dans le PC, contrairement à d'autres résistants tout aussi authentiques, pour admettre que ses actes ont en fait et, je le pense, en intention, servi efficacement ses desseins[145].

Revenant à la charge en 1977, Henri Frenay était ainsi le premier à écorner le symbole Jean Moulin. Désavouée par l'immense majorité du monde résistant, rejetée par les historiens, l'attaque n'en était pas moins intéressante en ce qu'elle venait précisément de l'un de ceux – et non des moindres – qui avaient partagé le combat de Jean Moulin. Elle eut, comme on verra, de fortes conséquences en incitant

Daniel Cordier, secrétaire de Jean Moulin dans la clandestinité, à relever le gant en entreprenant une œuvre importante.

Dans la même lignée que Claude Bourdet, Charles d'Aragon, ancien chef départemental du mouvement Combat, fondait les feuilles publiées à dater de 1971 dans la revue *Esprit* en un livre significativement intitulé *La Résistance sans héroïsme*[146].

Lecteur impénitent de Proust, aimant méditer dans la solitude du château familial de Saliès près d'Albi, habile à camper férocement ses contemporains sous des apparences patelines, retrouvant la couleur du temps à l'aide du journal qu'il avait tenu au début de l'Occupation, Charles d'Aragon moquait les représentations dominantes à propos de cette Résistance dont il avait été un pionnier méconnu mais courageux :

> Pendant un quart de siècle, bien des jugements ont été portés sur la Résistance et sur le comportement des Français sous l'Occupation. Aujourd'hui, deux opinions tendent à prévaloir. Les uns voient en rêve le peuple en armes, le peuple de Michelet, celui de la Commune. Sortis en foule de l'usine, de la ferme, de l'école et de la boutique, des héros plébéiens auraient tenu Hitler en échec. Mieux encore, on croit découvrir que ces lutteurs auraient été les champions lucides d'un combat contre l'oppresseur capitaliste. Un peuple rebelle et cabré ! on serait tenté de croire que nous avons vu cela si on écoutait par exemple ce qu'a dit M. Alain Geismar : « La Résistance, c'est la dernière expérience de lutte armée qu'ait connue le peuple en France. Nous n'ignorons pas que les conditions historiques étaient particulières, ni que le mouvement a été finalement étouffé. Mais ce qui compte dans cette période c'est qu'on a vu le peuple en armes résolu à prendre le pouvoir. »
> Il ne s'agit pas de contester ce texte. Nous ne sommes pas dans le domaine de la critique mais dans celui de l'imagerie populaire. Nous ne pouvons que contempler dans sa jeune vigueur une figure mythique en développement. L'appréciation portée par Geismar sur la combativité de la génération précédente est en somme flatteuse, mais il y a, dans son optimisme louangeur, quelque chose de systématique et d'orienté. Il s'agit de trouver aux guérilleros actuels du combat prolétarien des ancêtres sur notre sol.

> C'est un peu dans cet esprit que, sous Louis-Philippe, un décorateur imaginatif a peinturluré au château de Versailles la galère des Croisades.
> Il entre aussi quelque optimisme emphatique dans les évaluations portées par les professionnels de la vétérance. Ils ont besoin que la Résistance ait été un mouvement de masse. Ils se heurtent parfois à des contradictions hautement autorisées. [...]
> Peu importe les chiffres. Aujourd'hui, ils n'intéressent plus guère que M. le Ministre des Pensions et ses services. Quant au témoin vieillissant que je suis, lorsqu'il fait l'inventaire de ses plus lointains souvenirs de Résistance, ce qu'il trouve tout d'abord, c'est une impression de solitude. C'était certainement plus vrai en zone libre qu'ailleurs. [...]
> Je revois ce qu'était à cette époque la France méridionale, la France de Vichy. Être opposant alors, c'était se vouer à l'isolement. C'était rompre avec le plus grand nombre[147].

Claude Bourdet en politique de la deuxième gauche[148], Charles d'Aragon en vieux sage jouant sur le registre de l'apparente simplicité, rompaient tous deux délibérément avec les lois du genre. Ils ne se faisaient pas les truchements d'une épopée mais tentaient de comprendre par quels mécanismes ce passé résistant, qui leur restait si cher, avait pu représenter une expérience si forte et si marquante avant de s'évanouir la paix revenue, pour ne laisser place qu'à une puissante « imagerie populaire » dont les différentes variantes faisaient litière de la réalité qu'ils avaient connue. C'est consciemment qu'ils associaient le récit d'une expérience intime aux usages sociaux de ce passé dans la France de Valéry Giscard d'Estaing.

La mémoire de la Résistance à l'épreuve du présent des années 1970

On le voit bien, le seul prisme de l'histoire réputée savante ne saurait suffire au regard que l'on porte sur la mémoire de la Résistance dans la société française. Il est incontestable que l'effet de souffle de la redécouverte de Vichy et de ses aspects les plus noirs combiné aux remous suscités par l'affaire de la grâce accordée à Paul Touvier, par les propos apaisants mais ambigus du président Pompidou, par les déclarations provocantes de Darquier de Pellepoix reproduites dans *L'Express* en octobre 1978[149], n'épargna pas le passé résistant tel qu'on se le représentait dans la France des années 1970.

Incontestablement, une nouvelle ère s'ouvrait. La relève générationnelle parmi les historiens de la Résistance, le changement de perspective des correspondants départementaux du Comité, les questionnements nouveaux des acteurs-témoins, tout cela dessinait un nouveau paysage. Ce changement passa relativement inaperçu. L'intérêt se portait résolument et bientôt obsessionnellement sur Vichy. Le phénomène ayant été décrit et théorisé par Henry Rousso[150], nous n'y reviendrons pas ici. On se bornera, en suivant une piste suggérée par la lecture du *Syndrome de Vichy*, à évoquer le numéro de l'hebdomadaire *Le Point* du 11 mars 1974. Sous un titre alléchant, « L'Occupation : pourquoi tout le monde en parle », une double page de Pierre Billard énumérait les indices de cette résurgence inopinée et tentait d'en décrypter les causes. Surtout, l'écrivain François Nourissier publiait une chronique intitulée « Le cadavre dans le placard ». La teneur en était plus désabusée qu'accusatrice :

> De Gaulle restaura la France dans un honneur en partie inventé, parce qu'il le jugeait indispensable à la survie française. [...]
> En 1974, ce superbe tour de passe-passe perd de son efficace. Les jeunes gens enfin osent relever la tête, regarder le passé et demander si, par hasard, le roi n'était pas seul et nu ? Si, par hasard, la France de 1940-1944 n'offrit pas un bien affligeant spectacle ? Le père est mort, on fait l'inventaire de l'héritage. Tous les muets se mettent à raconter leur transparence et leur silence, et ils éprouvent un singulier soulagement à gratter ce prurit des aveux tardifs.
> Une nation nerveuse, rogneuse, plutôt prospère, qui se laisse gagner par la nostalgie de ses gouffres, quel surprenant spectacle[151] !

On n'a généralement pas noté que, dans ce même numéro, André Frossard, chroniqueur attitré du magazine, donnait la réplique à François Nourissier :

> Où diable ont-ils vécu, dans quel milieu, dans quelles familles, ces gens de lettres ou de cinéma qui nous donnent aujourd'hui ces images déprimantes du Français sous l'occupation ?
> Peut-être n'étaient-ils pas nés. Ce serait une bonne excuse. Peut-être n'étaient-ils pas en âge de comprendre. Ce serait une bonne raison.
> On n'aperçoit dans leurs romans ou dans leurs films que des Français répugnants, avachis, lâches, rampants, cafards, malades de frayeur, toujours prêts à se transformer en dénonciateurs ou en traîtres pour quelques billets, ou quelques coups de botte, mis à part de rares « résistants », généralement faits comme des oustachis et aussi différents de ce qu'ils furent en réalité que peuvent l'être les partisans mis en scène par Jean-Paul Sartre dans « Morts sans sépulture ».
> Sans sépulture mais pas sans phrases, grands dieux.
> Le hasard, la providence et la géographie ont dû me protéger. Durant les dix-huit mois que j'ai passés en Savoie à ramasser du matériel de guerre pour une bataille à laquelle je n'ai pas eu l'occasion de participer, je n'ai pas vu un seul « collaborateur ». Il y en avait, je n'en doute pas, mais le fait est que je n'en ai pas vu. [...]
> En revanche, j'ai vu des héros – je veux dire de ces hommes qui savent dire « non » même au prix de leur existence. Eh oui, des héros comme on en trouve dans les livres, ou plutôt comme on en trouvait avant que les romanciers ne prennent le parti de nous entretenir de personnages blafards dont le sort nous laisse indifférents. On pouvait voir un fort contingent de ces héros au plateau des Glières, à condition d'y aller ; ou au fort Montluc, à Lyon, à condition d'y être enfermé ; je pourrais donner leurs noms. Je suis retourné dimanche soir dans cette maison des otages avec « Un condamné à mort s'est échappé », de Robert Bresson, film d'une probité parfaite où tout est vrai, le lieu, les caractères, les dialogues (y compris ces moments de grandiloquence auxquels cèdent quelquefois les hommes condamnés au silence) et jusqu'à cette cloche de tramway tintant la nuit de l'autre côté des murs

> d'enceinte, et qui donnait au détenu des nostalgies de boîte à roulettes et sans portes, filant vers les vivants.
> Je n'irais certes pas jusqu'à appeler l'occupation « le bon vieux temps », bien qu'il ait été celui de mes 20 ans, mais l'angoisse et l'horreur incluses et décomptées, il y avait pour nous aider à vivre un sentiment apparemment ignoré des cinéastes de la nouvelle vaguelette et dont l'existence ne leur donnera peut-être jamais l'occasion de savoir le goût : cet incompréhensible sentiment de fraternité ou de brusque intimité familiale qui fait que l'on se reconnaît sans connaître, ou que sans y prendre garde on parle à un vieux paysan des Alpes comme à son grand-père.
> La voix du sang, comme on dit[152].

Sa chronique ayant suscité le courrier d'un lecteur acquis à l'idée de la lâcheté des Français sous l'Occupation, Frossard revenait sur la question dans le numéro du 25 mars :

> Ai-je donc vécu dans une illusion que les coups de botte n'ont pas réussi à dissiper ?
> Mais non. Que l'on ricane si l'on veut, peu m'importe. Je sais qu'une sorte de chevalerie est née en France pendant la guerre. Je sais aussi qu'elle y est morte.
> Mais elle fut, et je l'admire encore[153].

À un Nourissier prudent et nuancé évoquant « un honneur en partie inventé » répondait un Frossard altier et combatif, qui ne cédait pas un pouce de terrain. *Lacombe Lucien*[154] contre *Un condamné à mort s'est échappé*[155]. On ne peut pas ne pas remarquer cependant que Frossard diagnostiquait la mort de la sorte de chevalerie qu'avait constituée la Résistance. Il tenait, seulement si l'on ose dire, à affirmer qu'elle avait existé et qu'elle pouvait encore être un motif d'admiration. En cela, sa position reflétait assez bien celle de beaucoup de ses camarades qui se désolaient de la lente descente vers l'oubli à laquelle la Résistance semblait condamnée. En battant le rappel de quelques-uns de ses souvenirs, le chroniqueur retrouvait la parade à l'ensevelissement d'une mémoire, apparue trente ans plus tôt : témoigner inlassablement.

Il faut bien reconnaître que la conjoncture ne s'y prêtait guère dans les années 1970. Dans la réception qui fut faite au film de Marcel Ophüls *Le Chagrin et la Pitié*, madame Solange, Raphaël Geminiani, le pharmacien Marcel Verdier, témoins ordinaires sollicités par le cinéaste, éclipsaient sans coup férir les frères Grave, Emmanuel d'Astier de la Vigerie, Gaspar Coulaudon et Pierre Mendès France. Dans un article publié aux États-Unis en 1972, traduit en français en 1973, Stanley Hoffmann proposait une analyse toute de finesse du film. Sa chute exprimait la tension générée par cette œuvre :

> [...] puisque nous jugeons tous – peut-être ne devrions-nous pas, mais nous ne pouvons nous retenir – mon propre verdict n'est nullement aussi sévère que celui de Marcel Ophüls. Sur les balances de l'Histoire, lorsqu'on pourra enfin peser plus équitablement les hommes, leurs actes et les effets de leurs actes, les grandes choses pèseront plus lourd que les médiocres. Dans le film de Marcel Ophüls, Verdier et les deux professeurs presque gâteux font un contrepoint irritant et presque assourdissant aux frères Grave, à Gaspar et à Mendès. Dans ma mémoire à moi, le professeur, aujourd'hui âgé de soixante-seize ans et toujours vibrant, qui m'enseigna l'histoire de France, me donna de l'espoir dans les pires jours, sécha mes pleurs quand mon meilleur ami fut déporté avec sa mère, nous fabriqua de faux papiers, à ma mère et à moi, pour que nous puissions fuir une ville infestée par la Gestapo, où la complicité des amis et des voisins n'était plus une protection suffisante, – cet homme efface tous les mauvais moments, et les humiliations, et les terreurs. Sa douce épouse et lui n'étaient pas des héros de la Résistance, mais s'il existe un Français moyen, c'est cet homme-là qui représentait son peuple ; et pour cette raison, la France et les Français mériteront toujours notre hommage, et je ne cesserai jamais de les aimer[156].

Une fois encore, la reconstruction – opérée en l'occurrence par le montage habile et provocateur de Marcel Ophüls – n'avait pas le dernier mot. Au terme d'un décorticage d'une acuité exceptionnelle, le politiste cédait le pas au témoin. C'est l'enfant Stanley Hoffmann qui concluait un article de haute volée.

De même, la publication en 1973 de l'ouvrage de Robert Paxton *La France de Vichy* [157] suscita quantité de réactions.

Au même moment, son collègue John F. Sweets mettait la touche finale à une thèse fort importante sur les Mouvements unis de la Résistance. Publiée aux États-Unis, elle ne fut pas traduite en français[158]. L'historien britannique Julian Jackson a récemment résumé « la révolution paxtonienne[159] » en faisant valoir :

> Il ne suffit pas d'écrire un bon livre d'histoire (ce que Paxton fit certainement) ; encore faut-il l'écrire au bon moment. Celui de Paxton parut alors que le mythe gaulliste perdait de sa crédibilité, et que les gens avaient envie d'entendre ce qu'il disait[160].

CHAPITRE 5

Une historiographie remise en cause et renouvelée (1978-2002)

Un enterrement dans la plus stricte intimité

Lors d'une réunion plénière du CH2GM tenue le lundi 3 avril 1978, Henri Michel annonçait aux trente-neuf membres présents la teneur des décisions qui lui avaient été communiquées le 1er juillet 1977 par le directeur du cabinet du secrétaire général du gouvernement et le directeur scientifique du CNRS :

> Le Comité subsistera dans sa forme actuelle jusqu'en 1980 ; il continuera comme par le passé conformément au plan triennal déjà établi. Le CNRS mettra, pendant ce temps, en route un Centre d'histoire contemporaine ; il est prévu qu'au sein de ce Centre subsistera, sous une forme à déterminer, une section qui poursuivra la tâche du Comité sur certains points où elle ne sera pas achevée. Pendant trois ans aussi, le personnel qui n'était pas du CNRS lui sera intégré. Vers la fin de 1980, tout ce que le Comité possédait ici sera transféré dans des locaux mis à la disposition du CNRS par les Domaines pour l'organisme d'histoire contemporaine[1]...

C'est le lot des comptes rendus de lisser les faits et de gommer les tensions. Celui-ci ne faisait pas exception à la règle. Derrière l'annonce d'Henri Michel se jouait un changement de taille : le Comité né au début des années 1950 s'effaçait devant un organisme qui, par ses statuts et sa mission, inaugurait une nouvelle époque. Cette création intervenait après une série de réflexions, de consultations et d'études, menées par le CNRS depuis le début de l'année 1977, en concertation avec les services du Premier ministre. Le cordon ombilical avec le pouvoir politique était coupé puisque l'Institut d'histoire du temps présent – c'est ainsi que fut dénommée la nouvelle structure – serait un laboratoire propre du CNRS officiellement créé à partir du 1er septembre 1978. Sa mission serait, selon une décision du directeur général du CNRS, de

> couvrir un champ de la recherche historique insuffisamment exploré jusqu'ici par les historiens français : l'histoire récente de la France et des pays étrangers depuis 1945. En même temps qu'il intègre le « Comité d'histoire de la Deuxième Guerre mondiale », l'IHTP poursuivra également l'étude de la période 1939-1945[2].

Après une année de transition, la fusion totale des deux organismes était effective le 31 décembre 1980, l'IHTP prenant alors la relève scientifique du Comité[3].

Ce bouleversement administratif, scientifique et humain ne s'opéra pas sans réticences, ni tensions. À sa façon, Henri Michel s'en fit l'écho par un article publié dans la *Revue d'histoire de la Deuxième Guerre mondiale* en octobre 1981[4]. Entendant « dresser le bilan d'un travail collectif » et « procéder à une mise au point qui devenait indispensable[5] », il faisait l'historique du Comité, non sans raccourcis, par exemple quant aux circonstances de sa naissance :

> Tout a commencé un soir de décembre 1951, à l'Hôtel Matignon, avec Georges Bidault, alors président du Conseil, Lucien Febvre, Georges Galichon et moi-même, secrétaire de la précaire *Commission d'histoire de l'Occupation et de la Libération de la France*, alors rattachée à la direction des Bibliothèques. [...] Le lendemain paraissait au *Journal officiel* le décret créant le *Comité d'histoire de la Deuxième Guerre mondiale*, organisme interministériel groupant des représentants des ministères qui avaient existé pendant la guerre (onze en tout), des services possédant des archives (Services historiques des armées, Archives de France, Archives diplomatiques, Documentation française), des bibliothèques (nationale et

> de documentation internationale contemporaine). Le tout était dirigé par des historiens, mais dès le début étaient joints à eux des juristes, des économistes et des sociologues, ainsi que des acteurs éminents de la période (comme René Cassin, le général Koenig ou Daniel Mayer)[6].

Il évoquait les difficultés rencontrées, à commencer par l'inertie manifestée par un CNRS « pas consulté à l'origine, peut-être un peu décontenancé par la nature d'un organisme qui ne répondait pas à ses règles de fonctionnement », les réticences des différents ministères « guère empressés pour coopérer et ouvrir des dossiers en général pas très bien classés, et jugés souvent explosifs », les oppositions de certains spécialistes d'histoire contemporaine « pas emballés non plus par cette tentative d'histoire à chaud », craignant « même une tentative d'histoire officielle ». À ces obstacles, que contrebalançait l'appui de responsables politiques acquis à la Résistance, il fallait ajouter les conditions très restrictives d'accès aux archives.

Bref, le Comité avait dû innover dans des conditions difficiles. Libre de déterminer ses objectifs, ayant toujours œuvré en toute indépendance, il s'était imposé « le respect scrupuleux de "l'obligation de réserve"[7] ». Il avait pour cela décidé, ajoutait Henri Michel, de ne pas faire lui-même de publication. Il précisait tout de même que deux collections avaient été publiées, grâce au Comité, sans que celui-ci apparaisse : « Esprit de la Résistance » aux Presses universitaires de France (16 volumes) et « La libération de la France » chez Hachette, à l'occasion du trentième anniversaire de la Libération (15 volumes).

Rappelant les méthodes adoptées et les résultats obtenus, faisant un sort à « la première tentative, effectuée de façon pragmatique, de cette méthode baptisée par la suite "histoire orale" et qui est devenue aujourd'hui un peu la tarte à la crème des historiens », il revenait sur la collecte de souvenirs réalisée sous l'égide du Comité en précisant : « Une double promesse a été faite aux personnes interrogées : leur témoignage ne serait jamais divulgué sans leur autorisation, et il serait versé aux Archives nationales à la disparition du

Comité ; la première promesse a été scrupuleusement tenue, et il est clair que la deuxième doit l'être aussi. » Ce qui revenait clairement à sommer l'IHTP de se dessaisir des témoignages qu'il détenait.

Sur le fond, Henri Michel, tout en insistant sur le rôle d'entraînement qu'avait rempli le Comité, réfutait implicitement l'idée que l'IHTP incarnât une approche conceptuelle radicalement nouvelle :

> Si le Comité n'a, en principe, pas signé de publication, il a considérablement aidé les candidats à des thèses de doctorat, en leur suggérant des sujets, en les agrégeant à ses équipes de recherches, en les accréditant pour leur faciliter l'accès à une documentation encore préservée. Ainsi, à la fin de 1979, 110 thèses, de doctorat, d'État, de doctorat de 3e cycle, et aussi de doctorat de droit, avaient été soutenues ou étaient en préparation, pour la plupart par des chercheurs travaillant plus ou moins étroitement avec le Comité. Mais, dans tous les cas, le comportement du Comité a été le même : il a aidé, il n'a pas dirigé ; ce refus de prétendre à un quelconque monopole, cette volonté de coopérer avec tous, en n'empiétant sur le terrain de personne, expliquent que, pratiquement, le Comité ait pu travailler dans le meilleur esprit, avec à peu près tous les professeurs de facultés spécialistes d'histoire contemporaine. Ainsi a été faite la démonstration que pouvait être entreprise une « histoire immédiate » – l'étude de la Résistance avait commencé dès 1946[8].

Un quart de siècle plus tard, il est pourtant clair que la définition des missions assignées à l'IHTP élargissait significativement ce qui avait été le champ de compétences du défunt Comité, auquel il avait incombé d'essuyer les plâtres en pratiquant une histoire du très contemporain peu conforme aux canons de l'histoire universitaire du moment.

Les conditions dans lesquelles se fit la passation de pouvoirs entre le Comité et l'IHTP ne déplurent pas seulement à Henri Michel. Elles inquiétèrent au-delà du cercle des affidés du Comité. Elles ont parfois donné lieu à des commentaires instructifs en ce qu'ils mettent l'accent sur les difficultés spécifiques de cette histoire.

Donnant en 2000 une postface à la réédition de sa

Chronique de la Résistance, Alain Guérin présente ainsi cette mutation comme

> la réussite d'une OPA des « golden boys » de la nouvelle histoire (nouvelle au sens où l'on l'entendait lorsqu'on parlait de « nouveaux philosophes » ou de « nouvelle cuisine ») [...]. Une opération destinée à s'emparer d'un organisme original, disposant d'importantes archives et d'un vaste réseau de correspondants, se l'approprier avec la bénédiction du CNRS (dont dépend l'Institut) et sans que lève le petit doigt le Premier ministre (dont dépendait le Comité d'histoire). Une OPA réussie et qui permet en outre d'écarter quelques empêcheurs de « démythifier » en rond. Jusqu'à sa mort, en 1986, bien que théoriquement à la tête d'un Institut d'histoire des conflits contemporains et, pendant cinq ans encore, président du Comité international, qui existe toujours, Henri Michel va se sentir [...] littéralement dépossédé[9].

Si l'on n'est pas tenu de souscrire à la bonne vieille conception de l'histoire-complot qui la sous-tend, cette analyse, qui ne s'embarrasse pas de nuances excessives, a le mérite de montrer que le sentiment de possession que nous avons tenté de mettre en exergue s'agissant des acteurs ne valait pas moins pour les historiens, qu'ils aient été acteurs directs ou non. La position de Guérin est d'autant plus intéressante qu'Henri Michel et lui n'étaient pas politiquement du même bord, ce qui ressort de façon plaisante de l'hommage ambivalent qu'il lui rend :

> Même si, dans l'œuvre de cet historien, de Gaulle est quelque peu idéalisé, les socialistes particulièrement bien traités et la position des communistes parfois déformée selon ceux-ci, ce dont témoigne surtout cette œuvre, c'est d'une ample connaissance de la spécificité de la Résistance. Connaissance résultant elle-même d'une longue expérience par témoignages interposés du combat et de la vie des résistants[10].

Même si Guérin a pu « parfois trouver trop glacées ses façons de pasteur puritain[11] », Henri Michel trouve grâce à ses yeux parce qu'il aurait appartenu aux rangs des historiens soucieux de rendre hommage aux combattants et à l'histoire de la Résistance, contrairement aux universitaires qui ont pris sa relève et auxquels il décoche toutes les flèches de son carquois sans distinguer le moins du monde entre eux. Significativement, Guérin donne de cette opposition une grille de lecture dont la clef est générationnelle. Il tire à boulets rouges sur ce qu'on appellera pour aller vite les historiens professionnels de la seconde génération, accusés de ne rien avoir compris au thème dont ils traitent.

Intitulé « Une allergie à l'épopée », le *post-scriptum* comporte un sous-titre qui explicite bien les griefs nourris à l'encontre des historiens qui s'intéressent depuis vingt ans à la Résistance : « Où il semblerait que le souvenir de la Résistance puisse finalement survivre à l'inquisition des historiens officiels et des nouveaux juges. » Il leur est reproché amèrement « d'entreprendre de chambarder de fond en comble l'histoire de la Résistance telle que l'avaient conçue les anciens résistants avec la génération précédente des historiens eux-mêmes[12] ». En mélangeant allègrement les noms de Touvier, Aubrac, Papon, il dénonce une curée. Guérin n'opère aucune distinction entre des historiens qu'il voit comme une phalange d'hoplites quand des désaccords, légitimes et significatifs, les opposent les uns aux autres. Publiquement de surcroît, comme toute personne curieuse peut s'en rendre compte très vite en parcourant leurs écrits ou en suivant les polémiques dont la presse rend compte de temps à autre.

Au total, ce *post-scriptum* est intéressant parce qu'il désigne sans fard deux difficultés essentielles, celle du mode d'écriture de cette historiographie d'une part, celle des lectures que font les gens qu'elle attire en fonction de leurs attachements politiques, idéologiques et culturels d'autre part[13]. Il pose évidemment une question qui ne saurait être balayée d'un revers de main : est-il exact que l'histoire de la Résistance telle qu'elle a été écrite depuis la passation de pouvoirs entre le Comité et l'IHTP se soit apparentée à un gigantesque jeu de quilles ayant pour fin première de déboulonner des idoles ? Quitte à briser le suspense, on peut répondre négativement.

Une histoire remise sur le métier

La disparition du Comité qui jouait le rôle de coordonnateur et de superviseur des études sur la Résistance fut, à son échelle, un événement. Elle invita d'abord assez naturellement à dresser un bilan. Elle inaugura ensuite une nouvelle phase historiographique marquée par de nouvelles approches conceptuelles et par une diversification, peu visible au premier abord mais indéniable, des auteurs. À des équipes encadrées et dirigées par une instance ayant la haute main sur le champ de la Deuxième Guerre mondiale succédèrent des escouades plus mobiles – et bientôt plus libres – qui eurent tendance, au fil des ans, à s'affranchir des contraintes et pratiques unificatrices créées par le Comité.

Au bilan en forme d'autojustification dressé par Henri Michel correspondit une sorte de droit d'inventaire exercé par les héritiers, à la fois institutionnels et scientifiques, du Comité. Dans un article publié en janvier 1982 par *L'Histoire*, Henry Rousso proclamait d'entrée de jeu : « Le temps des hagiographies est révolu[14]. » Rappelant que, depuis le début des années 1970, l'heure était aux remises en cause du comportement de la société française durant les années noires, il voulait montrer qu'à l'écart des « polémiques stériles », « une histoire complexe, multiforme, parfois insaisissable[15] » était en train d'émerger. Prenant appui sur les travaux novateurs de Jacqueline Sainclivier, Joseph Girard, Dominique Veillon et Harry Roderick Kedward[16] dont nous parlerons plus avant, il se faisait l'écho des efforts des chercheurs pour délimiter des tendances sociologiques dans la population résistante et pour mieux cerner ce que pouvait signifier un engagement dans la Résistance entre 1940 et 1942. Il pointait aussi la difficulté extrême à concevoir une grille chronologique rendant compte des multiples niveaux d'analyse possibles. Il prenait enfin acte du fait que l'histoire de la Résistance était « un lieu d'affrontements idéologiques pugnaces[17] », illustrant son propos par la question de la datation de l'entrée en Résistance des communistes français, le rôle dévolu et reconnu aux socialistes, la prise en compte des persécutions antisémites. Bref, il discernait – en même temps qu'il appelait de ses vœux – une histoire qui s'édifiait « sur des bases scientifiques réelles[18] ». Ce faisant, il jugeait « anormal que l'histoire de la guerre ou de la Résistance soit monopolisée par quelques hagiographes démodés et témoins mille fois entendus[19] ». Jugement sévère d'un jeune historien dont les conseils de lecture – le « Pour en savoir plus » des articles de la revue – renvoyaient tout de même à Henri Noguères, Henri Michel, Alain Guérin, non sans mentionner les récents tomes 14 et 15 de la *Nouvelle Histoire de la France contemporaine* des Éditions du Seuil dus à Jean-Pierre Azéma et Jean-Pierre Rioux. Cette bibliographie, nécessairement succincte comme le voulaient les règles du mensuel destiné à un large public, attestait la situation de transition dans laquelle on se trouvait du point de vue historiographique.

Que la phase fût transitoire, on avait pu le mesurer à l'occasion d'une journée d'études réunissant en novembre 1980 les correspondants départementaux du désormais défunt CH2GM. Robert Frank y intervint pour tracer des perspectives de recherche qui disaient bien qu'une nouvelle ère s'ouvrait. Il posait notamment la question de « savoir si l'histoire de notre temps présent n'a[vait] pas précisément besoin d'une histoire de la reconstitution mentale par notre mémoire collective des événements de 1939-1945[20] ». Significativement, il concluait son intervention en jetant une passerelle entre les deux organismes :

> L'histoire du temps présent ne peut pas se débarrasser d'un revers de main de l'histoire de la Deuxième Guerre mondiale ; celle-ci façonne encore largement notre paysage mental, social et politique. Non, le Comité d'histoire de la 2e guerre mondiale, ce n'est pas du passé[21].

En 1986, François Bédarida donnait à *Vingtième Siècle* un article fort important dont le titre disait à lui seul l'ambition : « L'histoire de la Résistance. Lectures d'hier, chantiers de demain. » Ce texte se présentait comme un état des lieux et, sous la plume du directeur de l'IHTP, avait valeur programmatique[22]. La tonalité d'ensemble en était assez bien résumée par l'appréciation suivante : « De toute part, le mythe envahit l'histoire[23]. » Et de poser une question essentielle : « Dans quelle mesure la moisson engrangée résiste-t-elle à l'épreuve du temps, de l'ouverture de nouvelles sources, des lectures historiques pratiquées par des générations plus jeunes, maintenant que la distance s'accroît par rapport à l'événement[24] ? » Appelant les chercheurs à mettre à profit le temps – nécessairement compté – pendant lequel ils pouvaient encore faire fond sur la rencontre avec les acteurs du phénomène qu'ils étudiaient, François Bédarida émettait le vœu qu'ils s'inscrivent « dans une perspective davantage problématique que commémorative[25] ». Il esquissait enfin une autre direction de recherche appelée à un bel avenir, celle de l'étude de la mémoire de la Résistance. Incontestablement, le fondateur de l'IHTP se faisait ainsi le truchement d'une nouvelle garde historienne qui, formée à ce qu'on appelait alors la nouvelle histoire, piaffait d'approfondir l'étude de la Résistance.

De fait, un des éléments les plus neufs de la réflexion menée par François Bédarida en 1986 résidait dans sa discussion de la définition même du concept de Résistance. Conçue, on l'a dit, dans les années 1950 par Henri Michel comme une lutte patriotique pour la libération de la patrie doublée d'une lutte pour la dignité de l'homme, contre le totalitarisme[26], présentée par Louis de Jong comme « tout acte s'efforçant d'empêcher la réalisation des objectifs de l'occupant national-socialiste[27] », la Résistance était définie par François Bédarida comme « l'action clandestine menée, au nom de la liberté de la nation et de la dignité de la personne humaine, par des volontaires s'organisant pour lutter contre la domination (et le plus souvent l'occupation) de leur pays par un régime nazi ou fasciste ou satellite ou allié[28] ». L'accent ainsi mis sur l'intérêt d'une conceptualisation marquait une inflexion forte dans l'historiographie de la Résistance et eut des prolongements fructueux dans les années qui suivirent[29].

Le passage du témoin entre le Comité et l'IHTP eut donc ceci de bon qu'il fournit l'occasion de marquer une pause pour réfléchir aux pistes de recherche à emprunter au terme de quarante années d'intense labeur. Les insuffisances et lacunes soulignées dans ces années 1980 étaient réelles. Il était d'autant plus utile de les analyser que l'histoire de la Résistance pouvait paraître, à des yeux non avertis, marquer le pas et pâtir d'une réévaluation profonde de ce qu'avait été le régime de Vichy. En réalité, les travaux scientifiques s'inscrivant dans une temporalité par définition lente, on verra sous peu que des recherches étaient en cours sur la Résistance – et sur le point de voir le jour –, qui répondaient aux souhaits formulés par le directeur de l'IHTP. Pour ce qui était de son domaine d'action propre, à côté d'un séminaire codirigé par Jean-Pierre Azéma et Dominique Veillon portant sur la Deuxième Guerre mondiale, c'est en 1983 que l'IHTP illustra le mieux le cours qu'il souhaitait voir prendre aux recherches sur la Résistance.

Daniel Cordier entre en scène

Le 9 juin 1983, une journée d'études tenue sous l'égide de l'IHTP réunissait dans le grand amphithéâtre de la Sorbonne « environ quatre cents personnalités, témoins et chercheurs mêlés[30] ». Placée sous la présidence d'Alain Savary, « Ministre de l'Éducation nationale, compagnon de la Libération », qui ouvrit la séance, elle était centrée sur une conférence de Daniel Cordier ayant pour thème « Jean Moulin et la genèse du CNR ». Prenant la parole après le ministre, Maurice Godelier, directeur du département des Sciences de l'Homme et de la Société au CNRS, rappelait une autre genèse, celle de l'IHTP, concepteur et ordonnateur de la journée, en même temps que les tâches qui lui avaient été assignées. L'anthropologue allait plus loin, précisant :

> Je voudrais vous dire que c'était un défi de créer un tel Institut car souvent l'on considère qu'il faut du recul pour constituer l'histoire comme science. De fait cet Institut représente un enjeu très important dans la pratique de la recherche : il démontre que celle-ci n'appartient pas seulement aux chercheurs, mais aussi aux témoins d'une époque. L'IHTP pratique donc une recherche qui ne reste

> pas enfermée dans le cadre de l'université ou du CNRS puisqu'elle implique les acteurs historiques pris dans toutes les composantes de la nation. Par là il témoigne aussi qu'il existe des points d'intersection où s'abolit le cloisonnement des disciplines. Comme l'ethnologue ou le sociologue, l'historien du temps présent n'hésite pas à aller interroger les individus et à interpréter leur témoignage. Cette fusion des méthodes constitue l'originalité de cet Institut, mais montre aussi la difficulté d'une entreprise que nous ne pouvons réussir qu'ensemble, chercheurs et acteurs du temps présent[31].

Conférer à l'IHTP pour originalité de s'assurer le concours des témoins, c'était aller vite en besogne et reléguer aux oubliettes le Comité, pourtant mentionné par Maurice Godelier. Président du comité de direction de l'IHTP, René Rémond, qui coiffait la table ronde organisée à l'issue de la conférence de Daniel Cordier, prit soin, quant à lui, de préciser, dès qu'il eut la parole, que l'IHTP tenait « à honneur de poursuivre le travail exemplaire poursuivi pendant trente ans par le Comité d'histoire de la Deuxième Guerre mondiale sous l'impulsion d'Henri Michel[32] ». Précision qui dut mettre du baume au cœur de ce dernier, présent dans la salle[33]. Quant à l'affirmation de Maurice Godelier selon laquelle la pratique de la recherche n'appartenait pas seulement aux chercheurs, mais aussi aux témoins d'une époque, le moins qu'on puisse en dire est qu'elle posait un véritable problème. En tous points conforme à la doctrine portée pendant trente ans par Lucien Febvre, puis par Henri Michel, elle ne reflétait pas la conception en passe de devenir dominante à dater de ce début des années 1980. Pour preuve, l'organisation même et la teneur des débats de cette journée d'études. La conférence prononcée par le compagnon de la Libération Daniel Cordier, qui ne revendiquait pas le statut d'« historien professionnel[34] » mais déclarait posséder « les archives de Jean Moulin[35] » en sa qualité de collaborateur direct, en constituait, on l'a dit, le pivot. Conviés pour l'occasion, des acteurs de la clandestinité à son plus haut niveau – Claude Bourdet (Combat), Eugène Claudius-Petit (Franc-Tireur), Fernand Grenier (PCF), Jean-Pierre Levy

(Franc-Tireur), André Manuel (BCRA), Daniel Mayer (SFIO) et Christian Pineau (Libération-Nord) – avaient pour emploi de débattre à partir de l'exposé de l'ancien secrétaire de Jean Moulin. Quant aux historiens Claire Andrieu, Jean-Pierre Azéma, François Bédarida, René Hostache, Henri Noguères et René Rémond, ils étaient censés relancer le débat par des questionnements ou l'éclairer de quelques remarques. Claire Andrieu[36] et René Hostache[37] avaient travaillé à partir de sources de première main sur le CNR, objet de la communication de Daniel Cordier. Jean-Pierre Azéma était présent en tant qu'auteur de « la mise au point la plus récente sur les années qui vont de Munich à la Libération[38] ». Quant à Henri Noguères, s'il avait été résistant dans les rangs du mouvement Franc-Tireur et du Comité d'action socialiste, c'est au titre d'auteur principal d'*Histoire de La Résistance en France de 1940 à 1945* qu'il avait été invité.

Reprenant la parole au terme de la conférence de Daniel Cordier, Alain Savary, pressentant l'orage, concluait la première partie de la journée sur ces mots :

> Peut-être apparaîtra-t-il qu'il est plus facile de faire l'histoire, que de l'écrire ou de la commenter[39].

Afin d'ordonner la confrontation, François Bédarida proposait une discussion autour de cinq thèmes élaborés de conserve avec Jean-Pierre Azéma. Tout de suite, Henri Noguères fit valoir que, n'ayant pas connu Jean Moulin, il croyait avoir fini par « bien le connaître » en travaillant la période et ne l'avait pas « entièrement reconnu[40] » dans l'exposé de Daniel Cordier. Son Moulin à lui était plus résistant que préfet, plus politique que militaire. Surtout, il jugeait que Daniel Cordier avait fait la part trop belle à la Délégation générale et minimisé l'apport des mouvements. Mesuré comme à l'accoutumée et apte à prendre de la hauteur, Jean-Pierre Levy n'en souscrivait pas moins aux observations critiques de Noguères, ajoutant que la Résistance que peignait Cordier était « désincarnée et bureaucratique[41] ». Selon lui, le caractère humain et difficile du combat que menaient les clandestins était absent de l'exposé de Cordier. Tout cela, au fond, reprenait un schéma assez classique des rencontres entre acteurs et historiens, dans la continuité des regrets formulés par Pascal Copeau lors du colloque sur la libération de la France tenu en 1974.

L'intervention de Christian Pineau fut plus rude. Estimant que Daniel Cordier lui avait prêté des propos qu'il ne pensait pas avoir tenus et l'avoir mêlé à une action qui n'avait pas été la sienne, il en appelait à l'IHTP, souhaitant que

> toutes les fois qu'un membre important de la Résistance se trouve concerné, il aille devant cet Institut s'expliquer avec celui qui l'a mis en cause, et que l'on compare éventuellement leurs documents respectifs[42].

Eugène Claudius-Petit n'était pas plus amène :

> J'avais ce matin le sentiment que la Résistance était jugée par l'administration de la Résistance ; autrement dit, que les mouvements, qui étaient sur le terrain, étaient en quelque sorte jaugés et évalués par les administrateurs[43].

Et de poursuivre :

> [...] pour que ma réflexion irrévérencieuse aille jusqu'au bout, pourrais-je me permettre de dire, surtout après la magnifique énumération si bien réglée, comme un bon universitaire sait le faire, de notre ami Bédarida, que j'avais le sentiment que nous allions aujourd'hui, cet après-midi, maintenant même, être je ne dis pas jugés, mais appréciés par les universitaires. C'est pourquoi il est nécessaire qu'il y ait des prolongements à cette table ronde, parce que nous en avons, des choses à dire !... d'autant plus que nous nous sommes retrouvés[44].

Chacun à sa façon et pour des motifs différents, Claude Bourdet, Daniel Mayer et Fernand Grenier furent nettement moins critiques vis-à-vis de Cordier, les deux premiers saluant même l'aspect novateur de son intervention. Reprenant la parole pour répondre à ses détracteurs, ce dernier jugeait l'intervention de Christian Pineau « inacceptable[45] ». Aux faits contestés par le chef de Libération-Nord, Cordier opposait des pièces d'archives qu'il citait longuement. En ce qui concerne Noguères, il fut tout aussi tranchant :

> [...] j'espère ne pas choquer quelqu'un qui n'a pas connu Jean Moulin, en lui disant que je ne suis pas étonné qu'il ne l'ait pas, ce matin, reconnu[46].

Christian Pineau n'étant pas homme à se tenir aussi aisément pour battu revint à la charge. Il déplora qu'il pût « exister quelque part des archives inconnues[47] ». Contestant énergiquement les écrits et le rôle que Cordier lui avait attribué, il formulait une requête :

> [...] je demande à l'Institut d'histoire du temps présent de bien vouloir nous convoquer les uns et les autres et de sortir les archives. Ce qui importe pour les historiens, ce n'est pas la discussion entre Cordier et moi, mais c'est de savoir quelle est la valeur des archives sur lesquelles ils vont travailler[48].

Laissons-là les passes d'armes qui suivirent pour nous arrêter un instant sur deux points. En premier lieu, on aura constaté que l'acteur Cordier, dès lors qu'il réfléchissait et parlait en historien, désarçonnait ou contrariait – dans les deux sens du mot – ses camarades résistants. En l'occurrence, le fait d'avoir vécu la clandestinité ne lui était, à leurs yeux, d'aucun secours. Trop désincarné, selon certains, son exposé témoignait aussi d'une forme de vision et d'engagement qui portait la marque d'un ancien de la France libre. Eugène Claudius-Petit le disait le plus nettement :

> Daniel Cordier nous a beaucoup appris, mais je regrette que tous ces renseignements aient été de temps à autre émaillés de jugements portant sur des choses dont il n'est pas évident qu'il les ait parfaitement connues[49].

En un sens, Daniel Cordier ne tenait pas un autre langage lorsqu'il disqualifiait les remarques d'Henri Noguères par la saillie cinglante visant à souligner que ce dernier n'avait pas personnellement connu Moulin. L'argument, du point de vue historique, n'était pas d'une solidité à toute épreuve. Cordier et ses opposants se renvoyaient ainsi à la face leur méconnaissance de certains pans de l'action résistante. Trop fin pour ne pas sentir combien cette position était susceptible de nuire à la crédibilité de sa démonstration, Daniel Cordier rejetait de lui-même, dans le cours de cette même discussion, les éléments de connaissance qu'il pouvait tenir de sa fréquentation de Jean Moulin :

> Je connais évidemment ce que Jean Moulin pensait du Front national, mais mon témoignage n'a aucune valeur particulière. Par conséquent, il faut se référer aux documents[50].

On voit bien que, dans cette confrontation, tout en faisant appel aux acteurs-témoins, c'est le rapport entre les témoignages d'une part, les documents d'autre part, qui se situait au cœur des débats. Or Daniel Cordier, acteur-témoin lui-même, discréditait la valeur des témoignages, tentant d'amorcer de la sorte un tournant néo-positiviste extrêmement important dans l'historiographie de la Résistance.

C'est ici qu'intervient le deuxième enseignement majeur de cette journée. Impuissants à mettre leurs souvenirs respectifs en harmonie et récusant les pièces d'archives produites par d'autres, les acteurs-témoins tentaient d'ériger les historiens, en l'espèce l'IHTP, en médiateurs, leur conférant par là même une importance inédite. René Rémond relevait d'ailleurs ce phénomène en faisant preuve d'une prudence qui apparaît pleinement justifiée avec le recul :

> Les historiens sont un peu accablés par la responsabilité que les témoins leur assignaient. Ils ne sont pas certains d'être un tribunal, sauf d'étendre à l'histoire l'incertitude des décisions de justice, et la fragilité des jugements humains. Néanmoins, ils ont entendu l'appel qui leur était adressé, ils ne s'y déroberont pas. D'autres rencontres sont d'ores et déjà prévues qui s'attacheront à cerner tel ou tel des points soulevés cet après-midi[51].

Sur le fond, le soutien manifesté, lors de la journée, par Jean-Pierre Azéma[52] et René Hostache[53] à Daniel Cordier, la publication des actes, assortie d'une préface élogieuse de François Bédarida et d'une édition intégrale de l'étude de Cordier, « très documentée et entièrement inédite, appuyée sur un ensemble de 268 notes et accompagnée de sept annexes documentaires », tout cela adoubait l'ancien secrétaire de Jean Moulin comme historien.

Même élogieuse reconnaissance sous la plume conjointe d'Éric Conan et Daniel Lindenberg dans le numéro d'*Esprit* en partie consacré à la Résistance en janvier 1994 :

> Il était peut-être nécessaire que cette rupture, que n'avaient pas osée les universitaires, vienne d'un acteur historique, fait Compagnon de la Libération par le général de Gaulle. L'homme de confiance de Jean Moulin aura finalement bousculé le premier les récits commémoratifs. Refusant d'ajouter un exemplaire à cet empilement de souvenirs et de mémoires dont il a établi l'imprécision, voire la fausseté, Daniel Cordier est devenu un scientifique. Reconnu comme l'un des leurs et soutenu par nos meilleurs historiens (en particulier Jean-Pierre Azéma), se conformant aux règles du travail historique et n'accordant aucune valeur intrinsèque aux témoignages (et à ses souvenirs), il a fondé ses recherches uniquement sur les archives. Alors que pendant des années des historiens invoquaient l'absence d'archives sur la Résistance, Daniel Cordier a retrouvé, exhumé et publié une masse énorme de documents aussi essentiels qu'inédits[54] !

Dans ce même numéro, Pierre Laborie faisait entendre une voix dissonante, caractérisant la démarche de Cordier comme « à la fois iconoclaste et pétrie de fidélité[55] ».

De quelque façon qu'on caractérise le travail de Daniel Cordier, son intrusion tonitruante de 1983 semblait marquer un infléchissement notable. Un paradoxe de plus à mettre au compte du parcours accidenté de l'historiographie de la Résistance : c'est à un acteur mué en témoin, puis transformé en historien qu'il revenait de sonner la charge contre une vision suspectée de faire trop grand cas des témoignages. Cornaqué par Jean-Pierre Azéma, épaulé par l'IHTP, Daniel Cordier tenait cependant un langage auquel sa radicalité doctrinale conférait une forte singularité. Quel historien aurait pu, quel historien aurait souhaité, dans ces années 1980, faire l'économie des témoins en décrétant seuls fiables les documents écrits ?

La posture était aux antipodes du *credo* constitué – et

répété – dans le sillage du prestigieux Lucien Febvre à partir du tout début des années 1950. Elle avait ses limites, qu'on ne tarda pas à toucher du doigt lorsque Daniel Cordier publia les deux premiers volumes de sa biographie de Jean Moulin en 1989[56]. Une lecture attentive des sources mises en œuvre dans ce travail abouti prouvait que l'auteur utilisait, quand les documents lui faisaient défaut, des témoignages oraux puisés dans la précieuse série 72 AJ des Archives de France, celle-là même qui abritait les récits recueillis de la bouche des acteurs à partir de 1945. Par ailleurs, Daniel Cordier terminait la longue introduction qui condensait la matière de la série d'ouvrages à venir par une métaphore qui ne manqua pas d'attirer l'œil de ses lecteurs :

> Ce passé encore si vivant, pour moi, m'apparaît maintenant comme l'improvisation d'un orchestre de jazz, dont les instruments auraient été perdus et dont une grande partie de l'enregistrement aurait été détruite.
> Ce passé qui était parcouru d'enthousiasme brûlant, de dévouement sans calcul, ressemble à un concert joué une seule fois, et que les spécialistes s'efforcent de reconstituer avec des bribes de documents ou de témoignages. Au terme de leur enquête, peut-être découvriront-ils le nombre et la qualité de l'assistance, la composition de l'orchestre ou le genre de musique exécutée.
> Mais quelles que soient leur patience et l'exactitude de leurs recherches, jamais plus personne ne percevra dans cette musique la sensibilité particulière des musiciens et de leurs instruments, ni la richesse de sa mélodie et la complexité de son harmonie, tel que, « ce jour-là », elle fut exécutée. Tout au plus pourra-t-on tenter la transcription, plus ou moins exacte, des partitions, mais le déchiffrement de chacune d'elles juxtaposée ne restituera jamais la minute exceptionnelle de leur fusion rythmée. Seuls ceux qui y auront assisté conserveront dans leur tête la plénitude des improvisations de ce concert, sans être capables, à cause de leurs souvenirs déformés et de leur vocabulaire impuissant, de faire partager leur plaisir, figé à jamais dans leur mémoire solitaire[57].

C'était bien l'acteur qui faisait ici le constat de la distance irréductible entre mémoire et histoire et posait le diagnostic de l'écart entre une époque telle que ses protagonistes peuvent en conserver le souvenir, nécessairement « déformé » mais vivace, et ce qu'on peut parvenir à en dire. Tous les efforts du monde n'y peuvent rien ; les historiens ne sont pas en mesure de ressusciter le passé évanoui dont ils scrutent les traces, tout comme les acteurs sont impuissants à livrer la pleine substance de ce qui a été leur vécu personnel. Les uns et les autres sont logés à la même enseigne ; ils ne peuvent que tendre vers une intelligibilité qui ne se conçoit pas sans un « reste » comme dans ces divisions qui ne tombent pas juste. Il est remarquable que Daniel Cordier ait livré ce constat au seuil d'un projet à visée scientifique sans y renoncer pour autant et même en s'y attelant avec la foi du charbonnier.

Écrire au confluent de l'histoire et de la mémoire

En ne laissant à personne le soin de retracer la biographie de son patron en Résistance, Daniel Cordier tablait sur les archives dont il était détenteur et qu'il estimait pouvoir décrypter mieux que quiconque en raison de la connaissance intime et directe qu'il avait acquise dans la clandestinité. L'acteur s'était fait historien sans oublier pour autant sa qualité première. En faisant siennes les méthodes des historiens, en les appliquant avec une rigueur draconienne, très supérieure aux normes usuellement admises, il n'abdiquait pas – l'aurait-il pu ? – sa condition d'acteur et d'homme de confiance de Jean Moulin. On devait le voir avec plus de netteté encore quand parut en 1999 *La République des catacombes*, synthèse en un volume unique de ses recherches. Entreprenant de démêler l'écheveau des arrestations de Caluire du 21 juin 1943, il avertissait :

> Parmi les différents témoignages d'un même acteur, j'ai adopté la version qui me semblait le plus plausible selon ma propre expérience de la Résistance. Nous avions en commun une manière d'être, une façon de vivre les problèmes de la clandestinité qui m'ont guidé dans le choix de telle ou telle version[58].

Plus intéressante encore était la mise en scène de l'opposition entre Pierre Brossolette et Jean Moulin, une des clefs de l'ouvrage. Tout en saluant Brossolette entré dans la mort délibérément pour ne pas parler, Cordier en dressait un portrait accablant. S'il concédait qu'il y avait de la « noblesse » dans certaines de ses prises de position, c'était pour les juger tout aussitôt « politiquement suicidaires ». Ne manquant jamais de montrer les insuffisances et les suffisances d'un Brossolette dont il faisait l'antithèse de l'homme d'État Moulin, Cordier risquait une formule assassine : « Prométhée n'avait pu rivaliser avec Richelieu. » Il y avait sûrement quelque injustice à présenter Brossolette, cacique de sa promotion à la rue d'Ulm, journaliste de talent, qui sut caractériser et célébrer le combat de la clandestinité dans des textes inégalés, comme un éternel second. La comparaison elle-même laissait songeur : est-il bien sûr qu'un cardinal-Premier ministre éclipse un héros de la mythologie[59] ? Le traitement du cas Brossolette n'était pas unique : Frenay, d'Astier, André Philip, dont il stigmatisait au passage telle « pitoyable » remarque, le colonel Passy et beaucoup d'autres n'étaient pas mieux lotis. Ils avaient en commun d'avoir été, à un moment ou à un autre, en opposition avec Moulin.

En prenant position fortement, rudement parfois, Cordier démontrait, à sa façon, combien le « brandon incandescent tiré de cette fournaise de la Résistance qui [les] dévorait tous » brûlait encore. Et c'est bien cette passion intacte qui lui inspirait quelques-unes de ses plus belles pages, sans rien ôter au « labeur incessant d'une reconstitution chronologique fondée sur des archives » qui commande le respect.

La même passion lui faisait regretter qu'« en mettant la mémoire de leurs gestes en lambeaux, les résistants aient trahi le souvenir de la Résistance ». Le propos n'était pas celui de l'historien mais celui de l'acteur des luttes de ce temps. Dans cette tension entre la rigueur corsetée de l'historien et la fougue de l'acteur, qui courait à travers tout le travail de Daniel Cordier, résidait le trait le plus singulier d'une œuvre intelligemment située au confluent de l'histoire et de la mémoire.

L'apport majeur de Daniel Cordier aura précisément tenu à son statut particulier. N'ayant pas été formé dans le giron de l'université, ayant résolu, notamment avec l'aide de Jean-Pierre Azéma, de se faire historien, il aura tout de même agi en franc-tireur, c'est-à-dire sans assimiler dans le cours d'une scolarité ordonnée les interdits et croyances que partage sans toujours y prendre garde une communauté pour laquelle l'apprentissage par imprégnation et imitation joue un grand rôle. Il aura ainsi remis en cause des certitudes bien établies, prouvant que les archives étaient plus abondantes qu'on ne cessait de le dire depuis quarante ans, retournant aux textes originaux de la clandestinité sans se satisfaire d'éditions expurgées publiées après la guerre, renversant la primauté des témoins au profit des sources écrites d'époque, ce qui équivalait à prendre le contre-pied d'une tradition récente mais forte, de Lucien Febvre à Henri Noguères. Ces apports étaient en germe dans la conférence prononcée en juin 1983, qui marqua, de ce fait, un jalon important. Il ne fut pas seul de son espèce, celle des acteurs-témoins-historiens, à prendre ainsi rang dans l'historiographie de la Résistance.

Autre acteur-historien, Jean-Louis Crémieux-Brilhac capitalisait, en 1996, une précieuse expérience et de patientes recherches avec un ouvrage de premier ordre consacré à la France libre[60]. Périlleuse entreprise à coup sûr dont il ne dissimulait pas les embûches :

> La France libre, je veux dire la communauté des Français qui, à partir de juin 1940, se groupèrent hors de France autour du général de Gaulle, demeure un domaine réservé : comme un don du ciel, venu d'ailleurs, acquis une fois pour toutes et à préserver tel quel. Un objet de légende rehaussé par les célébrations de la Ve République qui ont, à juste titre, placé Jean Moulin et Leclerc au rang des gloires nationales. Une imagerie d'Épinal fixée par les *Mémoires de guerre* du général de Gaulle. Embaumée dans le linceul de pourpre. Intouchable. Autant la Résistance, qui mobilise le souvenir de tant d'acteurs surgis comme spontanément de notre sol, qui illustre tant de régions et s'honore de tant d'exploits, continue d'alimenter questions et études, autant la France libre reste un bloc, immuable comme la Révolution française le fut pendant un siècle pour les républicains. Enrichie seulement, de temps à autre, de quelques fioritures[61].

Par quelle face entreprendre l'ascension d'un pareil monument ? « Témoin quelquefois bien placé d'une partie des événements de cette période[62] », le Français libre Crémieux-Brilhac ne revendiquait pas d'avoir composé un livre neutre. Il concevait l'action de la France libre comme une histoire collective, dominée par de Gaulle mais nourrie d'initiatives individuelles qui avaient été le fait d'un peu plus de cinquante mille volontaires. Ne souhaitant pas établir « un palmarès d'exploits[63] », auquel la destinée de la France libre se fût bien prêtée, il entendait restituer l'esprit, les composantes, les époques et les multiples facettes d'un phénomène large. Dans cette optique, sa condition d'historien témoin lui semblait présenter un avantage sur celle du « pur manieur d'archives » :

> Le fait d'avoir vécu cette histoire et d'en avoir connu les acteurs lui donne une sensibilité particulière à ce que dissimule l'*événementiel*, en même temps que le souvenir irremplaçable de la *tonalité* des choses[64].

Était ainsi, une fois de plus, agitée la question de l'écriture de cette histoire, Jean-Louis Crémieux-Brilhac plaidant l'avantage d'être l'historien d'une aventure dont on avait été partie prenante. Que sa position, qui renvoyait à un débat vieux comme les tentatives d'écrire sur la Résistance, pût être discutée, nous le savons bien à ce stade de notre étude. Que l'assimilation des historiens à de « purs manieurs d'archives » pût prêter le flanc à la critique, c'est certain, et la formulation elle-même fait resurgir la querelle sur les aptitudes supposées des uns et des autres. Il est plus intéressant de relever qu'au fil des ans, avec un argumentaire identique, les acteurs n'ont jamais renoncé à la tenir bien qu'ils en aient connu les faiblesses, soulignées à l'envi par ceux qui la contestaient pour des raisons de principe. Plus de cinquante ans après la Libération, Jean-Louis Crémieux-Brilhac persistait donc dans cette voie. Il le faisait en ayant intégré et tenté de surmonter les objections des tenants d'une histoire pure et dure élaborée par des historiens professionnels. Semblable en cela à Daniel Cordier, il misait l'essentiel de sa démarche sur une exploitation maximale des archives écrites (françaises, anglaises, américaines, accessoirement russes), s'insurgeant au passage de la fin de non-recevoir obstinément opposée par l'amiral de Gaulle aux demandes de consultation des archives de guerre du chef de la France libre :

> Seul paraît l'expliquer le souci de maintenir dans une version *ne varietur* l'histoire mythique de la France libre. Raison de plus pour moi de vouloir en préciser les données[65].

La démarche parfaitement informée, pertinente et mesurée de Jean-Louis Crémieux-Brilhac ne l'empêchait pas *in fine* de lever un coin du voile sur les intentions qui l'avaient animé en tentant la gageure de retracer l'histoire de la France libre. En arrière-plan de ce défi, il y avait bien une tentative de rééquilibrage raisonné des rôles :

> Loin de moi de vouloir comparer les mérites de la France libre et de la Résistance intérieure, mais le temps arrive de reconnaître sans préjugés leur part respective ; chacune eut sa dette envers l'autre ; il n'est pas iconoclaste de rappeler que la Résistance n'aurait pas été ce qu'elle devint ni fait ce qu'elle fit sans la France libre à qui elle dut sa très relative unité et, grâce aux Anglais, ses moyens d'action, avec, comme terme, les troubles civils limités au minimum, l'État restauré et la démocratie renaissante[66].

Donner sa version des faits en la prenant pour colonne vertébrale d'études menées selon les règles de l'art, telle aura été, au fond, la réponse de Jean-Louis Crémieux-Brilhac et de Daniel Cordier à l'alternative apparemment irréductible : ou bien, témoigner en qualité d'acteur ; ou bien, écrire en historien. Tous deux ont réfuté ce choix, l'un en ayant fait ses premières armes d'historien dès les années 1950 dans le cadre du Comité et à son invitation, l'autre en opérant une reconversion tardive vers l'histoire à une date, la fin des années 1970, où le doute rongeait les vérités les plus établies. Tous deux ont pris la précaution épistémologique de progresser en s'interrogeant avec constance et probité sur leur situation singulière, ce qui équivalait à désamorcer les critiques qu'elle pouvait leur attirer. Que ces deux œuvres importantes aient vu le jour quand la phase pionnière des études résistantes était achevée, voilà qui signale combien cette période de tâtonnements fut, tout bien pesé, féconde. Plutôt que de rupture, comme cela a souvent été dit et écrit, on parlera donc à leur propos d'une maturation lente et irréversible. La solidité de leurs apports ne saurait cependant gommer la tension constitutive des relations entre acteurs et historiens dont leurs œuvres respectives sont l'expression. À la France libre dépeinte par un Henri Michel pourtant compréhensif est venue se substituer celle de Jean-Louis Crémieux-Brilhac ; la thèse envisagée un instant par Jean-Pierre Azéma sur Jean Moulin a cédé la place à la somme de Daniel Cordier. En 1974, Pascal Copeau, tout en les chapitrant, lançait aux spécialistes de la période :

> Que les historiens se rassurent, de toute manière, ce sont eux qui auront le dernier mot[67].

Est-ce si sûr ? En prenant date avec science et autorité, Crémieux-Brilhac et Cordier ont probablement retardé l'échéance. Ils ont surtout tenu à faire entendre haut et fort des tonalités, à donner à voir des coloris qu'on ne trouve pas d'ordinaire dans la besace des historiens. En leur prêtant leur concours, en relayant leurs voix, en les reconnaissant comme des leurs, ces derniers ont concouru à rendre possible ultérieurement des approches qui puissent combiner deux positions *a priori* incompatibles. Seul l'avenir dira ce qu'il adviendra de cette combinaison originale. Durera-t-elle au-delà des derniers acteurs ? Déteindra-t-elle sur les écrits à venir ? Pour l'heure, elle est au nombre des possibilités existantes[68]. C'est un atout parce que les témoins ont à nous dire des choses que nous devons savoir entendre, prendre en compte et méditer. Il faudrait sur ce point pouvoir s'inspirer de la réflexion de François Maspero en quête d'éléments sur la Résistance, la déportation et la mort de son père :

> On peut discuter sans fin sur la valeur des témoins qui se font égorger pour être crus. Sur leur héroïsme. Plus modestement, on peut au moins faire en sorte qu'il y ait le plus de témoins possibles qui puissent avoir la parole, et que ceux-ci n'aient pas besoin d'être prêts à se faire égorger

> pour être crus. Ni moins encore d'être égorgés. Parce que dans cette affaire la mort est toujours une défaite, quels que soient ensuite les éloges funèbres[69].

Permanences et changements des témoignages

De manière significative, l'évolution que nous venons de décrire se retrouve, au cours de ces années, dans le domaine du témoignage pur, c'est-à-dire de ces récits qui, sans prétention historienne, voudraient fixer un peu de réalité clandestine à l'état pur. De façon de plus en plus insistante, s'y affirme la conscience d'une nécessité absolue de porter témoignage en raison même de la trace ténue et insuffisante qu'il laisse. La préoccupation exprimée en 1973 par Henri Frenay, quand il expliquait pourquoi il se décidait à écrire, demeure, poussée à un degré exacerbé, au fur et à mesure que s'éloignent le temps et le souvenir de l'expérience clandestine. La volonté de plus en plus affirmée de fixer un passé qui s'évanouit se fait jour.

Parmi une foule d'autres, il n'est que de lire le témoignage livré en 2002 par Robert de La Rochefoucauld. N'ayant jusqu'alors jamais ressenti le besoin d'évoquer publiquement ces temps révolus, il finissait par s'y résoudre pour une raison qu'il formulait de façon limpide :

> Puis, justement, je me suis aperçu que l'oubli gagnait du terrain, qu'il en gagnait trop et trop vite, qu'il allait bientôt tout recouvrir. Non pas les faits majeurs, bien entendu, formellement consignés, attestés et garantis pour l'éternité ou presque, mais la façon dont nous les avons vécus, dont nous avons, sur le moment, sur le terrain, ressenti et compris la marche du monde, à travers ce que nous pouvions en voir, à la mesure du champ ouvert à notre action. J'ai eu l'impression que quelque chose allait se perdre et que, d'une façon ou d'une autre, cette perte allait rendre encore moins intelligible une séquence de l'Histoire qui ne l'est déjà pas trop[70].

La conviction que chacun était dépositaire d'une parcelle de réalité clandestine poussait donc les acteurs les plus taciturnes à abandonner leur réserve. C'est bien le vécu intime qu'il s'agissait ici de distiller, sans visée générale mais pour contribuer à une intelligibilité qui semblait se dérober sans cesse. La modestie du propos datait ces tentatives. Le temps n'était plus où les témoins se pensaient détenteurs de la vérité ; ils avaient désormais intériorisé les limites de leur expérience « à la mesure du champ ouvert à [leur] action ». C'était dorénavant dans ce périmètre borné de leur action que résidait, à leurs yeux, l'intérêt irremplaçable de leur témoignage. Leur vérité avait, en somme, changé d'échelle, non de degré. Elle était indispensable pour l'intelligibilité d'une aventure si éminemment complexe.

Parallèlement, chaque témoignage tentait toujours de signaler et de signer une présence. Tel était le cas de celui de Pierre-Henri Teitgen. Pionnier de la Résistance de zone sud, dirigeant de Liberté puis de Combat, avant de siéger au Comité général d'Études[71], ministre de la Justice à la Libération, haute figure du MRP, cet éminent juriste faisait précéder le texte de son témoignage en 1988 d'un avertissement :

> Les rôles que j'ai joués de 1940 à 1960 ne pouvaient faire l'objet de « Mémoires » ; il convient de réserver l'emploi de ce titre aux acteurs de premier rang.
> Je ne songeais évidemment pas à écrire une vingtième ou une trentième histoire des années dont il s'agit ; je devais m'en tenir à mes activités personnelles.
> Désireux au surplus de ne pas parler tout de go à la première personne, je préférais répondre à des questions qui me seraient posées.
> C'est pourquoi je présente ces souvenirs sous la forme d'une déposition devant une « Haute-Commission des recherches historiques » qui, bien sûr, n'a pas existé. Elle n'est qu'habileté qu'on me pardonnera, en sachant qu'elle m'a facilité les choses.
> Puis-je ajouter que, sottement, je n'ai jamais réalisé que le quotidien dans lequel je vivais deviendrait un jour de l'Histoire. N'ayant tenu ni journal, ni agenda, j'ai dû me fier souvent à ma seule mémoire ; il se peut donc que j'aie commis quelques confusions, quelques erreurs de date ou de lieu. Je m'en accuse et m'en excuse.

La manière dont il avait choisi de présenter ses souvenirs était diablement intéressante. Intitulé *Faites entrer le témoin suivant*, l'ouvrage revêtait la forme d'une déposition, selon le principe de réponses adressées à des questions successives, livrée à une « Haute Commission des recherches historiques ». L'ouvrage débutait par une intervention du président de cette commission imaginaire :

> Vous savez Monsieur le Ministre, que notre commission est chargée de recueillir le plus grand nombre possible de témoignages sur l'histoire, spécialement des années 1940-1970, en vue de faciliter la tâche de ceux qui, dans l'avenir, auront à l'écrire[72].

Présentée comme une « habileté » rhétorique, ladite commission rappelait étrangement le défunt CH2GM, y compris dans l'objectif que lui assignait Pierre-Henri Teitgen. Ce dernier ayant naturellement été entendu par les enquêteurs du Comité, on doit bien en conclure qu'il avait purement et simplement évacué de sa mémoire cette péripétie, ou alors qu'il ne lui prêtait pas une importance suffisante pour l'évoquer. Dans un cas comme dans l'autre, c'était un piètre hommage rendu à une instance que certains de ses amis avaient pourtant soutenue avec une belle constance.

Sa qualité de juriste suffisait-elle à expliquer cette curieuse idée de donner à son récit la forme d'une déposition en bonne et due forme devant un organisme siégeant solennellement ? On peut en douter. L'artifice permettait à la fois d'insérer dans le cours du récit des pièces d'archives, ce qui en garantissait le sérieux, et de lui conférer une gravité certaine. Une façon comme une autre de signifier au lecteur que le bouillant Teitgen n'était pas guidé par son humeur, ses inimitiés ou ses foucades, mais par une exigence de vérité. La chose était d'autant plus nécessaire que c'était bien, par son truchement, le courant démocrate-chrétien qui tentait de se rappeler au bon souvenir des Français. L'avant-propos signé du président-directeur général d'Ouest-France, éditeur de l'ouvrage, ne laissait pas le moindre doute sur ce point :

> Ce livre est l'histoire d'un courant de pensée qui rassemble, dans un même mouvement, chrétiens et démo-

> crates décidés à concilier les exigences de la personne et de la cité, apparemment contradictoires mais en réalité indissolublement liées. Dans une époque difficile où devenaient possibles certaines révolutions, ce mouvement atteignit une efficacité exceptionnelle. Pierre-Henri Teitgen en fut l'un des grands artisans. Il en est aujourd'hui l'un des derniers témoins.
> Il fallait qu'avec sa fougue et sa flamme, avec sa fidélité et son enthousiasme, il témoignât[73].

Une postface d'Étienne Borne, en forme de plaidoyer pour que la morale démocrate-chrétienne retrouvât son lustre terni, confirmait le dessein qui sous-tendait la parution de ce témoignage d'un des chefs de la Résistance intérieure[74]. La petite dizaine de pages consacrée à la période d'avant-guerre renforçait encore la certitude que c'était bien la démocratie-chrétienne résistante qui témoignait par la plume d'un de ses dirigeants les plus qualifiés dans la clandestinité.

Il est vrai que l'ère de doutes inaugurée dans les années 1970 et le brouillage des mémoires gaulliste et communiste autorisaient tous les espoirs à ceux qui avaient éprouvé tant de difficultés à simplement rappeler leur existence jusqu'alors. Aussi ne devait-on pas être étonné de voir Alain Griotteray tenter, en 1985, de redorer le blason d'une droite dont l'ancien résistant qu'il était affirmait non seulement qu'elle avait été présente dans la lutte dès 1940 mais encore qu'elle en avait été le fer de lance. À travers une galerie de portraits de personnalités de premier ordre – d'Honoré d'Estienne d'Orves à Henri d'Astier de la Vigerie en passant par Marie-Madeleine Fourcade –, Alain Griotteray essayait là une impossible démonstration dont la seule idée eût été tout bonnement impensable quelques années auparavant[75].

Le même étrange sentiment de jamais vu prévalait déjà à la lecture de l'ouvrage de Roger Pannequin, *Ami si tu tombes*, publié en 1976. La mémoire communiste était, cette fois, « sérieusement chahutée[76] ». Cet ancien responsable FTP, arrêté trois fois, signait là un témoignage iconoclaste par sa méfiance envers un passé appelé à la rescousse des luttes politiques du présent :

> Les plus récents des souvenirs qui suivent auront bientôt trente ans. Allusives ou allégoriques, les références à cette période visent habituellement à justifier le présent en dénaturant le passé. On veut couramment faire croire que quelques hommes de génie, doués de prémonition, comprirent plus vite que tous, en 1940, le sens de l'Histoire ! De tels guides ne pouvaient être que des chefs déjà sélectionnés, déjà « en poste » : chefs militaires ou chefs politiques. Pourvus d'une intelligence supérieure, ils devinaient ce que ne pouvait pas voir la troupe. Eux pouvaient parler. Eux seuls. Lancer des appels pour éclairer le peuple aveuglé ! Allons, qui n'a pas son appel ? Demandez l'appel… ! De quand dites-vous ? Du 18 juin ? Voici le nôtre. Nous le daterons du 10 juillet ! Qui dit mieux ? Vous ne l'avez pas entendu ? Mais celui du 18 juin non plus ! Alors[77] ?

L'année suivante, l'ancien commandant en chef des FTP, Charles Tillon, bousculait à son tour, sans observer la même prudence que dans son précédent ouvrage dédié à l'histoire des FTP, la présentation convenue de l'histoire du Parti communiste dans la Résistance[78]. Il « formalisait la thèse des deux "lignes", voire des deux partis, opposant le "Centre" (surtout Duclos) fonctionnant comme un "courtier de la diplomatie soviétique" aux réflexes spontanément résistants par antifascisme de nombre de militants[79] ».

Ainsi donc, de tous bords, les témoins cessaient de se conformer aux modèles dominants et tendaient de plus en plus à donner de la réalité clandestine une vision autrement mêlée que celle qui avait eu cours jusqu'alors. Le bouleversement ne s'arrêta pas en si bon chemin. Ce fut bientôt le rapport entre acteurs et historiens qui commença d'être pensé autrement. Cette mutation fut portée et défendue avec une remarquable netteté par Philippe Viannay. Fondateur du mouvement de zone nord Défense de la France, toujours sur la brèche après la guerre pour ouvrir de nouvelles voies dans tous les domaines, Philippe Viannay avait été convié à un colloque sur la presse clandestine en 1985. Selon une formule bien rodée, historiens et acteurs s'y côtoyaient à la tribune. Dans l'impossibilité de s'y rendre pour des raisons de santé, il adressa aux organisateurs un message dont la teneur prenait à rebours les courants et les usages les plus établis :

> Nous entrons désormais [...] dans la période historique et je ne crois pas, dans cette perspective, que les acteurs survivants soient les mieux placés pour opérer les synthèses nécessaires. [...] Ce que diront et écriront ceux qui ont décidé de se pencher sur notre histoire, c'est cela qui désormais, concernant cette période de notre vie, m'intéresse. En définitive qu'avons-nous été ? Il appartient à d'autres que nous de le dire[80].

Publiant ses Mémoires trois ans plus tard, il persistait :

> [...] Je ne prétends pas parler pour les autres et porter des jugements sur la France au nom de la Résistance en général. Mon propos n'est pas non plus, en quoi que ce soit, de raconter par le menu ce que j'ai pu faire entre 1940 et 1944. L'heure n'est plus aux mémoires, aux plaidoyers ou aux fresques hâtives. Elle est à la science historique.
> Mon souhait est vraiment désormais, concernant cette période et le rôle que j'ai pu y jouer, de faciliter au mieux la tâche de ceux qui voudront sauver de l'oubli ou de la déformation ce que mes amis et moi-même avons pu accomplir dans ce cadre aux contours mal définis qui a été appelé la Résistance[81].

Pour qui a suivi pas à pas la genèse de l'historiographie de la Résistance, la position défendue par Philippe Viannay marquait un infléchissement de taille. Elle représentait l'aboutissement de glissements graduels qui avaient modifié le statut en même temps que la façon de voir des témoins. Non que Philippe Viannay exprimât une opinion couramment partagée parmi ses camarades, loin s'en fallait. Mais enfin, l'un des principaux responsables de la lutte clandestine tenait tout de même là un langage qui rendait visible une évolution sourde mais décisive.

La même réflexion critique avait dicté à Jean-Pierre Levy, chef du mouvement Franc-Tireur, la façon dont il avait conçu la rédaction de ses souvenirs, parus après son décès en 1998[82]. « Je n'ai jamais été bavard », écrivait-il comme pour s'excuser de s'être résolu, au soir de sa vie, à livrer ses Mémoires. Bel euphémisme de la part d'un des chefs les plus respectés de la Résistance dont la voix, profonde et grave, ne se faisait que rarement entendre. Constat lucide aussi : la pudeur et la modestie qui imprégnaient tout entier ce texte portaient sa marque. L'honnêteté intellectuelle, le désir d'authenticité, tels étaient les deux traits que Dominique Veillon, historienne de Franc-Tireur qui avait assuré l'appareil critique d'une édition soignée, relevait à juste titre chez son interlocuteur. Les tensions inévitables entre les points de vue de l'acteur et de l'historienne avaient été surmontées de la seule façon qui vaille : au prix d'un effort commun d'intelligence, avec le souci de restituer une période et une activité extrêmement complexes. Sans apprêt, ne cédant jamais au travers qui guette toute autobiographie, celui de donner une cohérence illusoire et une pose avantageuse à l'aventure incertaine d'une vie, Jean-Pierre Levy illustrait, jusque dans ce livre posthume sur son itinéraire, le nouveau cours pris par des témoignages tout à la fois passionnés et réfléchis.

Des acteurs mués en historiens rigoureux aux témoins devenus libres de leur parole en passant par ceux qui déclaraient tout miser désormais sur les travaux historiques, les choses ont singulièrement bougé ! Non décidément, le discours des acteurs-témoins n'aura pas été immuable de la Libération à la fin du siècle. Il n'aura jamais non plus été homogène parce que des textes d'époques différentes voisinent dans l'abondante production éditoriale relative aux témoignages. Concurremment aux mutations que nous venons de tenter de cerner, des rééditions réactualisent, en effet, régulièrement des témoignages portés par celles et ceux qui ont, sans désemparer depuis la Libération, œuvré pour sauvegarder la mémoire de proches, de compagnons d'armes ou de figures locales de la Résistance. Les ouvrages de Rose et Philippe d'Estienne d'Orves, Gabrielle Ferrières, Laure Moulin, Marie-Claire Scamaroni représentent excellemment cette continuité d'une action commémorative très tôt déployée[83]. L'émotion qui y affleure, les modes narratifs choisis ne constituent pas leur plus mince intérêt. Qu'on se reporte, pour s'en persuader, à ce *Gilbert Dru. Un chrétien résistant*, effort commun d'intelligence de Bernard Comte, Jean-Marie Domenach, Christian et Denise Rendu[84]. S'y trouvent conjugués approche historique, témoignages d'une amitié pétrie de fidélité et réflexion profonde sur la signification du sacrifice de cet étudiant en lettres, cheville ouvrière de la Résistance chrétienne dans le Sud-Est, abattu par la Gestapo à Lyon, place Bellecour, le 27 juillet 1944 avec quatre autres résistants. En filigrane, cet ouvrage, comme tant d'autres, pose une question redoutable : comment parler, en 1998 et au lendemain de la solennelle déclaration de repentance de l'Église de France, d'un jeune homme que les exigences de sa conscience amenèrent, il y a longtemps, à mourir en martyr ? Parce que l'entreprise qu'ils s'assignent est extrêmement difficile, parce que leurs auteurs le savent pertinemment, ce type d'écrit apporte beaucoup aux historiens. Il se signale aussi par les documents qu'il reproduit, tenu qu'il est d'incarner des êtres disparus corps et âmes dans le combat clandestin sans pouvoir porter témoignage. Il ne se limite pas à quelques grandes figures nationales ; il en a paru et continue d'en paraître partout. Pendant que nous préparions cet ouvrage, un courrier nous a été adressé par le secrétaire d'une association fondée sous le régime de la loi de 1901, intitulée « La mémoire de Rose Valland ». Son auteur y exprimait le vœu que, par le biais de notre livre, cette authentique résistante « soit enfin mise au grand jour et connue du grand public à la place qui est la sienne dans l'Histoire ». Attachée au musée du Jeu de paume depuis 1932, Rose Valland avait été chargée de sa conservation en 1941. À son poste, elle nota la désignation de toutes les œuvres qui prirent la route de l'Allemagne en même temps que la destination exacte des envois. Après la Libération, elle consacra une dizaine d'années à permettre le rapatriement en France de l'immense majorité des œuvres d'art pillées par les nazis. Le secrétaire de l'association créée pour perpétuer sa mémoire déplorait que trop de documents traitant de la Résistance soient déjà parus « en l'ignorant complètement ». Ce faisant, il ne faisait qu'exprimer un point de vue largement partagé par quantité de porteurs de mémoires locales, professionnelles ou partisanes. On ne saurait dire que les historiens sont restés sourds à ces revendications multiples.

Une tendance récente a, en effet, vu les historiens entreprendre la publication de textes émanant de clandestins, soit qu'ils aient été rédigés au cœur de l'action et exhumés au hasard de recherches, soit qu'ils aient vu le jour peu après les événements. Ces éditions, assorties d'appareils critiques imposants, sont le signe d'un intérêt accru pour la parole résistante[85]. C'est que si les témoins ont évolué depuis la Libération, les historiens n'ont pas échappé non plus à de fortes évolutions.

Une production universitaire en lente maturation

Il est difficile – et hasardeux – de découper la production des universitaires en périodes bien tranchées. À partir du moment où, sous l'impulsion du CH2GM, l'Occupation devint l'objet de thèses, la temporalité des études se régla sur la nécessaire lenteur qu'exige leur venue à maturité dans des conditions définies par de stricts usages. Le Comité officiellement disparu, il y eut en effet encore des retombées de l'action qu'il avait entreprise. Signant la préface de *La Résistance dans le Jura*, ouvrage publié par François Marcot en collaboration avec Angèle Baud, Henri Michel se faisait un malin plaisir de souligner le fait en 1985, alors que le Comité avait passé la main depuis plusieurs années :

> En préfaçant l'ouvrage que publient, en duo, Angèle Baud et François Marcot, je m'acquitte, imparfaitement, d'une dette envers eux. Tous deux ont fait partie, pendant des années, de la cohorte des 150 correspondants départementaux du « Comité d'histoire de la Deuxième Guerre mondiale », un groupement d'hommes et de femmes, alliant bonne volonté et esprit méthodique, sans précédent lorsqu'il a été constitué progressivement, et sans équivalent aujourd'hui, au sein d'un organisme exceptionnel, qui a disparu, sans laisser de successeur – les tâches et les avoirs du Comité ont été partagés[86].

Indépendamment du coup de patte à l'IHTP, le préfacier braquait le projecteur sur le rôle de formateur et d'aiguillon qu'avait rempli le Comité qu'il avait eu à charge de diriger. Il attirait également l'attention sur la relève générationnelle qui s'était opérée sous sa houlette :

> L'équipe qu'ils forment, en associant deux générations successives, est significative à en devenir symbolique. Angèle Baud a vécu la guerre, l'occupation, la Résistance ; sa famille a pris une large part à l'action clandestine ; elle a été lourdement frappée. Angèle Baud peut évoquer tous ces événements avec sa sensibilité de femme certes mais, plus encore, grâce à la connaissance intime, souvent douloureuse, qu'elle en a acquise ; c'est une partie de sa vie ; en rappelant l'œuvre de la Résistance, elle s'acquitte d'une dette envers ses proches et ses amis disparus ; c'est le même engagement qui, pour elle, continue.
> François Marcot appartient à la première génération qui a suivi la guerre, celle qui a toujours tendance à observer et à juger, d'un œil critique, le comportement de ses aînés. Le regard qu'il porte sur les événements n'est pas plus froid pour autant – il appartient aussi à une famille de résistants ; mais il a pris avec eux plus de distance ; ne les ayant pas vécus, il peut plus aisément faire le départ, dans la complexité touffue de la période, de ce qui est affectivement ressenti, avec ce que l'intelligence discerne comme étant, objectivement, important. Nos deux auteurs se complètent donc à merveille[87].

En intégrant à l'édifice commun du Comité le fruit des recherches menées conjointement par Angèle Baud et François Marcot, Henri Michel rappelait que l'historiographie de la Résistance n'avait pas démarré avec la décennie 1980. Inscrivant une cinquantaine de thèses de doctorat en tout à l'actif du Comité[88], il revendiquait une dynamique qu'il avait effectivement lancée et qui continuait à porter ses fruits.

Pour dire les choses autrement, s'il y eut, à dater des années 1980, un incontestable renouvellement des questionnements et des problématiques qui permirent d'élaborer une réflexion plus aboutie, ceux qui les portèrent avaient très souvent été initiés à la recherche sous l'égide du Comité. De la même manière que Cordier et Crémieux-Brilhac ne s'inscrivirent pas aussi fortement que cela a parfois été dit en rupture avec le type d'histoire qui les avait précédés, les historiens professionnels de la nouvelle génération des années 1980 profitèrent du lent mûrissement à l'œuvre depuis des décennies, et singulièrement depuis la fin des années 1960. Ils tirèrent également parti de l'émergence d'une réflexion sur l'historiographie en général qu'on ne vit pas poindre avant l'ère des remises en cause de la décennie 1970. En 1965, Jean Glénisson pouvait encore souligner « l'indifférence que manifeste l'école française dans sa quasi-totalité pour l'histoire de l'histoire[89] » et noter l'« absence fondamentale de débat interne qui caractérise avant tout, au moment présent, la réflexion des historiens universitaires sur la discipline qu'ils cultivent[90] ». Cet état de choses relevait déjà, au moment où Jean Glénisson le décrivait pour le déplorer, du passé ; la discipline historique commençait à s'interroger sur ses pratiques et ses problématiques, sans plus se contenter de prendre l'histoire « positiviste » pour « cible et objet de sarcasmes[91] ». Il s'ensuivit une éclosion d'approches novatrices dont l'histoire de la Résistance bénéficia évidemment.

Ce fut d'autant plus le cas qu'une nouvelle génération d'historiens, trop jeunes pour avoir pu être acteurs ou nés après la guerre, était en train d'émerger. La tentation est forte d'en déduire mécaniquement que la Résistance aurait cessé d'avoir un statut particulier, ces jeunes pousses se donnant pour vocation d'en démythifier l'histoire en raison même de la distance que leur aurait donné leur âge. La réalité était plus complexe. L'attachement à la Résistance ou, à tout le moins, une conscience aiguë de ses spécificités continuèrent à jouer. La dédicace de l'ouvrage que Charles-Louis Foulon consacra en 1975 aux commissaires de la République[92] était à cet égard parlante :

> À la mémoire de Louise Foulon-Ropars,
> infirmière d'un maquis en 1944.
> À Charles Foulon, secrétaire général d'un CDL.
> Leurs luttes et leurs espoirs communs inspirent cet essai.

Cette dédicace avait le grand mérite d'exposer au grand jour une réalité qu'on aurait tort de sous-estimer : la relève générationnelle que nous avons évoquée n'était nullement synonyme d'une vision de l'histoire qui eût été dépassionnée. Nombre de ceux qui s'y consacrèrent avaient des raisons personnelles de le faire. Si cette implication n'avait pas à être mise en avant et n'apparut, de fait, qu'au gré de ces sobres dédicaces ou pudiques remerciements qui parsèment thèses et ouvrages, elle était souvent forte. La génération des acteurs-historiens n'a pas eu le monopole d'une approche teintée de sympathie. Néanmoins, ses cadets avaient suffisamment lu et observé pour tenter de se prémunir contre une histoire qu'ils auraient écrite avec leurs sentiments personnels. Le choix d'un champ par les historiens doit rarement, on le sait bien, tout au hasard, des inclinations familiales et personnelles jouant fréquemment un rôle déterminant à défaut d'être toujours conscient : « [...] là comme ailleurs, le hasard a sa face cachée et, dans ses détours, le cheminement d'une œuvre obéit aussi à une nécessité interne[93] ». Le fait ne vaudrait donc pas d'être signalé s'agissant de la Résistance si la présence et le discours des acteurs n'avaient, dès l'origine, posé de façon insistante la question du rapport personnel que tout un chacun entretenait avec cette histoire-là.

Une approche historienne renouvelée

Ces réserves posées, qui ne visent qu'à éviter les pièges d'un déterminisme générationnel sujet à caution, il est indéniable que le ton et la substance des travaux menés à bien par la nouvelle génération des années 1980 se distinguèrent de ceux qui les avaient précédés. Le trait le plus frappant de ce renouvellement fut une nette tendance à insérer le phénomène de la Résistance dans une vision globale. Ainsi des thèses soutenues par Jacqueline Sainclivier sur le département d'Ille-et-Vilaine[94], Monique Luirard sur la région stéphanoise[95] et Pierre Laborie sur le département du Lot[96]. Des analyses sociologiques très neuves de Jacqueline Sainclivier au patient travail de décorticage des mécanismes régissant et forgeant l'opinion de Pierre Laborie, il s'opérait un saut qualitatif porteur de bouleversements conceptuels à venir. Le propos de Pierre Laborie allait, dès 1980, très au-delà du cadre du département du Lot :

> Les problèmes soulevés par les attitudes des Français sous Vichy et l'occupation exercent ainsi une sorte de fascination, engouement exploité par les media et alimenté par une littérature dont les motivations sont souvent éloignées des objectifs de l'histoire. Des représentations mentales se sont installées et ces images simplifiées ou déformées tiennent trop souvent lieu d'argumentation. La sortie d'un film ou la parution d'un livre enclenchent le processus habituel : on parle, on écrit et on juge beaucoup, chacun exerce sa liberté d'appréciation mais nous ne disposons toujours pas d'un ensemble cohérent de travaux consacrés spécifiquement à l'analyse des variations de l'opinion pendant les années de guerre. C'est une situation paradoxale à laquelle il faudrait tenter de mettre un terme[97].

Sous sa plume se déployait une interrogation introspective, assez inhabituelle encore à cette date, qui prouvait que l'on cessait de tourner en rond à la poursuite d'énigmes sans solution pour tenter de théoriser les problèmes auxquels on devait s'affronter. Significativement, les outils mêmes qui avaient été mis en œuvre pour sa recherche étaient utilisés par Pierre Laborie pour mettre au clair ses position et implication personnelles :

> L'histoire est inséparable de l'émotion et il est vrai que ce travail s'est révélé passionnant. Trop peut-être, dans la mesure où le Lot semble bien appartenir à cette France dont « certains repas ne se terminent pas dans la convivialité, pour peu que la conversation ait roulé sur Pétain et la Résistance[98] ». Si nous avons eu le souci permanent d'expliquer au lieu de condamner, il n'était manifestement pas possible de nous cantonner dans la position d'un observateur totalement extérieur et désintéressé. Il serait illusoire de le laisser croire[99]. De la même façon, il était difficile de faire abstraction de tout un environnement marqué par des perceptions enfouies depuis l'enfance et influencé par une formation rejetant l'idée d'une Résistance réduite à des manifestations de terrorisme aveugle. Enfin et en raison de nos racines querçynoises, il est vraisemblable que nous n'avons pas su toujours prendre le recul suffisant pour juger les comportements des Lotois avec le détachement nécessaire. À défaut d'atteindre une

> objectivité sans faille qui constitue un objectif bien ambitieux dans un domaine où tant de doutes subsistent, ce livre veut rechercher l'équité par une démarche critique, à l'opposé d'un esprit partisan.
> Au-delà des éléments de réflexion que cette tentative pourra éventuellement apporter, il faut ajouter que nous considérons comme un privilège d'avoir pu rencontrer des hommes qui ont accepté de nous faire partager leurs convictions, leurs émotions, parfois leurs souffrances et pour certains, aujourd'hui leur désenchantement[100]...

C'est dans ce contexte que, prenant appui sur ces études récentes, Jean-Pierre Azéma proposa au public en 1979 une ample synthèse portant sur l'histoire de la France de Munich à la Libération qui tordait le cou à nombre d'idées reçues et traduisait avec une remarquable clarté le cours nouveau d'une recherche en plein renouvellement[101]. Il y faisait une place de choix à la Résistance, dont il était un spécialiste, tout en n'hésitant pas à plastiquer quelques stéréotypes tenaces :

> La mémoire collective retient généralement du résistant une image confuse où s'entremêlent l'agent secret, le justicier ou le hors-la-loi qui tiennent de l'acteur de western, du chevalier sans peur et sans reproche faisant sauter, mitraillette au poing, un nombre incalculable d'usines et de trains[102].

En l'absence d'une synthèse qui fît autorité sur l'histoire de la Résistance et fût entièrement centrée sur elle, le travail d'horlogerie de Jean-Pierre Azéma joua un rôle crucial dans la transmission raisonnée et critique des connaissances en la matière auprès de générations d'étudiants, d'autant que ses rééditions successives intégrèrent graduellement les acquis des recherches les plus notables. Il éclipsa de la sorte sans coup férir l'ombre portée d'Henri Michel, dont les synthèses pionnières furent peu à peu reléguées au second plan jusqu'à ce que les Presses universitaires de France commandent à un nouvel auteur, Jean-François Muracciole, deux « Que sais-je ? » sur l'histoire de la Résistance en France (1993) et l'histoire de la France libre (1996). Une page était ainsi définitivement tournée.

Sensiblement à la même époque, deux études portant sur les deux partis dominants de la gauche vinrent également renouveler et préciser la perspective. En publiant *Le PCF dans la guerre*, Stéphane Courtois apportait du neuf et, même si son ouvrage n'avait pas la Résistance pour centre de gravité, il mettait de l'ordre dans un domaine passablement malmené depuis une quarantaine d'années par d'incessantes polémiques [103]. Avec *Les Socialistes sous l'Occupation*, Marc Sadoun réévaluait, de son côté, la contribution des socialistes à la Résistance française, démontrant que les dirigeants de la SFIO, à commencer par Daniel Mayer, principal artisan de sa sauvegarde, avaient eu tendance, pour quantité de raisons, dont l'attachement à ce que pouvait faire le parti ès qualités, à minorer leur influence [104]. La façon dont il introduisait son propos décryptait avec bonheur la puissance des représentations à l'œuvre dans la mémoire collective comme dans l'histoire de la Résistance telle qu'elle s'était ébauchée :

> Parce que ses militants se sont, très inégalement, partagés entre les deux itinéraires de la Résistance et de la collaboration, la SFIO contribue à éclairer les principes non écrits qui guident le choix des objets en sciences sociales. On connaît Marcel Déat mais on méconnaît Daniel Mayer, on fouille la collaboration de gauche mais on délaisse la résistance socialiste. Intérêt – d'ailleurs justifié par sa valeur heuristique – pour l'extraordinaire, le minoritaire ; soumission aux proclamations ou aux silences des acteurs : la SFIO elle-même ignore son histoire, sélectionnant les événements, nourrissant sa mémoire à éclipses des références qui s'inscrivent le mieux dans son univers de représentations ; alignement enfin de la hiérarchie des objets sur l'échelle implicite des valeurs : le Parti communiste plutôt que la SFIO, la gauche plutôt que la droite, les extrêmes plutôt que le centre.
> Toutes ces raisons concourent sans doute à expliquer la dévalorisation de la résistance socialiste, sa relégation au rang des contributions modérée et chrétienne et, parallèlement, l'intérêt croissant pour la collaboration socialiste [105].

Même sur un terrain aussi miné que celui de l'histoire des partis socialiste et, plus encore, communiste, un changement considérable voyait le jour. C'est ce que confirma la tenue en octobre 1983 à Paris d'un colloque sur le Parti communiste français des années sombres (1938-1941). Si la tranche chronologique retenue était sans surprise tant il est vrai que l'attention s'était depuis toujours focalisée sur ces temps de confusion, la composition irénique du Comité scientifique chargé de concevoir la rencontre[106] et la palette large des historiens mis à contribution pour l'occasion étaient en elles-mêmes des signes évidents de décrispation ; il devenait possible de débattre ensemble. Certes, le colloque[107] refléta des tensions toujours vives au point que la question ultra-sensible de la stratégie du PCF donna lieu non pas à un mais à deux rapports distincts, « pour ne pas dire concurrents[108] ». Invité à tirer les conclusions d'une confrontation impensable seulement quelques années auparavant, Jean Bouvier s'interrogeait malicieusement sur les raisons pour lesquelles on avait fait appel à lui. Il ne se voyait d'autres titres que celui d'avoir, trente ans plus tôt, publié avec Jean Gacon *La Vérité sur 1939* et d'avoir battu immédiatement sa coulpe par « une *autocritique* qui [lui] fut *personnelle* et qui ne fut qu'*intime*[109] ». Avec la hauteur de vues qui était sa caractéristique, Jean Bouvier précisait encore le trait sans concession :

> Regardons-nous dans nos miroirs respectifs. Sachons reconnaître nos déterminations, propensions (de long et court terme, à l'amont du temps), nos présupposés ; et observons aussi nos tics de langage, nos ruses, nos passions sous-jacentes et nos interrogations intimes. Nous irions alors vers la réflexion sur le métier d'historien, chantier qui ne doit jamais être fermé, sauf à risquer de nous abuser sur nous-mêmes ; et de nous voir comme toujours innocents, toujours transparents. Nous en sommes loin…
> Or le sujet : l'histoire du PCF est l'un des plus révélateurs qui soit des conditions, difficultés, limites de notre métier[110].

Centré non seulement sur les tout débuts de la Résistance mais aussi sur l'objet d'étude malcommode, voire impossible, comme le suggérait Jean Bouvier, ou passablement névrotique qu'était le PCF, le colloque n'en apportait pas moins des lumières sur la Résistance communiste, tant au niveau de son appareil qu'à l'échelle des régions que les correspondants de l'IHTP avaient soumis à un examen approfondi.

Loin de ces contrées sillonnées au point qu'on peinait à y trouver son chemin et où le simple fait de s'adresser la parole entre tenants de thèses opposées faisait figure d'événement, une recherche foncièrement originale avait été menée par l'historien britannique Harry Roderick Kedward. Publié à Londres en 1978, son travail ne tarda pas à être connu et salué, mais il demeura confiné au cercle étroit des spécialistes jusqu'à sa traduction française en 1989[111]. Fondant sa démarche sur l'analyse de journaux personnels de résistants et sur un décodage minutieux et subtil de la presse clandestine, sollicitant les témoignages d'acteurs connus et inconnus, ayant employé pendant des années ses congés d'été à parcourir sans relâche les régions à propos desquelles il voulait écrire, Kedward éclairait d'un jour nouveau les commencements de la Résistance de zone sud. Ce qu'il passait en revue, c'étaient « les diverses façons dont on devenait résistant[112] ». Les limites mêmes de son champ d'investigation faisaient sa force ; elles l'autorisaient à connaître intimement, avec le regard de l'anthropologue, la zone dont il parlait ; elles le poussaient, en présentant les individus, groupes ou mouvements, à éviter d'anticiper sur leur avenir :

> C'eût été, me semble-t-il, fausser la réalité et gommer les impondérables de la Résistance, l'incertitude inhérente aux prises de décision et le caractère imprévisible des développements ultérieurs que de mentionner immédiatement que celui-ci ou celle-là exercerait plus tard une fonction importante ou que tel petit groupe donnerait naissance à un grand mouvement. Ce genre d'indication est le moyen communément employé pour prévenir le lecteur de ce qui va suivre et brosser à grands traits le tableau des réussites et des échecs de l'histoire. Mais en 1940, dans la France de Vichy, un aspect essentiel de la vie des opposants était précisément l'absence de tels repères et, pour la compréhension des difficultés de cette période, j'ai le sentiment qu'il était important de recréer ce climat d'incertitude, du moins en ce qui concerne les années 1940 et 1941[113].

Scrutant les motivations des premiers résistants, Kedward réfutait la thèse selon laquelle « la Résistance se serait recrutée dès ses débuts sur les seuls critères d'efficacité et de patriotisme indépendamment de toute préoccupation de nature politique ou sociale[114] ». Il plaidait au contraire que les résistants avaient conservé tout au long de leur action les motivations diffuses qui les avaient amenés à s'engager. En tirant les conséquences logiques de son raisonnement, Kedward tenait que la diversité originelle de la Résistance n'avait jamais pris fin et avait marqué de son sceau une organisation dont la nature avait désorienté les dirigeants de la France libre.

Plus profondément encore, en prêchant par l'exemple pour qu'on écoutât attentivement la parole des acteurs, dont il publiait dix-huit témoignages recueillis par ses soins dans son livre, en lisant vraiment feuilles clandestines et journaux personnels, l'historien britannique forgeait, en s'inspirant de la démarche anthropologique, une nouvelle approche propre à concilier la rigueur méthodologique avec les traces laissées par les résistants[115].

La même exigence lui inspira en 1993 un ouvrage dont la traduction française parut en 1999[116]. Il scrutait cette fois la période 1942-1944 à travers le prisme des maquis vus de la base et comme phénomène de résistance rurale. Pour écrire comme il le faisait et appréhender le vécu des maquis, il fallait avoir arpenté les sentes, écumé les fonds d'archives, beaucoup écouté et lu quantité de brochures qu'on ne parcourt le plus souvent que distraitement. Kedward puisait, à pleines brassées et avec un rare bonheur, dans les témoignages qu'il avait suscités par une patiente collecte qui avait couru de 1969 à 1991. Cette attention vigilante portée aux témoins traduisait son souci jamais pris en défaut de « nommer les gens ordinaires et les lieux isolés ». De manière convaincante et stimulante, Harry Roderick Kedward invitait à se défier des apparences trompeuses et des clichés faciles, comme en témoignait sa conclusion :

> À Manigod, près des Glières en Haute-Savoie, se trouve l'un des très rares mémoriaux qui célèbrent non pas les morts du maquis et les victimes des représailles dont tant

> de monuments portent justement le deuil, mais plutôt le rôle local des villageois dans la constitution du maquis. Sur le mur de l'école du village, une plaque est apposée sur laquelle on lit : DANS CETTE COMMUNE, DE JEUNES FRANÇAIS EN RÉVOLTE CONTRE LA DÉPORTATION ET LE TRAVAIL FORCÉ POUR LE COMPTE DE L'ENNEMI TROUVÈRENT UN REFUGE, GRÂCE AU SOUTIEN DES HABITANTS, OÙ ILS PURENT SE PRÉPARER MILITAIREMENT AUX LUTTES VICTORIEUSES DE LA LIBÉRATION. Ce mémorial est bien différent des autres. Il ne s'agit pas d'une pierre tombale. Il représente une autre façon de se rappeler ce que signifiait la vie des maquis. Il devrait y en avoir beaucoup d'autres[117].

Fort différent mais complémentaire en un sens de celui de Kedward, l'ouvrage de Jacques Sémelin *Sans armes face à Hitler*, isolant et développant la notion de résistance « civile » pour l'Europe entière, attirait en 1989 l'attention sur le volet non militaire et non strictement militant, sur des formes d'oppositions collectives non armées[118]. Estimant que la Résistance avait été trop exclusivement assimilée à l'action organisée tant dans ses structures que dans ses formes de luttes, il proposait d'y intégrer la multiplication d'actes individuels d'opposition, mode d'expression d'une résistance manifeste d'une société maintenue sous le joug de l'occupant. Revenant en 1994 sur ces deux appréhensions du phénomène résistant, il en exposait les limites respectives :

> Ou bien il plonge dans les profondeurs du social, mais sa spécificité tend à se diluer ; ou bien il se définit exclusivement à travers ses structures et ses actions et il se réduit à sa dimension organisée[119].

En dépit de la visibilité des recherches menées sur le régime de Vichy dans les années 1980, malgré l'apparente léthargie dans laquelle elle put par contraste paraître être entrée après les derniers colloques du quarantième anniversaire de la Libération[120], l'histoire de la Résistance ne fut donc nullement délaissée. De la Résistance spirituelle[121] au rôle des femmes dans la Résistance, sans omettre celui des Juifs[122] et des étrangers, des domaines partiellement explorés firent l'objet d'études poussées. Si les publications purent laisser l'impression d'un « éparpillement[123] », la raison en incombait à la vigueur d'une demande sociale impatiente de voir traités des thèmes qu'elle jugeait essentiels. Il en alla ainsi à propos des femmes, dont l'évocation, dans le sillage de l'émergence du courant féministe, s'inscrivit d'abord dans une optique militante avant de donner lieu à des mises au point de tonalité plus scientifique[124]. Le même phénomène prévalut pour la prise en compte des étrangers. Alternant récits de résistants de la Main d'œuvre immigrée et analyse de la politique qu'ils avaient été amenés à suivre, Annette Wieviorka affirmait ainsi hautement le souci qu'elle avait eu de leur donner vraiment la parole :

> [...] il m'est apparu que les témoignages avaient leur valeur intrinsèque, qu'ils n'étaient pas seulement « utiles » pour pallier les lacunes des sources écrites : ils donnaient une compréhension essentielle des hommes et de l'époque. Une époque tragique, encore proche, sur laquelle il ne paraissait pas souhaitable d'écrire avec une froide distance. Ici, l'empathie est nécessaire[125].

Le Sang de l'étranger, publié en 1989 par Stéphane Courtois, Denis Peschanski et Adam Rayski, vint, quant à lui, après les polémiques soulevées par un téléfilm de Mosco, *Des terroristes à la retraite*, projeté par Antenne 2 dans le cadre des « Dossiers de l'écran », le 2 juillet 1985, dont la thèse était que les Juifs immigrés des FTP/MOI avaient été utilisés par le Parti communiste, qui les aurait pour ainsi dire sacrifiés à la fin de la guerre, afin que la Résistance communiste soit bien française. Resituant cette histoire dans celles du Parti communiste et du régime de Vichy, l'ouvrage, qui faisait fond sur des archives jusqu'alors inexploitables, montrait une double réalité : le PCF avait bien été un vecteur privilégié d'intégration pour les immigrés dans la société française ; le PCF avait ensuite occulté le rôle joué par les femmes et les hommes de la MOI :

> [...] cette occultation était indispensable à la construction du mythe garant de l'unité nationale : les deux mémoires dominantes de l'après-guerre, la gaulliste et la communiste, ont convergé pour transmettre l'image d'un peuple

> français unanimement résistant, guidé qui par son chef charismatique, qui par son parti d'avant-garde. Les étrangers n'avaient plus leur place dans cette reconstruction imaginaire[126].

Sorte de bilan d'étape, une bonne dizaine d'années après la naissance de l'IHTP, les deux volumes de *La France des années noires* publiés en 1993 sous la direction de Jean-Pierre Azéma et de François Bédarida[127] dressaient un panorama intéressant des acquis et des lacunes d'une histoire quinquagénaire. À l'écart des polémiques et des sommations réitérées à lever des tabous parfois imaginaires, le travail universitaire se poursuivait à bas bruit. De diplômes d'études approfondies en thèses, des avancées avaient lieu. Elles concernaient d'abord un champ où le parcours était « désormais bien balisé[128] », celui des grandes organisations clandestines[129]. Bien que les premières études résistantes rigoureuses aient précisément concerné ces organisations visibles et repérables, bien qu'Henri Michel ait pu qualifier la publication sur Combat (1957) de « prototype », les balises n'étant pas nécessairement le meilleur moyen de tailler sa route pour un chercheur, et l'écoulement du temps ayant fait son œuvre, ces monographies ne se pliaient pas au genre des figures imposées, chacune mettant l'accent sur des aspects spécifiques ; ici, la phase pionnière ; là, le phénomène de l'engagement, etc. Significativement, certaines de ces monographies dédiées à des mouvements reprenaient le dossier d'études menées antérieurement dans le cadre du CH2GM au début des années 1960[130]. Les « tribus bigarrées d'historiens en plein labeur[131] » se nourrissaient des questionnements de l'heure qui ne rappelaient plus que lointainement ceux des années 1950, faisant notamment leur miel de l'impulsion décisive donnée au décorticage des mécanismes d'opinion et des représentations par Pierre Laborie avec *L'Opinion française sous Vichy*, parue au Seuil en 1990. Ce qu'on a parfois appelé « la Résistance des chefs » tirait, par ailleurs, bénéfice des travaux de Daniel Cordier qui allaient très au-delà de la personne du seul Jean Moulin et que venaient compléter d'autres recherches menées parallèlement[132]. L'épineuse question des relations entre résistants et vichyssois, qui posait l'interrogation de savoir si une résistance avait été compatible avec un soutien apporté à l'État français, était enfin abordée, soit par le biais des débuts de la Résistance[133], soit par celui d'institutions vichyssoises[134]. La Résistance intellectuelle n'était pas non plus en reste avec les publications de James Steel, Anne Simonin et Gisèle Sapiro[135]. Autre domaine en plein essor, celui des monographies régionales, en particulier grâce à François Marcot, Jacqueline Sainclivier et Jean-Marie Guillon dont la thèse d'État consacrée à la Résistance dans le Var reste une des recherches les plus stimulantes qui aient vu le jour[136]. Partant du constat que les écrits sur la Résistance faisaient la part plus belle aux récits qu'à l'histoire proprement dite, Jean-Marie Guillon y prenait le département « comme un prétexte et une commodité de recherche[137] » en cherchant chaque fois que possible à dépasser le cadre monographique. De fait, en scrutant le devenir de la Résistance dans le Var, il mettait en évidence l'importance extrême de la chronologie, pointant l'oubli qui avait enseveli la période des débuts et des pionniers. Il démontrait l'importance du politique et du croisement d'une conjoncture et d'une longue durée de la révolte et de l'imaginaire.

En toile de fond de ces modifications de l'historiographie de la Résistance, il y a eu un changement majeur de perspective. Charles d'Aragon a fait des émules. « La résistance sans héroïsme » s'est imposée avec la prise en compte de sa dimension humaine et collective. Si on a continué à écrire sur les figures de proue de la Résistance[138], de plus en plus la Résistance des humbles, de ceux qu'Anne-Marie Bauer appelait « les oubliés », « les ignorés[139] », s'est imposée à l'attention des chercheurs. À une longue phase au cours de laquelle dirigeants et organisations de la Résistance avaient occupé le devant de la scène une autre a succédé, plus soucieuse de relier cette face éclairée avec celle qui demeurait dans l'ombre. Non seulement l'accent a été mis sur l'extrême diversité de la Résistance, les immigrés et les femmes bénéficiant au premier chef d'une attention nouvelle, mais sa réalité sociale a été questionnée.

Six colloques tenus entre 1993 et 1997, à l'instigation conjointe d'universitaires et de l'IHTP, ont entrepris d'explorer l'histoire sociale de la Résistance et d'en promouvoir l'étude à travers un thème commun : « La Résistance et les Français[140]. » Ayant donné lieu à des publications ou à des pré-actes non édités[141], ils ont fait l'objet de rapports de synthèse réunis dans un volume des *Cahiers de l'IHTP*[142] et d'articles d'un numéro du *Mouvement social* intitulé « Pour une histoire sociale de la Résistance[143] ». Si leur écho n'a pas dépassé les limites du cercle des spécialistes, ils ont précisé bien des aspects de la Résistance et, à leur tour, semé un grain qui ne devrait pas tarder à lever. Ils ont marqué une volonté d'investir à nouveau en force un chantier qui, à défaut d'avoir été vraiment délaissé au cours des années 1980, s'était tout de même effacé devant le regain d'intérêt soulevé par le régime de Vichy. Les concepteurs de ces colloques les ont voulus amples (près de 150 chercheurs français et étrangers ont été mis à contribution), comparatistes et décentralisés. Des débuts de la Résistance à la lutte armée, en passant par les questions de la mémoire et de l'ancrage social de la clandestinité, sans omettre le rôle dévolu aux villes, l'analyse des processus de décision, les échelles locales et quotidiennes, ce qui pouvait apparaître à l'origine comme « une initiative un peu folle[144] » a permis de développer la réflexion scientifique d'une part, « d'occuper un terrain qui ne peut être laissé à la portée des prédateurs encouragés par les retours de balancier des années 1980[145] » d'autre part. Ces colloques ont marqué et traduit un indéniable effort de conceptualisation de l'histoire de la Résistance en même temps que de diversification d'approches, par le recours à l'anthropologie et à la sociologie notamment. Ils ont moins correspondu à la remise en culture d'un champ qui eût été laissé en friches depuis quelques années qu'à une volonté affirmée de remettre autrement sur le métier un ouvrage mené sans discontinuer depuis quarante ans. « L'histoire de la Résistance reste à faire », écrivaient Jean-Marie Guillon et Pierre Laborie en ouverture de la publication des actes du colloque qui avait ouvert la série, dans un avant-propos intitulé « Pour une histoire de la Résistance[146] ».

Au point où nous en sommes, on peut, en effet, déplorer l'absence d'une synthèse digne de ce nom. On peut en attribuer la cause à des pièces manquantes du puzzle qui rendraient illusoire toute tentative généraliste : les relations avec les Alliés ; les courants résistants autres que les « ogres » aujourd'hui bien connus, à commencer par la composante giraudiste[147] ; les organisations satellites du Parti communiste ; nombre de mouvements de zone nord encore dans l'ombre ; le Noyautage des Administrations Publiques ; les réseaux[148] et leurs liens exacts avec les mouvements ; le BCRA ; la place des réfugiés ; celle des femmes ; l'*habitus* résistant avec une analyse véritable des représentations sécrétées par la clandestinité, de la part de légende qui l'a accompagnée, etc. Sur un certain nombre de ces angles morts préjudiciables à une vue d'ensemble, des thèses sont en cours, qui devraient nous éclairer d'ici à quelque temps. Cependant, on ne peut exclure que ce défaut de synthèse tienne à une raison plus profonde, l'impossibilité d'enfermer dans une grille d'intelligibilité cette réalité multiforme, changeante, poreuse qu'on dénomme par commodité et par habitude la Résistance.

D'une histoire marquée par les exigences commémoratives on est passé peu à peu à une histoire fortement problématisée. Sans doute cette évolution est-elle récente ; on ne soutiendra pas pour autant que la périodisation en est aisée. Elle a épousé les vicissitudes et les méandres qu'a connus la discipline historique en général depuis 1945. La métaphore d'un gratte-ciel en construction dont les principaux blocs porteurs auraient été posés au tournant des années 1980-1990, image utilisée par Jean-Pierre Azéma et François Bédarida en 1994[149], faisait, à notre sens, trop bon marché des acquis antérieurs. L'élaboration de l'historiographie de la Résistance a aujourd'hui soixante et non vingt ans d'âge. Les pierres apportées par des générations successives d'historiens, non sans à-coups, doutes, revirements, déchirements et utilisations politiques et idéologiques, ont finalement permis l'édification d'une construction qui, plutôt qu'un gratte-ciel, évoque un mur de pierres sèches dont les inégalités et les aspérités font le charme sans rien lui ôter de sa robustesse.

On ne peut pourtant s'arrêter là dans la mesure où, comme Jean-Marie Guillon le relevait à juste titre en 1996, parallèlement à l'effort d'historisation de la Résistance, une éclosion de récits, points de vue et autres compilations « critiques » vit le jour, qui posait, au bout du compte, les questions du statut des héros et de la mémoire de la Résistance dans la France de la fin du XXe siècle.

CHAPITRE 6

La fin des héros ?

Ainsi donc, le souvenir de la Résistance n'aura cessé de chercher ses marques dans la mémoire collective bien que son histoire ait été assimilée à une geste héroïque à la fois par les instances officielles et par une opinion très fortement majoritaire. Cette dimension héroïque, d'ordinaire si chichement reconnue aux protagonistes des luttes historiques, a recueilli un assentiment quasi général. Les voix intéressées qui, très tôt, ont tenté d'écorner le caractère épique de la lutte menée par les résistants étaient et sont demeurées ultra-minoritaires. C'est que l'Armée des ombres inspirait le respect au plus grand nombre et que toute attaque frontale menée à son encontre risquait de marginaliser celui qui la tentait. En somme, à ceux que son existence même hérissait, irritait ou laissait indifférents, elle imposait le silence ou des offensives feutrées. Aussi, dans le pamphlet qu'il publia en 1948, *Les Crimes masqués du résistantialisme*, l'abbé Desgranges prenait-il grand soin d'affirmer en exergue :

> Le « résistantialisme » est à la Résistance ce que le cléricalisme est à la Religion, le libéralisme à la Liberté et, comme dirait Sartre, la nausée à la Vie.
> C'est l'exploitation d'une épopée sublime par le gang tripartite à direction communiste[1].

L'érosion du souvenir de la Résistance dans la mémoire sociale

Mais le respect, fût-il convenu ou forcé, n'est pas nécessairement synonyme de piété, moins encore de familière proximité. Au demeurant, si personne ne peut contester qu'il y ait eu des héros, les héros sont aujourd'hui « fatigués[2] », aux sens métaphorique et littéral du terme. Ce processus d'érosion est dans l'ordre des choses pour les acteurs qui ont survécu et survivent, depuis maintenant plus d'un demi-siècle, aux épreuves de la clandestinité et de la paix revenue. Épargne-t-il ceux de leurs camarades héroïquement morts à la tâche résistante, « ceux que l'ombre fraternelle de la mort a protégés de l'inexorable décrépitude qui flagelle les vivants[3] » ? La question vaut d'être soigneusement examinée et sa réponse pesée. Intuitivement pourtant, chacun peut constater que si la mémoire de la Résistance demeure entourée de respect, sa réalité semble s'effilocher. Parmi une kyrielle de cas, prenons l'exemple de Jacques Bingen, dont nous avons déjà croisé l'itinéraire.

Jacques Bingen, tour à tour Reclus, Rabaud, Barbier, Necker, Cléante en clandestinité, était âgé de 32 ans en 1940. Ingénieur civil des Mines, diplômé de Sciences-Po, beau-frère d'André Citroën (d'où ses autres pseudonymes de Cadillac et Talbot…), il était directeur de la Société française de gérance et d'armement, membre du Comité central des armateurs de France. Mobilisé, blessé le 12 juin 1940, décoré de la croix de guerre pour son comportement au combat comme officier de liaison auprès de la 51e division écossaise, il s'échappa, gagna le Maroc puis l'Angleterre, où il arriva le 18 juillet 1940. On a un aperçu de son état d'esprit du moment grâce à une lettre conservée aux Archives nationales[4]. Datée du 6 juillet 1940, elle fut adressée de Gibraltar par le « French Lieutenant Bingen » aux autorités britanniques : *« Here I am, escaped safely from Naziland and ready to join the British Empire and fight Hitler to his end. »* Il y évoquait *« the disgusting French armistice »*. Et précisait : *« I have lost all I had, my money (not a penny left!), my job, my Family who remained in France and whom I perhaps never see again, my country and my beloved Paris... But I remain a free man in a free country and that is more than all*[5]. »

À cet armateur, on demanda tout naturellement de superviser les services de la marine marchande de la France libre, dont la direction avait été créée le 12 août 1940. Il remplit cette fonction jusqu'en 1942, date à laquelle il fut, sur sa demande, versé au BCRA. Il en devint le chef des affaires non militaires. Cette fonction en fit un parfait connaisseur de la Résistance intérieure et de l'appareil de la France combattante. Il reçut les chefs résistants venus de France : Henri Frenay, Emmanuel d'Astier, Daniel Mayer, Jean Cavaillès, Henri Manhès, Jean-Pierre Levy. Il se lia d'amitié avec Jean Moulin, qu'il voulut venir seconder en France et qui demanda sa venue en mars 1943 après l'arrestation de Manhès. Dans la nuit du 15 au 16 août 1943, il était déposé en Île-de-France. Successivement délégué du Comité français de Libération nationale pour la zone sud, puis délégué général par intérim (après Serreulles et Bollaert, avant Parodi) avant d'être à nouveau délégué de zone sud, il fut arrêté en mai 1944 et se suicida en croquant sa pilule de cyanure. Sa disparition (évoquée allusivement dans les lettres d'Yvon Morandat à Pascal Copeau en mai 1944 en faisant mention de la « maladie de Rabaud ») porta un coup très dur au dispositif de la Délégation dont il était devenu un homme clef.

Une seule publication de quelque envergure a vu le jour à son propos sous la forme d'un numéro de la revue de l'Institut Charles-de-Gaulle, *Espoir*, paru en 1984. Ce cahier de 31 pages est constitué de contributions de grands noms de la France combattante qui montrent que le ban et l'arrière-ban des deux volets de la Résistance avaient été convoqués – et avaient tenu à répondre présent – pour évoquer la figure de Jacques Bingen[6]. Le cahier se clôt sur des extraits des lettres bouleversantes écrites par Jacques Bingen avant son départ de Londres en août 1943 et un mois avant son arrestation. Ces lettres, déjà citées par Henri Noguères dans *La Résistance en France de 1940 à 1945*, témoignent d'une pensée acérée et mûrie au contact de la lutte[7].

Le numéro de la revue *Espoir* était à la fois disparate et émouvant. Il suggérait ici ou là des pistes de recherche sans prétendre proposer une vision d'ensemble. Les témoignages qu'il rassemblait dessinaient par touches successives un portrait chaleureux mais impressionniste. Ce qui conduisait Claude Bouchinet-Serreulles, manifestement conscient des limites de cette entreprise dictée par la piété, à écrire : « Il faudra une thèse de doctorat d'État pour épuiser le sujet[8]... »

Jacques Bingen fut un homme célébré et honoré dès la guerre et après la guerre par la mémoire gaulliste. La croix de la Libération lui fut décernée en 1944 quelques semaines avant sa mort. Elle était accompagnée – fait rare – d'une lettre manuscrite du général de Gaulle datée du 31 mars 1944 : « Mon cher ami, / Je suis très heureux de vous faire apporter la Croix de la Libération qui vous a été décernée et que vous méritez si bien ! Plus que jamais, je vous tiens pour un "compagnon" avec tous les prolongements que comportent le mot et la chose. Croyez à mes fidèles et profondes amitiés. Charles de Gaulle. » Le récipiendaire mourut sans avoir pris connaissance de ce message.

En 1945, un navire reçut le nom de *Bingen.* Le 3 mai 1946, une cérémonie à sa mémoire fut organisée à l'École nationale supérieure des mines. Un timbre enfin fut frappé à son effigie le 19 avril 1958 dans la collection « Héros de la Résistance ». Et cependant, son nom n'est plus parlant aujourd'hui que pour les spécialistes, qui citent souvent ses lettres des 14 et 15 août 1943 et, plus encore, celle du 14 avril 1944.

Bien qu'il ait joué un rôle extrêmement important et qu'il se soit donné la mort pour ne pas parler sous la torture, Jacques Bingen est donc peu connu et n'a fait l'objet d'aucune biographie. Il est devenu un anonyme. Considérons à titre d'illustration le sort qui lui est réservé dans la somme de Jean-Baptiste Duroselle, *L'Abîme, 1939-1945*[9]. Si l'on cherche dans l'index mention du nom de Bingen, on ne trouve qu'un Binger. En se reportant à la page 315, on constate que ce nom de Binger est accolé à la marine marchande de la France libre. C'est donc bien de lui qu'il s'agit. Cette erreur est d'autant plus intéressante et révélatrice que l'ouvrage de Jean-Baptiste Duroselle est une somme érudite et approfondie. Mais Duroselle était un connaisseur hors pair de politique étrangère. Il n'était pas spécialiste de la Résistance, et Bingen est devenu chez lui un Binger impossible à identifier, réduit à la seule mention d'un patronyme estropié.

Cet effacement mémoriel, le cas de Jacques Bingen l'illustre sans en épuiser les innombrables variantes qui caractérisent le destin posthume de ses camarades de lutte, tombés comme lui dans la clandestinité. L'oubli peu à peu ensevelit non seulement Jacques Bingen, qui eut un rôle dirigeant dans les services londoniens de la France libre comme en France occupée, mais d'autres hautes figures de la Résistance tels Jean Cavaillès, Fred Scamaroni et des milliers d'individualités moins connues. Encore convient-il de préciser que Jean Cavaillès et Fred Scamaroni ont dû à la fidélité passionnée de leurs sœurs de ne pas disparaître totalement du paysage mémoriel de la Résistance[10].

Dans la dernière lettre qu'il écrivit de Fresnes, le 23 février 1942, à sa femme Irène, quelques heures avant d'être fusillé, Boris Vildé affirmait sobrement : « Qu'on rende justice à notre souvenir après la guerre, cela suffit[11]. » C'était bien le moins, en effet, que les suppliciés pouvaient attendre. Mais la mémoire collective est oublieuse et on a pu observer, au fil des ans, une lente érosion qui a progressivement rendu anonymes des combattants que l'action de leurs proches (parents, amis, camarades de combat, réseaux associatifs) avait réussi quelque temps à préserver de l'oubli. Nul doute que les caractères spécifiques de la lutte clandestine et les difficultés éprouvées pour écrire à son propos de façon juste et suggestive ont joué dans cette perte de substance. Clôturant une journée d'étude dédiée en juin 1993 à la Résistance et à Jean Moulin, Jean-Pierre Levy, chef du mouvement Franc-Tireur et compagnon de la Libération, prenait acte de cet effritement de la mémoire collective, affirmant :

> D'un point de vue historique, je suis de ceux qui pensent [...] qu'il restera un nom de résistant dans « l'histoire de France », et c'est celui de Jean Moulin[12].

De fait, l'entrée au Panthéon de Jean Moulin en décembre 1964, dont les effets sur la réactivation et la pérennisation de la mémoire de la Résistance n'étaient pas par avance assurés, a réussi au-delà même probablement des espérances de ses principaux maîtres d'œuvre, le général de Gaulle et André Malraux. Il n'est que de lire ce qu'écrivait le héraut de cette cérémonie, André Malraux, dans ses *Antimémoires* en 1967 pour s'en convaincre. Au fil d'une méditation qu'avait suscitée en lui le déroulement de ces deux journées exceptionnelles, André Malraux multipliait des notations qui prenaient acte de l'infranchissable fossé qui séparait les acteurs survivants qui avaient participé à l'événement de leurs contemporains :

> La place n'est pas encore ouverte au public : le corps diplomatique part ; restent ceux des vieux drapeaux, ceux de la Libération, ceux des maquis, les survivants des camps – dans le grand jour glacé, ceux qui se sont reconnus dans la nuit…
> Ce jour, c'est la mort. Pas celle de la torture ou de la guerre : celle qui n'a besoin de rien. Dix millions de Français ont suivi la cérémonie à la télévision. Mais la télévision ne montrait pas que tous ces porte-drapeaux sont des vieillards ; que, sur la place, il ne reste pas un homme jeune. Pour qu'ils se reconnaissent, il faut que le jour baisse[13]…

Qu'on ne puisse prendre au pied de la lettre la prose d'un écrivain qui, par nature, recomposait et rêvait les tableaux dont il avait été l'un des acteurs, c'est l'évidence. C'est donc moins pour son exactitude sourcilleuse des faits que ce texte est ici cité que pour l'intuition qu'il développe[14]. Après bien d'autres et comme tant d'autres, André Malraux décrivait deux univers sans intersection réelle l'un avec l'autre : celui des survivants et passeurs de mémoire de la Résistance (les porte-drapeaux), celui du corps social dans son ensemble (les dix millions de téléspectateurs). À sa façon, André Malraux vérifiait la justesse des craintes exprimées, on l'a vu antérieurement, vingt ans plus tôt par Édith Thomas lorsqu'elle justifiait le choix d'évoquer cinq résistants parmi d'autres en faisant valoir qu'ils auraient « pour mission de témoigner pour tous [les] anonymes », non sans redouter que les noms d'héroïnes comme Berthie Albrecht ou Danièle Casanova ne disent, dans un avenir plus ou moins proche, rien à des passants devenus incapables de transmettre aux enfants par nature questionneurs ce qu'elles avaient accompli au sacrifice de leur vie[15].

Cette difficulté-là, de loin la plus redoutable, a déjà été exposée et nous n'y revenons ici que pour dire à nouveau ceci : elle tient à la fois aux caractéristiques si particulières de la lutte clandestine et à celles du travail historien qui peut tenter d'insuffler de la vie dans les grilles d'intelligibilité qu'il conçoit pour le passé qu'il étudie mais sans avoir le pouvoir de ressusciter ce passé. On a vu en quels termes, dans sa leçon inaugurale au Collège de France en 1933, Lucien Febvre récusait le travail des historiens de l'école méthodique[16]. Si précieuse qu'elle demeure pour nous aujourd'hui, cette mise en garde d'un homme qui consacra tant de son énergie et de son temps à rendre possible une écriture de l'histoire de la Résistance ne résout pas l'épineuse question de savoir quel(s) registre(s) choisir pour rendre compte au plus près d'une réalité historique difficile à saisir.

L'analyse est d'autant plus difficile que le pessimisme lucide dont Malraux faisait preuve est contredit par la postérité et les échos de son oraison funèbre. Ainsi, relatant dans un ouvrage paru en 2002 les rêves et les chimères de la génération des soixante-huitards, Olivier Rolin, né en 1947 et ancien dirigeant du groupe maoïste de la Gauche prolétarienne, confesse-t-il :

> Je n'ai rien contre Malraux, au contraire, j'étais étudiant et déjà gauchiste lorsqu'il a prononcé son oraison funèbre de Jean Moulin, c'était un ministre de De Gaulle mais j'étais quand même allé l'écouter rue Soufflot, dans le vent glacial, et non seulement ça ne me gêne pas de dire que j'ai pleuré ce soir-là en l'écoutant, mais je tiens à dire que j'ai la gorge nouée de nouveau à chaque fois que j'entends ce discours ou même que je le lis[17].

Outre ces questions de fond, un autre facteur est venu, à dater des années 1970, compliquer encore la tâche de tous ceux qui, avec des statuts et des objectifs différents, travaillaient et écrivaient sur la Résistance comme objet d'histoire et enjeu de mémoire : le lien entre la société et la mémoire de la Résistance s'est distendu au fur et à mesure que la dimension légendaire de cette dernière tendait à devenir plus lointaine, et comme étrangère, à l'imaginaire des Français. De ce point de vue, le retour au premier plan des interrogations longtemps refoulées à propos de Vichy et de la France sous Vichy a naturellement été décisif. Quelle place la vision, caricaturale mais très efficace, d'un passé qui réintégrait, en amplifiant les fractures aussi fortement qu'on les avait réduites auparavant, ses couleurs les plus noires pouvait-elle laisser à la face lumineuse de la Résistance ?

C'est ici que l'analyse se complique encore : contrairement à ce qu'on pense spontanément, on fit, dès la Libération, une forte distinction entre la communauté résistante proprement dite, dont nul ne contestait qu'elle ait été minoritaire, et la population française de l'époque, créditée d'un état d'esprit résistant, présenté comme de plus en plus évident au fil des années noires. C'est cette distinction qui explique qu'aient été mis sur pied, en 1944 et 1945, la CHOLF et le CHG, dont l'une des tâches prioritaires était, on l'a dit, de recueillir les témoignages de la petite cohorte des résistants. Par conséquent, les années 1970 ne dynamitèrent pas le mythe d'une France unanimement résistante[18]. Elles mirent à mal la représentation couramment admise jusqu'alors d'un pays ayant été massivement *d'esprit résistant*. Au demeurant, tourné en 1969, projeté au cinéma deux ans plus tard, le film de Marcel Ophüls *Le Chagrin et la Pitié*, dont on sait qu'il fut, avec le livre de Robert Paxton *La France de Vichy*[19], le détonateur d'un douloureux examen de conscience, ne s'en prenait nullement aux résistants : Emmanuel d'Astier de la Vigerie, Georges Bidault, Émile Coulaudon, Pierre Mendès France et les deux frères Grave, « ces vieux paysans si tranquillement humains, héroïques et terre à terre[20] », y avaient la parole et forçaient sympathie et respect. Comme l'a bien vu Stanley Hoffmann, en dépit du parti pris du réalisateur de débusquer les lâchetés ordinaires de ces temps troubles, le film était « du côté de la Résistance[21] ». Mais, ce faisant, il pointait résolument l'objectif sur le fossé, quasiment visible et audible à l'écran, entre les individualités résistantes et le reste de la population. Le documentaire faisait, c'est vrai, silence sur l'activité résistante intense déployée au sein de l'université de Strasbourg repliée à Clermont-Ferrand. Hormis Émile Coulaudon, le commandant Menut, Roger Tounzé, il ne donnait pas non plus la parole aux résistants locaux. C'est que son objet était d'explorer la thématique du chagrin et de la pitié, pas celle de l'héroïsme, seulement esquissée à travers le cas de Marinette Menut, atrocement torturée et enterrée sans avoir été achevée par ses bourreaux, les noms des élèves du lycée Pascal morts pour avoir résisté, la stèle des morts du premier corps franc d'Auvergne, l'agent du SOE Denis Rake. Mieux, les derniers mots d'Emmanuel d'Astier de la Vigerie, fondateur de Libération de zone sud et compagnon de la Libération, prenaient à rebrousse-poil toute l'imagerie héroïque : « Toute la Résistance, j'ai eu peur – et les héros inconscients du type du général Massu, de l'homme qui... moi je n'aurais jamais songé à me suicider, j'adore la vie. »

Nombre de résistants n'aimèrent pas ce film et le firent savoir[22]. Leur argumentation, selon laquelle l'image donnée de Clermont-Ferrand n'était pas conforme à la réalité du temps et faisait chichement sa part à la Résistance, n'était pas sans fondements[23]. Il n'en demeure pas moins que ce documentaire fort intelligemment monté exprimait un point de vue non moins légitime, celui du réalisateur, soucieux de mettre en évidence des pans méconnus ou niés du passé de la France des années noires. En débusquant les petites lâchetés, faites d'une somme de renoncements oubliés et enfouis, Marcel Ophüls avait pris dans la ligne de mire de son objectif des gens qui s'étaient réfugiés « dans les corvées humbles et souvent pénibles de la survie au jour le jour, et [qui avaient fait] de leur mieux (est-ce bien le mot juste ?) pour rester à l'écart de la bataille et loin des mauvais coups[24] ».

Dans un pays fortement ébranlé par les secousses consécutives aux événements de Mai 1968, le nouvel éclairage apporté à la génération du *baby boom* tout juste arrivée à l'âge adulte, tant par Marcel Ophüls que par Robert Paxton, ne dénonçait pas le « mythe de la Résistance » – le film d'Ophüls montrant tout au contraire qu'elle avait été « une réalité noble et formidable[25] » qu'évoquaient vingt-cinq ans plus tard des gens qui ne manquaient ni de recul, ni d'authentique modestie ; ce qui était remis en cause, c'était l'idée que « la grande masse des Français [avait] rejoint, ou du moins soutenu, la Résistance[26] ».

Il se trouve que la France post-soixante-huitarde et post-gaullienne ne s'encombra pas de ces nuances et fut prompte à voir dans la réalité qu'on exhumait le reflet de *toute* la réalité d'années de plus en plus perçues comme « noires ». L'heure n'était pas à une vision, même partiellement, héroïsée. Président de la République en exercice, Georges Pompidou était-il seul de son espèce à exprimer l'irritation qu'il éprouvait face aux usages sociaux du passé de l'Occupation ? Interrogé par Keith Bosford en 1971, il tenait des propos sur la Résistance et avait une attitude qui disaient clairement son agacement : « Je déteste toutes ces histoires, dit-il d'un geste furtif de la main, son regard clair aiguisé d'une lueur de mécontentement, je déteste les médailles, je déteste les décorations de toutes sortes[27]. » L'année suivante, dans le cadre solennel d'une conférence de presse cette fois, le Président confirmait en quelque sorte cette position en appelant de ses vœux une perception apaisée des différends du temps de la guerre (mais aussi de « l'affreux conflit d'Algérie »), en prônant une véritable réconciliation nationale sur un ton où perçait une colère à peine contenue :

> Allons-nous éternellement entretenir saignantes les plaies de nos désaccords nationaux ? Le moment n'est-il pas venu de jeter le voile, d'oublier ces temps où les Français ne s'aimaient pas, s'entredéchiraient et même s'entretuaient, et je ne dis pas cela, même s'il y a ici des esprits forts, par calcul politique, je le dis par respect de la France.

Dans l'intervalle, il est vrai, la grâce présidentielle accordée au milicien Paul Touvier en novembre 1971 avait mis le feu aux poudres, déclenché une vaste campagne de protestation et incité Georges Pompidou à s'expliquer. Son appel à oublier resta, comme on sait aujourd'hui, lettre morte. À partir de ce début des années 1970, Vichy, comme Henry Rousso l'a montré[28], revint et s'installa solidement sur l'avant-scène de la mémoire collective et du paysage médiatique. Le même Touvier qui avait demandé et obtenu la grâce de ses peines secondaires fut finalement jugé en avril 1994 par la cour d'assises de Versailles et condamné à la réclusion perpétuelle pour complicité de crime contre l'humanité, comme, quatre ans plus tard[29], Maurice Papon, jugé par la cour d'assises de Bordeaux et condamné à dix ans de réclusion criminelle[30]. C'est assez dire qu'en même temps que le régime de Vichy revenait hanter la mémoire française, la Shoah prenait une importance accrue. Là aussi, les années 1970 marquèrent un tournant, notamment avec l'interview, déjà évoquée, de Darquier de Pellepoix, ancien Commissaire général aux questions juives, dans *L'Express*, en octobre 1978 d'une part, l'activité de Serge Klarsfeld, qui publia la même année le *Mémorial de la déportation des Juifs de France*[31], d'autre part. Le 29 décembre 1978, Bertrand Poirot-Delpech pouvait titrer sa chronique du *Monde* : « 1978, année des "collabos". À quand le procès de Jean Moulin ? »

La mémoire de la Résistance aurait pu être rehaussée par le regain d'attention prêté au régime de Vichy et par la venue au grand jour d'un négationnisme jusque-là cantonné dans le périmètre d'officines nostalgiques de Vichy et de la collaboration[32]. Après tout, elle incarnait le versant de lumière de cette période. Or, tout se passa comme si le soupçon généré par la redécouverte brutale de la réalité de Vichy embrassait désormais toutes les facettes des années noires, jusques et y compris la face de lumière incarnée par la Résistance. En même temps que le tableau d'une Résistance unie sous la direction du général de Gaulle était mis à mal, notamment par les ouvrages fort différents d'Henri Frenay (1973) et de Claude Bourdet (1975), alors même que la direction du Parti communiste était de plus en plus sommée de se mettre au clair avec ce qu'avait été son comportement jusqu'en 1941 (parfois au-delà, comme dans le cas du groupe Manouchian), des attaques furent portées contre d'éminents dirigeants – décédés et vivants – de la Résistance.

Les plus virulentes, qui vinrent en rafales, visèrent l'homme qu'une panthéonisation avait érigé en symbole de la Résistance, Jean Moulin. Leur origine remontait loin, Henri Frenay ayant formulé des critiques à son endroit dès le début des années 1950. La nouveauté vint de ce que, désormais, elles quittèrent le cercle étroit des initiés pour être jetées en pâture à l'opinion. *L'Énigme Jean Moulin*, publié en 1977, ouvrit donc le feu. Pionnier de la Résistance intérieure, fondateur de Mouvement, le compagnon de la Libération Henri Frenay y accusait le chef de la délégation générale et premier président du Conseil national de la Résistance d'avoir en sous-main tout fait pour accroître l'influence du Parti communiste. Même si la très grande majorité des résistants, y compris de ses proches, récusèrent cette façon de voir, l'attaque avait montré que « le Panthéon n'[était] pas un bouclier contre la calomnie[33] ». En ouvrant cette boîte de Pandore, Henri Frenay provoqua un mouvement dont nul, sur le moment, n'aurait pu anticiper l'ampleur.

L'effet le plus visible et le plus immédiat de l'offensive menée par Henri Frenay contre Jean Moulin fut la décision de Daniel Cordier de se dédier tout entier à la biographie de celui qui avait été son patron en Résistance. Pour dire les choses autrement, Daniel Cordier entreprit de réduire à néant la thèse de Frenay, non sans écorner au passage l'image de ce dernier, dont il révéla, texte à l'appui, dans l'introduction au premier tome de la biographie publié en 1989[34], la sympathie qu'il avait pour le maréchal Pétain et la Révolution nationale à l'automne de 1940. Le tollé que souleva cette publication vint, à sa façon, souligner à nouveau la très détestable image de Vichy puisqu'il demeurait impensable, en cette fin des années 1980, de penser qu'un authentique pionnier de la résistance ait pu être, en 1940 et dans les six premiers mois de 1941, acquis au maréchal Pétain. Plus grave, l'émotion suscitée par ce que les anciens du mouvement Combat assimilaient à une basse attaque contre leur chef décédé en 1988 fut telle que la polémique gagna les pages des quotidiens[35]. Des résistants se déchirèrent ainsi publiquement sans retenir leurs coups. Le compagnon de la Libération Cordier fut, entre autres amabilités, qualifié de

« deuxième classe de la Résistance[36] ». Dans l'ensemble, les historiens – à la notable exception d'Henri Noguères – décernèrent à Cordier un brevet d'honorabilité scientifique, soulignant son exceptionnelle rigueur et l'apport de ses recherches, non sans que sa propension à croiser le fer avec ses pairs résistants soit, ici et là, discrètement soulignée (et déplorée). Jean-Pierre Azéma estima, pour sa part, que le Manifeste du Mouvement de libération nationale publié par Daniel Cordier dérangeait surtout « une histoire trop pieuse, par trop convenue. [...] Mettre entre parenthèses les incertitudes, les hésitations, les contradictions, de bon nombre de résistants de la première heure, réécrire en un mot une geste lisse et simplifiée, serait rendre finalement inintelligible et bien appauvri leur combat[37] ». Le soutien allait plus loin qu'en 1983, lors de la séance chahutée à la Sorbonne que nous avons évoquée au chapitre précédent : cette fois, la piété était pointée du doigt. À la faveur de cette virulente passe d'armes entre acteurs de la Résistance – un homme de la France libre d'un côté[38], les anciens de Combat de l'autre –, pour la première fois publiquement était dénoncée « une histoire trop pieuse ».

Le général de Gaulle étant mort et enterré, ses deux successeurs ne brûlant manifestement pas de célébrer une cause qui devait être reléguée dans le passé – ce que la suppression de la journée fériée du 8 mai par Valéry Giscard d'Estaing soulignait malencontreusement –, les vieilles divisions internes à la Résistance rejouant, tout concourut dans les années 1970 pour donner à penser que la mémoire de la Résistance était en mauvaise posture.

Ce diagnostic semblait d'autant plus évident que, dans le sillage des attaques de Frenay à l'encontre de Moulin, d'autres tentatives pour déboulonner sa statue virent le jour. De Henri-Christian Giraud[39] à Jacques Baynac[40] en passant par Thierry Wolton[41], Moulin fut tour à tour suspecté d'avoir été crypto-communiste, agent soviétique et rallié aux services secrets américains. Ces thèses, que Daniel Cordier a réfutées point par point, ont fait long feu[42]. Elles n'en ont pas moins défrayé la chronique et fait couler beaucoup d'encre tant il est vrai que, depuis sa panthéonisation, Jean Moulin,

« pauvre roi supplicié des ombres » selon l'expression d'André Malraux, était devenu la figure symbolique de la Résistance. Force est de constater que, par ses écrits dans les années 1970, Henri Frenay a rendu possibles, à son corps défendant, des publications fondées sur des hypothèses qui ne le cédaient en rien aux siennes quant à leurs faiblesses et à la vulnérabilité des échafaudages qu'elles permettaient de construire.

Paradoxalement, c'est au président François Mitterrand, anti-gaulliste politique s'il en était, qu'il échut de tenter de raccommoder la délicate porcelaine de la mémoire de la Résistance. Il le fit d'abord en allant le 21 mai 1981 se recueillir et déposer une rose sur le tombeau de Jean Moulin. Dans l'atmosphère si particulière de ce mois de mai 1981, nul ne se serait étonné qu'il honorât, par exemple, la mémoire du socialiste Pierre Brossolette. Il ne semble pas qu'il y ait même sérieusement songé. En célébrant Jean Moulin, il valida le choix fait par son prédécesseur en 1964. Le fait vaut d'autant plus d'être relevé qu'il signifiait par là même que, pour lui, la dénonciation du « coup d'État permanent » – titre de l'ouvrage qu'il avait publié en 1964 pour dénoncer la pratique gaullienne des institutions de la Ve République – n'enlevait rien à la communion opérée sur le nom de Jean Moulin. Le chef de l'État ne dévia jamais de cette ligne de conduite. Le 17 juin 1993, il marqua le cinquantième anniversaire de l'arrestation de « Max » par un discours, prononcé au Panthéon, qui se voulait aussi une vigoureuse défense et illustration d'une Résistance à laquelle il s'agrégeait sans états d'âme :

> Mort sans parler, silencieux à jamais, Jean Moulin a laissé dans l'histoire une trace fulgurante, consacrée par la place que le Général de Gaulle lui a donné ici même, il y aura trente ans l'année prochaine ; mais qui peut affirmer en des temps comme les nôtres, que la crypte du Panthéon soit un abri sûr ? Pour l'honneur de la France résistante et combattante, vous à qui je m'adresse et dont je reconnais tant de visages qui s'illustrèrent dans les jours dangereux, restons vigilants.
>
> Il nous faut nous souvenir que les combattants de la Résistance, même les plus obscurs, étaient des hommes de

> courage et de foi, qui s'étaient engagés dans des circonstances difficiles pour une lutte dangereuse, ingrate, dont aucun, même les chefs autour desquels ils s'étaient regroupés, ne pouvait avoir l'expérience.
> On a souvent parlé des combattants de la nuit ; ces images sont devenues parfois même des clichés, mais elles restent exactes. On marchait à tâtons, dans la nuit noire, sans se voir, mais tous étaient guidés par la même lumière, qui se rapprochait à mesure que les jours passaient : la même volonté de ne pas déposer les armes avant la victoire commune.
> Il est facile, après coup, trop facile, d'isoler tel ou tel épisode pour l'amplifier ou le gommer, d'interpréter à contresens le comportement des uns et des autres, bref de traiter les combattants de la Résistance comme des héros de roman que chacun aurait la liberté de déchiffrer à sa manière ou à sa guise. C'est cela qu'il ne faut pas permettre.
> Comme l'écrivait ces jours-ci l'historien Philippe Videlier, l'histoire n'est pas un théâtre d'ombres, qu'il serait loisible au premier ou au dernier venu d'éclairer comme il l'entendrait. Notre devoir est de rendre un sens à l'histoire telle que nous l'avons vécue et le cas de Jean Moulin ne souffre aucune équivoque : il incarne désormais une grande tradition, celle du patriotisme républicain dont il a pris le relais, en un moment crucial de notre Histoire, pour la transmettre aux générations futures.
> C'est de cette tradition que nous avons la garde, Mesdames et Messieurs. On n'est pas quitte envers elle quand on l'a « soigneusement roulée dans le linceul de pourpre où dorment les dieux morts ». Le message vit, la France aussi et nous en sommes comptables[43].

Dans un ouvrage paru en 1994, interrogé par Olivier Wieviorka sur les raisons qui l'avaient poussé à inaugurer son premier septennat en allant s'incliner sur la tombe de Jean Moulin, François Mitterrand justifiait ainsi son geste :

> Jean Moulin était l'homme symbole le plus significatif de la Résistance intérieure. […] C'est Jean Moulin qui repose au Panthéon, c'est lui le symbole, c'est lui qui a été sacrifié[44].

L'hommage répété à Jean Moulin n'empêcha pas François Mitterrand de manifester solennellement l'estime de la nation à Henri Frenay, selon ses propres termes « sans doute la plus belle figure de la Résistance intérieure[45] », en lui attribuant, le 15 mars 1988, la dignité suprême de grand-croix de la Légion d'honneur, puis en présidant les cérémonies organisées à sa mémoire aux Invalides, le 20 septembre de la même année. En définitive, sans rien ignorer des querelles intestines du monde résistant, François Mitterrand affecta de ne pas s'en préoccuper et se montra soucieux de tenir constamment les deux bouts du fil.

Cette attitude irénique fut mise à mal par les deux enquêtes publiées sur les années de jeunesse de François Mitterrand (1934-1947) par Pierre Péan[46] en septembre 1994 d'une part, sur la vie de René Bousquet par Pascale Froment[47] en novembre de la même année d'autre part. Ces ouvrages coïncidaient avec une nouvelle flambée du « syndrome de Vichy », comme le diagnostiquaient au même moment Éric Conan et Henry Rousso dans *Vichy, un passé qui ne passe pas*, paru en septembre 1994[48]. Les aspects proprement vichystes du passé du chef de l'État, son amitié durable avec le secrétaire général à la Police René Bousquet – attestée par une photographie, publiée dans *Le Point* en 1974, d'un repas pris en tout petit comité dans la résidence secondaire de François Mitterrand[49] –, tout cela contribua à alimenter un débat dans lequel le principal intéressé intervint personnellement. Il en résulta que le président qui, depuis Charles de Gaulle, avait le plus nettement rappelé la force du symbole de la Résistance, termina son deuxième septennat en s'expliquant, au soir de sa vie, sur ses accointances avec Vichy et son amitié avec René Bousquet. L'affaire troubla d'autant plus l'opinion que le président de la République tint, face aux « révélations » du livre de Pierre Péan, une ligne qui n'était pas de contrition. Le 12 septembre 1994, dans un entretien télévisé, il évoqua la législation antisémite de Vichy en des termes propres à susciter le malaise : « Une législation contre les juifs étrangers, dont j'ignorais tout. » Il ne renia pas, par ailleurs, son amitié pour René Bousquet, inculpé de crimes contre l'humanité en 1991, assassiné par un illuminé en 1993. Ce faisant, François Mitterrand était cohérent avec lui-même puisqu'il avait, très peu de temps auparavant, publiquement affirmé ne pas souhaiter que soient jugés des hommes comme Bousquet ou Papon, établissant de surcroît un distinguo entre un Paul Touvier appartenant « à une sorte de pègre politique » et un René Bousquet « haut fonctionnaire qui a été pris dans un engrenage », dont il rappelait qu'il avait déjà été jugé en son temps[50].

Cette fin des années 1990 eut donc bien un goût particulier dominé par l'amertume vichyssoise, loin du pénétrant tableau de *L'Armée des ombres* porté à l'écran par Jean-Pierre Melville en 1969, dans une tout autre veine que le *Lacombe Lucien* dépeint par Louis Malle en 1974. À la dérision décalée et contestataire du *Papy fait de la Résistance* de Jean-Marie Poiré[51] (1983) succédait, comme pour clore temporairement ces polémiques, *Un héros très discret* (1996), réalisé par Jacques Audiard d'après un roman de Jean-François Deniau, itinéraire d'un imposteur qui, ayant décidé de devenir un héros de la Résistance *après* la Libération, gravit les échelons du pouvoir avant d'être confondu. Réalisé avec talent, interprété par des acteurs inspirés[52], le film de Jacques Audiard était tout de même noir et, tout en décrivant une trajectoire purement individuelle, exprimait peut-être en filigrane la difficulté d'exister de la solidarité et de la mémoire résistantes d'après-guerre. Un fâcheux contresens consisterait à voir dans le destin singulier du « héros » du film, Albert Dehousse, une allégorie valant pour la Résistance en général. Un des éléments les plus intéressants du film est de faire toucher du doigt l'importance du récit légendaire dans la constitution de l'aura résistante : faut-il en conséquence rejeter ce légendaire en même temps que l'imposture de Dehousse est démasquée ? Sans doute pas. Comme l'a fort bien écrit l'historien britannique Julian Jackson :

> Il y existait bel et bien un mythe de la Résistance qu'il fallait dégonfler, mais cela ne signifie pas que la Résistance elle-même fut un mythe[53].

Un épisode révélateur : la table ronde de **Libération** *(17 mai 1997)*

Mineur au regard de l'Histoire avec un grand H, l'épisode de la table ronde organisée dans les locaux du journal *Libération* le 17 mai 1997 est un bon poste d'observation pour tenter de comprendre quelles logiques (le cas échéant, quelles dérives) ont pu être à l'œuvre dans l'écriture de l'histoire de la Résistance[54]. On l'évoquera ici non pour traiter du fond mais pour saisir ce que cette rencontre, improprement dénommée table ronde[55], révèle des spécificités d'une histoire à l'écriture de laquelle acteurs et historiens furent, dès le début, plus qu'intimement associés.

À l'arrière-plan de cette affaire, il y a le vif intérêt que suscitent depuis longtemps les arrestations opérées à Caluire, le 21 juin 1943, par la Gestapo de Lyon. Réunis pour désigner un successeur au général Delestraint, chef de l'Armée secrète, aux mains des Allemands depuis le 9 juin, des dirigeants de premier plan de la Résistance furent, ce jour-là, arrêtés. Parmi eux, Jean Moulin, qui succomba aux tortures qui lui furent infligées. Sans qu'elle fût avérée, on suspecta, en raison d'indices convergents, que ces arrestations étaient dues à une trahison. Bien qu'il ait été jugé et déclaré à deux reprises non coupable après la guerre[56], René Hardy, participant à la réunion, est l'homme vers qui les soupçons des résistants (et les analyses des historiens[57]) se sont portés depuis lors. Faute de certitudes établies, l'affaire de Caluire a acquis le statut d'une de ces « énigmes » historiques propres à exciter l'intérêt et l'imagination des lecteurs comme des polygraphes.

Il se trouve que l'itinéraire du couple Aubrac a croisé, pendant et après la guerre, ce « fait divers tragique[58] ». Membre de l'état-major de l'Armée secrète, Raymond Aubrac fut un des hommes arrêtés par Klaus Barbie le 21 juin 1943. Arrêté une première fois le 15 mars 1943 à Lyon par la police française avec d'autres responsables de l'Armée secrète, mis en liberté provisoire le 10 mai, il avait participé à l'opération montée pour faire évader de l'hôpital de l'Antiquaille, le

24 mai, plusieurs de ses camarades pris dans le coup de filet du 15 mars. Arrêté à nouveau donc le 21 juin, Raymond Aubrac fut libéré à la faveur d'une opération armée conçue et dirigée par sa femme, le 21 octobre. Tous deux furent emmenés à Londres en février 1944 par opération aérienne. Commissaire de la République à Marseille à la Libération, Raymond Aubrac fut déchargé de ses fonctions en janvier 1945, fonda un bureau d'études travaillant avec les pays d'Europe de l'Est avant de devenir fonctionnaire international jusqu'à sa retraite, en 1976. C'est à partir de ce moment que, petit à petit, les époux Aubrac devinrent des personnages médiatiquement connus.

L'affaire de Caluire revint au premier plan de l'actualité avec l'extradition de Bolivie de Klaus Barbie en février 1983 pour être jugé en France et son choix de prendre pour défenseur maître Vergès, adepte d'une stratégie de rupture : il fut beaucoup dit dès ce moment que l'image de la Résistance ne sortirait pas indemne du procès. De fait, Raymond Aubrac, dernier acteur survivant de la réunion de Caluire avec René Hardy, ne tarda pas à être attaqué vigoureusement.

En 1984, Lucie Aubrac publia au Seuil ses souvenirs de cette période sous la forme d'un récit au jour le jour intitulé *Ils partiront dans l'ivresse*. L'ouvrage se voulait une double réponse au livre de René Hardy, *Derniers Mots*, paru chez Fayard en avril, où Aubrac et Bénouville étaient mis en cause, et à un documentaire[59] dans lequel Jacques Vergès accusait Raymond Aubrac d'avoir indiqué à Barbie le rendez-vous de Caluire par l'intermédiaire de sa femme[60]. En 1987, Klaus Barbie fut jugé et condamné sans que les révélations promises sur le passé résistant de Raymond Aubrac, cité comme témoin de la défense au procès par maître Vergès, aient vu le jour[61].

Le 4 juillet 1990, un mémorandum de 63 pages, vite connu sous le vocable abusif de « testament » de Klaus Barbie[62], était remis au juge Hamy, qui instruisait alors une plainte déposée contre Barbie par les héritiers de Bruno Larat, arrêté à Caluire. Le décès de Klaus Barbie, survenu en septembre 1991, mit fin à cette instruction. Le « testament » commença alors à circuler dans les salles de rédaction. Mis en cause par ce texte, qui les accusait purement et simplement d'avoir trahi, les Aubrac demandèrent, en octobre 1991, lors d'une conférence de presse tenue à l'hôtel Lutetia, qu'une commission d'historiens fît la lumière sur les allégations infamantes colportées par ce texte. Leur requête resta lettre morte.

Six ans plus tard, fin février 1997, *Lucie Aubrac*, film de Claude Berri librement inspiré d'*Ils partiront dans l'ivresse*, sortait dans les salles. Au même moment, la revue *Historia*, datée de mars, publiait un article de Gérard Chauvy, journaliste au *Progrès de Lyon*, qui donnait la teneur d'un ouvrage à paraître dont il était l'auteur : sur la base de questions, il y distillait le doute sur l'attitude des Aubrac en pointant des écarts entre les versions qu'ils avaient successivement données au fil des ans des événements dont ils avaient été partie prenante entre mars et octobre 1943. Dans le numéro suivant d'*Historia*, Raymond Aubrac et Serge Ravanel, chef des groupes francs qui avaient libéré le premier en octobre 1943, réfutèrent les allégations de Chauvy, dont le livre, intitulé *Aubrac, Lyon 1943*, parut le 3 avril chez Albin Michel : il comportait, dans ses annexes, la publication intégrale du « testament » de Barbie et des pièces d'archives extraites du dossier constitué par le juge Hamy.

Le monde résistant était ouvertement divisé puisque l'*Evénement du jeudi* publia, dans son numéro daté de la semaine du 3 au 9 avril 1997, un appel public de dix-neuf résistants prenant la défense des Aubrac : « Nous n'acceptons pas cette stratégie du soupçon, de l'insinuation et de la rumeur, elle est moralement méprisable et historiquement (les vrais historiens le savent) infondée[63]. » Mais les « vrais historiens » restaient muets et, cette même semaine, interviewé par *Libération*[64], Daniel Cordier déclarait, de son côté, que les Aubrac n'étaient pas coupables de trahison, non sans ajouter : « Je ne pense pas que les Aubrac aient, sur l'année 1943, dit toute la vérité et je souhaiterais qu'ils s'expliquent, non devant des tribunaux bien sûr, mais face à une commission d'historiens. »

Deux journalistes de *Libération* s'en allèrent trouver Raymond Aubrac, qui formula devant eux la demande d'une table ronde[65] : « Pourquoi *Libération* n'organiserait-il pas, maintenant, une réunion d'historiens qui nous poseraient toutes les questions qu'ils souhaitent ? Du journalisme à l'américaine, vous voyez ? » Raymond Aubrac faisait ainsi sienne la suggestion de Daniel Cordier. *Libération* saisit la balle au bond et entreprit de mettre sur pied la rencontre à laquelle, après concertation entre *Libération* et les Aubrac, furent conviés Maurice Agulhon, Jean-Pierre Azéma, François Bédarida, Daniel Cordier, Laurent Douzou, Henry Rousso, Dominique Veillon et Jean-Pierre Vernant. Cette rencontre eut lieu le 17 mai 1997 dans les locaux du journal.

Entamés avec une courte prise de parole liminaire par laquelle chaque participant rejeta d'emblée l'imputation de trahison, les débats de la matinée établirent que Raymond Aubrac, avait bien été arrêté le 15 mars, et non le 13. Le point était d'importance : s'il avait été arrêté le 13 mars, la question se serait posée de savoir ce que Raymond Aubrac avait fait jusqu'aux arrestations survenues deux jours plus tard.

Le seul fait saillant de la matinée, qui s'acheva avant que le sujet de Caluire ait été abordé, fut l'attitude de Lucie Aubrac, qui refusa ostensiblement dans un premier temps de prendre la parole avant de crever l'abcès de sa rage contenue[66]. En réponse à Antoine de Gaudemar, journaliste à *Libération*, qui souhaitait savoir si les Aubrac approuvaient l'ordonnancement de la journée tel qu'il venait d'être annoncé, elle déclara :

> Il a été entendu que je n'avais pas le droit de parler ce matin. Alors je me tais. Je parlerai quand on m'y autorisera. Il avait même été convenu que nous nous séparions, que l'on n'entende pas nos réponses.

Antoine de Gaudemar réagit immédiatement :

> Non, cela a été envisagé dans un premier temps, mais nous avons immédiatement fait machine arrière et, si vous le souhaitez, vous en avez tout le loisir.

Lucie Aubrac asséna alors[67] :

> Puisque l'on me permet de dire quelque chose, je ne comprends pas cette méthode d'investigation et de questions.

Peu avant que la matinée prît fin[68], elle intervint à nouveau en ces termes :

> Vous m'énervez tous. Pendant ce temps, on ne demande pas aux personnes qui ont trahi [...] quelle était leur occupation tel jour. Pour Touvier, il a fallu des années avant que l'on se penche sur son cas. Il est tranquille à présent [...]. Ce n'est pas digne, c'est mon avis brutal. Je vous aime bien, il y en a que je connais mieux, que je fréquente depuis longtemps. Il faut faire attention. Il ne faut pas mettre ainsi sur la tribune, mettre en justice des personnes devant un tribunal. À notre âge, nous sommes tellement plus sensibles. Quelqu'un m'aurait dit cela quand je suis arrivée à Londres en février 1944, prête à pondre mon deuxième enfant, je lui aurais volé dans les plumes. Et maintenant, je reste assise tranquillement.

Henry Rousso fit valoir que c'étaient les Aubrac qui avaient souhaité la tenue d'une table ronde. Jean-Pierre Azéma renchérit : « D'autant que vous avez dit que les historiens ne parlaient pas. » Lucie Aubrac répliqua alors : « C'est vrai. On vous a sortis du bois. » Ce dialogue atteste que la réunion était, dès le matin, placée sous le signe du pur rapport de force.

L'atmosphère se dégrada singulièrement l'après-midi quand furent analysés successivement plusieurs points qu'on peut sommairement résumer comme suit : pourquoi Raymond Aubrac, arrêté le 21 juin, fut-il gardé à Montluc jusqu'au 21 octobre alors qu'il avait été identifié sous son pseudonyme d'Aubrac[69], connu des Allemands pour être l'un des responsables de l'Armée secrète ? Comment expliquer qu'il ait, depuis 1944, tantôt admis avoir été identifié en tant qu'Aubrac, tantôt affirmé que tel n'avait pas été le cas ? Compte tenu des visites effectuées par sa femme au siège de la Gestapo à Lyon, n'y avait-il pas un risque qu'elle ait été filée et que ces filatures hypothétiques aient causé l'arrestation des parents de Raymond Aubrac[70] ?

Face aux questions réitérées relatives aux variations de ses versions successives au fil des ans sur la question de savoir s'il avait été percé en tant qu'Aubrac en juin 1943, Raymond Aubrac ne put que répéter qu'il n'était pas en mesure de fournir une explication. Ce qui amena Daniel Cordier à lui demander : « Que caches-tu ? » avant qu'*in fine* la question du lien entre l'arrestation des parents de Raymond Aubrac, déportés et exterminés à Auschwitz, et d'éventuelles filatures soit abordée. La tension, perceptible dès le commencement de la réunion, on l'a vu, était allée s'exacerbant au fil de la journée, donnant lieu à une véritable confrontation entre les Aubrac et la majorité des historiens présents.

Un long délai s'écoula entre la journée (17 mai) et la publication (9 juillet). La phase où se prépara la publication fut plus tendue encore que la journée de la table ronde[71]. La méfiance entre les participants, se suspectant mutuellement de réécrire à leur avantage leurs interventions au lieu de simplement les condenser, était extrême. Loin de retomber tout de suite après la publication de la table ronde, ces tensions s'exprimèrent au grand jour au mois de juillet 1997[72], singulièrement à travers les articles réactifs parus dans *Libération* sous la plume des participants à la table ronde[73].

Voilà, brièvement esquissé, le schéma d'un épisode qui nous importe ici, répétons-le, en raison de l'éclairage qu'il permet de porter sur les singularités des pratiques historiennes dédiées à l'histoire de la Résistance.

Sur le fond, cette table ronde aura révélé des clivages multiples et profonds remontant pour certains à l'époque de la guerre. Elle l'aura fait en réactivant les différends entre résistants de l'intérieur (le livre de Gérard Chauvy était préfacé par un résistant de l'intérieur), et entre résistants de l'intérieur et de l'extérieur. Daniel Cordier avait face à lui les époux Aubrac, assistés de Jean-Pierre Vernant, c'est-à-dire trois résistants de l'intérieur. Elle aura également mis à nu des divergences de fond entre historiens, sur le moment comme dans les suites qu'elle eut[74]. Dans le même temps, elle aura souligné le rôle important, voire écrasant, qui leur était assigné.

Ainsi s'explique que Raymond Aubrac les ait sollicités. En 1991, il avait demandé une « commission ». Mais, disait-il dans son propos liminaire, « le terme commission évoque une procédure et une machinerie un peu lourdes et lentes ». Faute de commission, ce serait donc une table ronde. Cette obstination à vouloir que des historiens se prononcent renvoie aux compétences de ces deux sphères bien distinctes que sont l'histoire et la justice. On peut – les Aubrac l'ont fait – traduire en justice un auteur pour diffamation et obtenir gain de cause. Mais en droit, la diffamation se définit par l'absence de « bonne foi », laquelle exonère de responsabilité. Les critères juridiques pris en compte pour déterminer s'il y a diffamation sont la légitimité du but poursuivi, le sérieux de l'enquête, l'absence d'animosité et la mesure des propos. Ce qui revient à dire que, même reconnu comme tel, le diffamé n'est pas réhabilité sur le fond.

Donc, le juge dit la justice, l'historien l'histoire. Il fallait par conséquent, pour que les deux résistants fussent lavés du soupçon qui pesait sur eux, que les historiens « sortent du bois », selon l'expression de Lucie Aubrac. L'idée sous-jacente à cette sollicitation est qu'il existe un « tribunal de l'histoire ». Elle repose sur un présupposé : les historiens seraient dépositaires et juges de la seule vérité qui compte.

Une telle conception attribue un pouvoir considérable aux historiens, à qui, dans cette optique, il échoit de donner quitus aux acteurs de l'histoire qu'ils étudient. La procédure adoptée en l'occurrence ne répondait pas aux conditions d'exercice de la justice. En principe, c'est à l'accusation qu'il revient de faire la preuve de ce qu'elle avance. Par ailleurs, dans l'enceinte d'un tribunal, les rôles sont officiellement distribués avec une défense, une accusation structurée, des juges qui mènent les débats contradictoirement. Doit-on en conclure que, bonne dans son principe, la table ronde aurait péché dans ses modalités d'organisation ? Nous ne le pensons pas : l'exercice inédit pratiqué à l'occasion de la table ronde était vicié dans son principe comme dans ses modalités.

En effet, la procédure retenue ne répondait pas non plus aux conditions d'exercice du métier d'historien, qu'il soit du temps présent ou non. Il faut ici revenir à Marc Bloch :

> Un mot, pour tout dire, domine et illumine nos études : « comprendre ». Ne disons pas que le bon historien est étranger aux passions ; il a du moins celle-là. Mot, ne nous le dissimulons pas, lourd de difficultés, mais aussi

> d'espoirs. Mot, surtout, chargé d'amitié. Jusque dans l'action, nous jugeons beaucoup trop. Il est commode de crier « au poteau ! » Nous ne comprenons jamais assez [...]. [L'histoire] est une vaste expérience de variétés humaines, une longue rencontre des hommes. La vie, comme la science, a tout à gagner à ce que cette rencontre soit fraternelle[75].

Comprendre ne signifie pas être en fusion affective ou intellectuelle avec celles et ceux dont on tente d'écrire l'histoire, lointaine ou proche. Comprendre signifie d'abord se donner les moyens de comprendre, en travaillant longuement les archives. Or, un des éléments les plus troublants de cette table ronde aura été qu'elle a eu pour toile de fond le « testament » de Barbie articulé sur un dossier, celui du juge Hamy, constitué dans une optique judiciaire très particulière, agrémenté de pièces d'archives dont la provenance n'était pas dévoilée. À quel *corpus* appartenaient-elles ? Dans quelles liasses ces pièces authentiques avaient-elles été trouvées ? Nul ne l'a su. Or, les archives ne peuvent être examinées du seul point de vue de leur contenu ; on les évalue aussi en fonction de la source dont elles proviennent.

La table ronde a enfin et surtout posé, à un degré inouï, une question cruciale : celle du statut du témoin. La relation entre témoins et historiens est par nature conflictuelle. En livrant leur témoignage sur une histoire à laquelle ils tiennent comme à la prunelle de leurs yeux, les premiers espèrent que la narration qui en résultera restituera leur vécu. C'est bien pour cela qu'ils acceptent cette sorte de dépossession qu'est l'acte de témoigner : en se muant en *témoin*, *l'acteur* (qui continue à se penser comme tel) renonce en quelque sorte au droit de propriété qu'il exerce sur son passé, pour le livrer à l'historien, qui en fera l'usage qu'il voudra. De leur côté, les historiens savent bien que si, grâce aux témoignages, ils peuvent éviter des erreurs et mieux appréhender leur objet d'étude, ils ne pourront jamais, dans le meilleur des cas, que proposer des grilles d'intelligibilité du passé ; ils savent qu'ils ne pourront pas le ressusciter tel qu'il a été vécu[76]. Bon gré mal gré, témoins et historiens doivent composer avec cette difficulté consubstantielle à leur étrange relation mi-professionnelle, mi-familière. Avec la table ronde, cette situation fut poussée à son paroxysme, jusqu'à déboucher sur un affrontement violent.

En ce sens, la table ronde plongeait ses racines dans la façon dont cette histoire avait été conçue, entreprise et élaborée depuis 1944. On a fréquemment mis l'accent sur le fait que Raymond Aubrac, qui avait sollicité la table ronde, ne pouvait, au motif que ses résultats ne correspondaient pas à son attente, récuser ensuite la procédure et son déroulement. On a moins réfléchi au fait que Lucie et Raymond Aubrac étaient confrontés à des spécialistes qu'ils connaissaient de longue date et avec lesquels ils avaient, pour la plupart, noué des liens d'amitié. On objectera que ce type de considération procède d'un mélange des genres qu'on ne saurait accepter. L'objection serait fondée si ce mélange des genres n'avait été l'ordinaire de cette histoire depuis son origine. Peut-être en définitive le seul résultat de ce face-à-face tendu aura-t-il été de permettre de réfléchir à des pratiques bien ancrées pour des raisons ayant trait à la conception même que les uns et les autres se faisaient des spécificités supposées de cette histoire-là. Le lecteur se souviendra peut-être que, dès les années 1950, Lucie Aubrac et d'autres personnalités éminentes de la Résistance étaient associées au travail mené par le CH2GM sur la Résistance. Cette proximité, perçue et présentée alors comme un atout de première force, n'avait jamais été vraiment remise en cause depuis lors.

À bien y réfléchir, en effet, c'est la conception même qu'on peut avoir de l'histoire et de l'histoire de la Résistance qui était en jeu dans la table ronde. Dès 1944, on l'a vu, les pères fondateurs de l'historiographie de la Résistance pensaient que, à la condition de s'y prendre bien et suffisamment tôt, on parviendrait à rendre son écriture possible en faisant moisson de témoignages. Sans doute n'est-il pas inutile, à ce stade de notre réflexion, de citer à nouveau le texte dans lequel, en 1949, Henri Michel exposait la marche à suivre vis-à-vis des témoins sollicités par les historiens :

> Après avoir « déblayé » au cours d'un premier entretien, il soumet la première rédaction à sa victime au cours d'une deuxième entrevue ; puis il compare les déclarations ainsi

> faites avec celles des autres témoins ; il revient à la charge, plus riche encore en renseignements de toutes sortes et, par pressions successives, il arrive à faire rendre aux témoins tout le suc de vérité qu'ils contiennent. Que le point de départ soit un rapport, un livre ou un témoignage, on arrive ainsi à dissiper les obscurités, volontaires ou non, à dégonfler les hâbleries, à boucher les lacunes[77].

« Faire rendre aux témoins tout le suc de vérité qu'ils contiennent. » N'est-ce point là la posture qui a justifié les questions répétées adressées aux époux Aubrac ? À cet égard, les propos tenus par Jean-Pierre Vernant en conclusion de la table ronde méritent réflexion :

> L'expérience m'a appris que dans le cours des événements historiques, dans le comportement des hommes, et même, concernant chacun de nous, dans ses motivations, il est des questions que l'on se pose, y compris sur soi-même, sans pouvoir trancher, et où la réponse est : je ne sais pas.

La mémoire recompose, déforme, oublie. Les acteurs varient dans leurs déclarations, dans leurs souvenirs. Ils ne sont pas nécessairement capables de répondre à toutes les questions que posent leurs narrations successives. Tout cela, on le sait depuis très longtemps. Alors tout jeune professeur d'histoire, Marc Bloch le disait, à l'occasion d'une distribution des prix en 1914 :

> Notre mémoire est un instrument fragile et imparfait. C'est un miroir taché avec des plaques opaques, un miroir inégal qui déforme les images qu'il reflète[78].

Ce qu'il disait là, de même que ses propos sur le mensonge, les inexactitudes de la mémoire, tout cela appartenait déjà au bagage commun des historiens. « L'homme averti qui sait la rareté des témoignages exacts est moins prompt que l'ignorant à accuser de mensonge l'ami qui se méprend[79]. » C'est aussi cela qui a été perdu de vue dans la dynamique enclenchée par la table ronde.

Pour les lecteurs du quotidien *Libération*, le dossier issu de la table ronde disait peu de choses sur les Aubrac non plus que sur la Résistance. Il disait beaucoup, en revanche, sur l'expédient retenu d'un commun accord par les acteurs, les historiens et, à un degré moindre, par les journalistes. Il n'y a pas de raccourcis possibles dans l'écriture de l'histoire, de celle-là comme de toute autre. On ne fait pas d'histoire vivante dans l'arène, sous le regard du public, en présence des acteurs, en les mettant en demeure de trouver des réponses à des questions que nul n'est en mesure de résoudre. La table ronde, à sa manière, aura rappelé durement ces règles de base du métier d'historien. Elle aura aussi démontré combien le statut des témoins, si l'on n'y prend garde, est vulnérable. Et à quel point la relation qui s'établit entre acteurs et historiens est fragile. La distance entre le respect dont les acteurs étaient entourés à la Libération et la situation réservée à certains d'entre eux à la fin du XXe siècle est, de ce point de vue, abyssale.

Interrogé un an plus tard sur le point de savoir s'il n'avait pas eu l'impression d'avoir participé à une mise à mort symbolique d'un couple de grands résistants, Henry Rousso a estimé : « Si mise à mort il y a eu, c'est plutôt celle d'une certaine conception de la Résistance, qui préfère la légende à la vérité, l'histoire sainte à l'histoire critique[80]. » Du point de vue qui nous occupe, celui du statut de la Résistance dans la mémoire sociale, force est pourtant de constater que la table ronde de mai 1997 a spectaculairement donné à voir une brutale prise de distance entre certains historiens et des acteurs de la Résistance. Après de longues années de coexistence et même de coopération étroite, un fossé, que tous les historiens n'approuvèrent pas, apparut ainsi au grand jour. S'il n'est assurément d'histoire que critique, on peut émettre le souhait qu'on ne s'éloigne plus à l'avenir des pratiques plus complexes, exigeantes, respectueuses des personnes, ordinairement mises en œuvre afin de résoudre une des questions que cette histoire, comme d'autres mais probablement plus que d'autres, pose depuis ses débuts : celle de la place dévolue aux acteurs mués en témoins.

Les descendants entrent en scène

Est-ce à dire que le temps des témoins serait révolu ? On pourrait le penser, ne serait-ce qu'en raison de la disparition progressive et inéluctable des survivants de cette génération. D'aucuns estiment que cette disparition de la génération de la Résistance inaugurera une nouvelle période. Ainsi a-t-on pu lire, en 1993, dans une communication présentée lors d'un colloque dédié à l'histoire de la Résistance :

> Cette histoire ne pourra réellement exister (notamment de manière conceptuelle) que lorsque tous les acteurs et les témoins auront disparu[81].

S'il est rare que ce type de propos soit tenu en public avec une tonalité aussi radicale, l'idée couve. Elle fait trop bon marché d'un phénomène inédit qui est en train de sourdre sous nos yeux : la montée en puissance des ouvrages signés par les filles et fils de résistants. Ce phénomène est lui-même indissociable d'un mouvement plus vaste qui a porté au premier plan, à partir des années 1970, la mémoire des victimes des années noires, et d'abord celle des victimes du génocide. Peinant à exprimer l'indicible[82], ces dernières n'en ont pas moins, très tôt et fortement, porté témoignage[83]. Comme l'a écrit Robert Frank :

> Si l'émission des signes et des signaux s'est effectuée convenablement, c'est la réception de la part de la société française de 1945-1948 qui a été défectueuse. L'opinion n'était prête alors à « recevoir » ni psychologiquement ni intellectuellement : elle n'avait pas les outils conceptuels pour comprendre le génocide, c'est-à-dire l'inimaginable[84].

Beaucoup de chemin a été parcouru depuis le lendemain de la Libération et la mémoire juive française a fini par se faire entendre. Ce faisant, elle a participé à l'émergence d'un questionnement de plus en plus insistant sur la définition même de la notion de Résistance. En distinguant en 1986 « Résistance civile », « Résistance armée », « Résistance humanitaire », cette dernière étant définie comme « l'aide aux Juifs et aux victimes de la répression[85] ». François Bédarida voulait prendre en compte la Résistance dans toutes ses dimensions, tout comme Jacques Semelin proposant en 1989 le concept de « résistance civile[86] ». De fait, au côté des résistants homologués comme tels a surgi la figure du « Juste » selon la dénomination utilisée par Israël pour rendre hommage, depuis l'ouverture à Jérusalem du mémorial Yad Vashem, en 1959, à celles et ceux qui ont sauvé des Juifs[87].

Reste que les victimes ont eu le sentiment d'avoir été « les oubliés et les ignorés[88] » de l'histoire telle qu'on l'avait écrite et telle qu'on se la remémorait. Beaucoup de résistants ont éprouvé un sentiment analogue, et tout se passe comme si la souffrance que ce sentiment a générée se trouvait exacerbée chez leurs enfants, qui s'évertuent à leur redonner vie et mémoire.

De la montée en puissance des ouvrages signés par les filles et fils de résistants, on prendra ici trois exemples pour tenter de montrer en quoi le silence des acteurs (qu'ils soient morts dans la lutte clandestine ou longtemps après la Libération) et l'arrivée de leurs enfants à l'âge mûr, un âge souvent plus avancé que celui qu'avaient leurs parents assassinés, suscitent un regain d'attention pour l'histoire de la Résistance. C'est la deuxième génération, une génération proche de sa devancière, pétrie par les événements que celle-ci a traversés, imprégnée de ses choix et de ses défis, mais enfin une autre génération, qui prend la plume. La preuve est ainsi administrée que cette histoire, sous l'angle de la sensibilité vécue et souvent douloureuse, ne prend pas fin avec ses acteurs. Les ouvrages qui voient le jour dans ce contexte expriment une forte tension entre l'histoire telle qu'elle s'est écrite et la mémoire telle qu'elle fouaille les descendants des acteurs, entre les historiens et ceux qui, cherchant vaille que vaille à comprendre ce que fut l'itinéraire d'êtres qui leur sont chers, recomposent une mosaïque. Sous-jacente ou explicite, une certaine défiance vis-à-vis des historiens s'y dessine. Après celle des survivants, cette génération-là fait le constat que la mémoire écorchée de ceux qui se sont engagés ne coïncide pas avec l'histoire. Elle tente de reconstituer la vie de résistants morts dans l'action avec la conviction que l'histoire ne remplace pas la mémoire des acteurs, qu'elle ne l'épuise pas non plus.

On retrouve toutes ces composantes dans le livre que Georges Waysand a consacré en 1997 à sa mère Esther Zilberberg, disparue trois ans plus tôt[89]. L'ouvrage s'ouvre sur le décès d'Estoucha, diminutif d'Esther, une femme déterminée, secrète, fidèle à ses idéaux communistes non sans avoir conscience de leur échec, une frêle dame âgée qui avait été, quelques dizaines d'années auparavant, une combattante de la guerre d'Espagne, une résistante, une déportée, une militante après la guerre et même, un temps, une permanente. Une destinée qui fait écho à bien d'autres.

Née à Kalisz, en Pologne, dernière d'une famille de sept enfants dont le père ouvrier dentelier était aussi talmudiste à ses heures, elle quitte la Pologne pour la Belgique alors qu'elle a vingt ans. Tout en gagnant sa vie comme ouvrière, elle suit des études de médecine. En 1935, en plein procès Dimitrov, elle adhère au Parti communiste belge. En août 1936, elle part en Espagne pour y épauler les républicains. La défaite consommée, elle rentre en Belgique. Elle y trouve un compagnon, Mouni, Juif polonais comme elle et ingénieur chimiste. Après la défaite de 1940, tous deux entrent en Résistance.

Arrêté en septembre 1942, Mouni est fusillé le 15 décembre de cette même année. Arrêtée à son tour le 6 février 1943, Estoucha est longuement torturée. Elle restera deux cent quatre-vingt-dix-sept jours à l'isolement et subira vingt-six interrogatoires, au cours desquels elle aura les tympans crevés et le fémur enfoncé dans l'os iliaque. À partir de décembre 1943, elle poursuivra son chemin de croix dans différentes prisons allemandes avant d'être acheminée à Ravensbrück, puis à Mauthausen. Libérée en avril 1945, cette jeune veuve se réinsérera non sans mal dans la vie active, terminant ses études de médecine en Belgique en octobre 1946.

Elle ne pourra pas reprendre avec elle son fils Georges, né le 30 avril 1941, avant 1948. Celui-ci, caché pendant la guerre chez un couple ami à partir du moment où ses parents ont plongé dans une totale clandestinité en juin 1942, a alors sept ans et n'a pas passé plus de quelques mois avec sa mère. Estoucha, que les épreuves de la prison et des camps ont physiquement et durablement affaiblie et qui est à la merci du passé « toujours là, tapi dans l'ombre[90] », occupe divers emplois. Elle n'obtient de pouvoir exercer la médecine en France qu'en 1955 et ouvre alors un cabinet à Malakoff avant de prendre la responsabilité du dispensaire de Châtillon-sous-Bagneux. Elle mène une vie placée sous le double signe du militantisme communiste et de son métier, jusqu'à sa retraite.

Après sa disparition, son fils entreprend d'essayer de mieux comprendre l'itinéraire de sa mère, dont il était si proche mais qui ne se livrait pas si aisément. Faisant flèches de tout bois, s'appuyant sur les confidences qu'elle avait faites, sur le récit qu'elle avait tardivement couché sur le papier[91], sur un nombre impressionnant de lectures, sur les témoignages de ses amies, Georges Waysand mène un douloureux travail de deuil, s'étonnant de savoir si peu sur ce qui lui tient tant à cœur : « Se peut-il ainsi que nous n'ayons pu vraiment partager que nos silences ? » Son récit, qui mêle les notations pudiques et intimistes avec une inextinguible soif de savoir et de comprendre, est rédigé sur un registre qui prend délibérément ses distances avec celui des historiens – qu'il épingle en quelques occasions[92] – tout en fuyant le mode apologétique. Ce qui est à l'œuvre dans ce livre qui n'adopte aucune pose, c'est bien une démarche exigeante et rigoureuse, servie par une écriture libre. La tonalité d'ensemble diffère de celle des écrits de la génération des acteurs, même si la quête de mémoire est aussi effrénée :

> En essayant de laisser une trace écrite, de condenser en quelques lignes ces angoisses et ces haut-le-cœur qui me faisaient serrer les dents en silence pendant des minutes après qu'elle eut terminé son histoire, je trahis. En essayant d'en parler, je trahis alors que je devrais servir de relais. Je trahis parce que personne ne peut décalquer ce qui s'est passé[93].

C'est aussi à une femme conçue en 1942 par un couple de résistants, Jacques et Lotka de Prévaux, que l'on doit le deuxième ouvrage choisi pour illustrer cette mémoire à vif qui est en train de sourdre devant nous depuis quelque temps[94]. La façon même dont l'histoire de ses parents fut révélée à l'auteur est saisissante. À vingt-trois ans, Aude Yung-de Prévaux travaillait à la Bibliothèque nationale à un mémoire sur le « dualisme cathare », quand un lecteur âgé qui avait surpris son nom à la dérobée sur une fiche prétendit reconnaître en elle le portrait craché de deux résistants fusillés par les Allemands, Lotka et Jacques Trolley de Prévaux, dont elle ignorait jusqu'à ce jour qu'ils aient existé. L'inconnu s'éclipsa aussi mystérieusement qu'il venait de faire intrusion dans sa vie. C'est ainsi que la jeune femme apprit qu'elle avait été adoptée par son oncle paternel. Une adoption doublée d'une occultation complète, vingt-deux années durant, de ses parents par une famille très bourgeoise que la vie agitée de son père et l'origine – juive – de sa mère avaient scandalisée.

Aude Trolley de Prévaux aurait pu remâcher tristement cette révélation bouleversante. Elle a pris un tout autre parti. La plaie apaisée sinon cicatrisée, elle s'est, rageusement et méthodiquement, mise en quête de ces parents ignorés, dans la double acception du terme. Cette plongée dans une histoire dont elle a eu tout à apprendre remet en lumière deux combattants dont la valeur n'avait pourtant pas été ignorée, puisque Lotka reçut la médaille de la Résistance à titre posthume le 5 mai 1945 tandis que son mari était fait compagnon de la Libération le 18 janvier 1946.

Le début de l'histoire est pourtant banal : élevé dans une maison où la pénitence et la solitude étaient la règle, admis à l'École navale, Jacques de Prévaux devint un officier très bien noté. Rien ne manqua au tableau : avancement rapide, méditations profondes aidées par l'opium découvert dans ses tribulations sur les mers du globe, poste prestigieux d'attaché naval à Berlin, commandement d'un aviso en Chine. Un beau mariage de surcroît. Cette trajectoire rectiligne bifurqua en 1934. À quarante-six ans, le capitaine de frégate de Prévaux rencontra le grand amour en la personne de Charlotte Leitner, Lotka pour ses proches, arrivée de Cracovie dix ans plus tôt, démonstratrice de produits de beauté après avoir été mannequin chez Madeleine Vionnet. En 1938, au grand dam de sa famille, le capitaine de vaisseau divorça pour épouser Lotka. Affecté à la Force X à Alexandrie, en mai 1940, rapatrié pour raisons de santé en octobre, il fut nommé en juillet 1941 président du tribunal maritime de Toulon. Sa bienveillance envers les « dissidents » lui valut d'être révoqué en décembre.

Depuis un mois, il était agent du réseau franco-polonais F2, où il faisait ses classes sous les ordres d'un ouvrier de l'Arsenal. Prévaux combattit sur le sol français plutôt que de gagner Londres, où son grade élevé lui eût valu, à n'en pas douter, un poste enviable. Lotka, elle aussi engagée corps et âme dans le combat, assura des missions hautement périlleuses. Le 29 mars 1944, la Gestapo arrêtait les membres du sous-réseau dont Jacques était devenu le chef. Lotka et lui furent transférés à Montluc, mis au secret et torturés.

Abattus à quelques jours de la libération de Lyon, ils laissèrent un bébé d'un an qui, par son récit, arrache deux authentiques héros à l'oubli qui les avait ensevelis. Riche des archives qu'elle a exhumées, émouvant sans sensiblerie, l'ouvrage représente un indéniable effort tant on pressent qu'il en a coûté à son auteur de trouver le ton juste pour ressusciter ses parents évanouis.

Bien que leurs parents respectifs aient appartenu à des mondes très différents, bien que leurs trajectoires ne se ressemblent pas, Georges Waysand et Aude Yung-de Prévaux tentent une espèce de redécouverte de combattants dont la pudeur (pour celle qui avait réussi à échapper à la mort), le silence d'une famille et de la Marine (pour le couple passé par les armes en août 1944), avaient à peu près totalement effacé la trace. À travers ces récits, un nouveau genre naît, qui ne peut être comparé à aucun de ceux qui s'étaient solidement constitués à partir de la Libération.

Il en va de même du récit à caractère autobiographique publié par François Maspero en 2002 sous le titre *Les Abeilles et la Guêpe*. Dans une postface dédiée à l'historien Pierre Vidal-Naquet, qui passe non sans raison pour incarner la rigueur toujours insatisfaite de sa discipline, l'auteur explicite sa démarche : « Ce livre paraît, grâce à Denis Roche, dans la collection Fiction & Cie, comme la plupart de ceux que j'ai écrits [...]. Il affichera de la sorte la part d'irréel dans le réel qui s'inscrit dans toute évocation sincère de vie[95]. » De fait, qu'il évoque son père mort à Buchenwald en mars 1945, ou son frère résistant FTP tué au combat dans les rangs de l'armée américaine sur les bords de la Moselle dans la nuit du 11 au 12 septembre 1944, François Maspero tisse les fils d'un récit qui fait fond sur la mémoire – dans tous ses états – et sur les traces qu'il réussit à retrouver. Il ne construit pas un récit bien ordonné, obéissant à un strict déroulement chronologique, mais vagabonde à la recherche de tout ce qui, dans le présent comme dans le passé, est susceptible de (re)donner de la chair aux disparus tout en cernant au plus près leur vécu. Avec une conscience aiguë de tenter un impossible pari :

> Pour qui écrit de mémoire, le plus grave est l'aplatissement, le passage du vivant, toujours en mouvement, au plan en deux dimensions, borné et figé de l'écriture. Certains écrivains authentiques l'évitent mieux que les autres. Écrire est un choix constant où l'on passe son temps à éliminer le trop-plein de vivant pour essayer d'atteindre à l'essentiel. Mais où est l'essentiel ? Chaque moment et plus encore chaque visage que j'évoque perdent, à mesure que je trace les mots censés les évoquer, de leur relief et surtout de leur intrinsèque complexité. Ainsi, toutes les fois que j'ai tenté d'écrire quelques lignes sur mon frère Jean, j'ai su que je ne pouvais que le trahir, et l'impunité que me donne son absence est une pauvre consolation. Ce que je dis là est valable pour tous et toutes[96].

« Toutes les fois que j'ai tenté d'écrire quelques lignes... » La notation exprime très exactement la tension inévitable entre le désir d'écrire et le sentiment accablant d'une écriture par essence impuissante à produire autre chose qu'une évocation pâle, trop pâle. D'où un récit qui, à sa façon mais comme les deux que nous avons évoqués précédemment, tend à restituer le mouvement de la vie, ses incertitudes, ses interrogations destinées à rester sans réponses tranchées, ses bifurcations inopinées. Que la narration soit impossible ne l'empêche pas de prendre vie sous la plume de François Maspero. En cela, il représente sans doute bien cette génération tenaillée par le désir de savoir et par la crainte d'abîmer et de réduire des êtres chers morts d'avoir lutté de toutes leurs forces. Au cours de sa quête pour approcher au plus près des moments de vérité de ce que fut le dernier combat de son père au camp, il écrit ainsi :

> Peut-être parce que j'ai aujourd'hui dépassé l'âge qu'il avait alors, je me pose sans cesse des questions de plus en plus nettes, qu'une pudeur protectrice, une volonté inconsciente de ne pas me laisser hanter par l'insoutenable qui m'eût empêché de vivre, m'avaient fait éluder[97].

François Maspero n'avait pas treize ans quand ses parents lui ont été enlevés. C'est miracle qu'il n'ait pas été lui-même arrêté et déporté. S'il écrit aujourd'hui, c'est très certainement pour tenter de comprendre ce qui est arrivé à ses parents et au jeune garçon qu'il était, mais aussi pour reprendre possession d'une histoire qui lui a été confisquée très tôt et dont les versions qui en ont été données ne lui conviennent pas :

> Les contemporains de nos morts nous les ont confisqués. Nous nous sommes tus. Comme vaguement honteux de n'être que leurs enfants. Les enfants bien élevés ne parlent pas à table, et il faut croire que nos pères nous avaient bien élevés. Ensuite, ce fut à la génération qui a suivi la nôtre de prendre ou parfois de s'arroger la parole : notre parole, ainsi doublement confisquée. Discours pathétiques ou analyses subtiles, thèses doctes et émouvantes dissertations sur le « face à l'extrême », avec, pourquoi s'en priver, arrogante distribution de bons et de mauvais points. Je ne m'y reconnais pas davantage[98].

Le récit de François Maspero est d'autant plus troublant que son père, sinologue, professeur au Collège de France, membre de l'Institut, a été évoqué à différentes reprises au fil des ans dans des témoignages ou des ouvrages dont les auteurs n'étaient pas de complets inconnus, le dernier en date étant *L'Écriture ou la Vie*, de Jorge Semprun. Sans jamais verser dans la polémique, le fils d'Henri Maspero démonte impitoyablement les récits qui ont été donnés de la vie et de la mort de son père au camp. Au prix d'une démarche tâtonnante, par approches successives, il finit par frapper de nullité des tableaux « trop beaux pour être vrais » et, grâce à des bribes de textes patiemment et intelligemment utilisées, redonne à son père un peu de cette humanité que, pour de louables raisons la plupart du temps, des récits empreints d'une apparente piété lui avaient ravie en sculptant un personnage qui enfermait le digne savant dans la statue du Commandeur. Cette restitution de son humanité bafouée et martyrisée à la personne de son père est proprement bouleversante : « À part son épée d'académicien, il n'avait pas d'arme[99]. »

À lire de près – et toute personne intéressée par la Résistance et la Déportation y trouvera un prodigieux intérêt – François Maspero et ses pairs de la deuxième génération, chacun porteur de la mémoire d'une expérience éminemment singulière, on ne peut s'empêcher de constater qu'ils ont tout lu ce qu'il était humainement possible de lire sur un sujet qui les touchait personnellement[100]. On ne peut que constater également qu'ils en ont fait leur miel, construisant aussi leur récit et leur quête identitaire en se fondant sur ce que les historiens avaient mis au jour. Peut-être, au bout du compte, y a-t-il là pour les historiens, en dépit de la difficulté à retenir un peu de cette histoire à l'état pur, un motif de satisfaction ou, à tout le moins, une incitation à redoubler d'efforts ?

Conclusion

Au terme de ce parcours et au point où en est l'historiographie de la Résistance française après soixante années d'un labeur ininterrompu, il serait hasardeux et présomptueux de prétendre livrer ici une conclusion définitive. Le travail se poursuit sur un vaste chantier où alternent les zones déjà bien ordonnées et les aires laissées en friche. L'examen historiographique que nous avons entrepris invite, en toute hypothèse, à l'humilité. À l'humilité mais sûrement pas au pessimisme : beaucoup a été fait et on peut se demander si l'insatisfaction exprimée chez les acteurs mués en témoins comme chez les historiens n'est pas la résultante d'attentes qui n'auront cessé d'être, depuis 1944, d'une assez rare exigence. De l'envie brûlante de retenir un peu de l'histoire clandestine à l'état pur, telle qu'elle s'exprimait au grand jour à l'automne 1944, il aura incontestablement subsisté quelque chose, peu ou prou, jusqu'à nos jours. Et après tout, on peut penser que la sévérité avec laquelle il arrive aux uns et aux autres de juger parfois les résultats engrangés est excessive : il faut probablement se résoudre à cultiver, là comme ailleurs, les vertus de la patience. Les analyses qu'on faisait au début de la IIe République sur la Révolution française ne manquaient ni de passion, ni de savoir, ni de pertinence : qui nierait pourtant qu'elles en étaient soixante ans après le déroulement des faits au stade des balbutiements quant à la compréhension en profondeur de 1789 et de ses suites ? Du point de vue du temps écoulé depuis que l'événement est survenu, nous en sommes là, nous aussi, et, quelle que soit notre impatience, il serait sage de tenir compte d'un incompressible délai de décantation.

Reste qu'une histoire de la Résistance a été écrite et tissée à partir d'une trame établie par les efforts conjugués (sinon toujours convergents) des acteurs et des historiens. Nul ne pourra à l'avenir écrire sans faire fond, d'une façon ou d'une autre, sur ce legs et sans réfléchir à ses multiples implications.

La plus voyante réside dans le rôle majeur que les acteurs ont joué dans l'émergence de l'histoire qu'ils avaient façonnée. Plutôt que de porter sur cette donnée un regard désolé, mieux vaut sans doute la prendre en compte pour tenter d'en apprécier les apports, d'en comprendre les soubassements et d'en mesurer les incidences. C'est au demeurant ce qui a été fait lorsque fut fondé l'Institut d'histoire du temps présent, à qui il échut de théoriser et de justifier épistémologiquement des pratiques qui avaient vu le jour dans le giron de son devancier, le Comité d'histoire de la Deuxième Guerre mondiale, qui avait pour sa part essuyé les plâtres sans être en mesure de pousser plus avant l'effort de conceptualisation. C'est qu'il est toujours délicat de se battre sur deux fronts ; en l'occurrence, l'établissement obstiné des faits a longtemps primé sur la nécessaire définition de ce qui pouvait constituer ces faits. Malgré ces limites, il ne fait guère de doute que l'historiographie de la Résistance, telle qu'elle s'est élaborée dans les trente années qui ont suivi la Libération, aura beaucoup contribué à donner un statut à part entière à ce qu'on a appelé ensuite l'histoire du temps présent[1].

Objet d'étude dès 1944, l'histoire de la Résistance a connu, au fil des ans, une transformation radicale qui a fini par cristalliser au tournant des années 1970-1980. D'une vision néo-positiviste misant tout sur la sauvegarde des faits, dates et événements, qu'elle aura longtemps cherché à enfermer dans une chronologie sûre, on est passé à une démarche plus avertie de la nécessité d'interroger ses propres pratiques, de se frotter aux autres sciences sociales et d'intégrer la force des représentations.

De cette mutation témoigne éloquemment la réponse apportée à la question de la définition de la Résistance, dont les avatars successifs ont eu ceci de remarquable que, au fur et à mesure que le phénomène était mieux appréhendé dans ses multiples composantes, on prenait conscience de la difficulté de forger une définition qui fût pleinement satisfaisante. « Indispensable, infaisable, illusoire. Confrontés au problème récurrent d'une définition du concept de Résistance, les historiens ne cessent de naviguer entre des jugements contradictoires sur la pertinence, le possible et l'intérêt véritable d'une telle entreprise, sur ce qu'il y faut à la fois de candeur et de raison[2] », écrivait significativement Pierre Laborie, invité à réfléchir au sujet après les six colloques dédiés à la Résistance qui avaient mobilisé nombre d'historiens étrangers et français entre 1993 et 1997. Proposant quelques critères pour parvenir à une approche un peu plus rigoureuse de l'idée de Résistance (la volonté de nuire à l'ennemi, la conscience de résister, un engagement dans l'action imposant des pratiques de transgression), il se gardait bien de donner à son tour sa définition parce qu'il y a « sans doute mieux à faire que de s'essouffler à courir derrière une définition bétonnée dont les incertitudes sont reconnues et les manques inévitables[3] ». Par un paradoxe qui n'est qu'apparent, la modestie que traduisent ces propos démontre que l'on a parcouru du chemin dans les soixante années écoulées depuis la Libération. Ils rejoignent une intuition développée par Lucien Febvre dès 1949 : « Définir, définir : mais les plus exactes définitions, les plus soigneusement méditées, les plus méticuleusement rédigées, ne risquent-elles point de laisser, à chaque instant, le meilleur de l'histoire en dehors d'elles ? Cette grande manie des définitions, bonne au temps où chaque bourgeois vivait, adossé au Grand Livre de la Dette publique, puissamment encastré dans le système de Laplace, le gousset fortement garni de napoléons invariables – qu'en dire en ces temps de bouleversements, d'incertitudes, de destructions[4] ? » Aux certitudes bien ancrées ont donc fini par succéder des interrogations fortes et un sens poussé de la complexité.

Il est clair que cette conscience critique aiguë est salutaire. Non point tant en raison de la défiance dont elle est porteuse à l'endroit d'une dimension légendaire dont on a tenté de montrer dans ces pages qu'elle était indissociable de la nature même de cette histoire singulière. Mais bien plutôt en ce qu'elle permet justement de faire toute leur place à de fortes représentations qui expliquent, pour une bonne part, que des femmes et des hommes aient pu mettre leur vie dans la balance sans autre espoir que de la faire pencher du côté de fortes valeurs éthiques. Et aussi en ce qu'elle autorise une plus grande lucidité sur les zones d'ombre qui subsistent : comment penser l'articulation entre le combat de la France libre et la lutte clandestine dans la France occupée ? Comment mieux ausculter la nébuleuse des débuts incertains du refus ? Comment adopter une optique comparatiste à l'échelle européenne[5] ? Comment cerner et caractériser les processus qui permirent graduellement une véritable porosité entre une opinion attentiste et une société clandestine activiste ? Comment apprécier les interactions entre l'histoire et la mémoire depuis 1944 ? Ce sont là de redoutables interrogations.

On n'en réunira pas les éléments de réponse sans écouter posément et intensément l'écho par définition de plus en plus affaibli de la voix des acteurs et des historiens du dernier demi-siècle, sans consentir un effort commun d'intelligence dans lequel trouve à s'exprimer la dette, dans tous les sens du terme, que nous avons vis-à-vis d'une histoire qui peut encore, singulièrement dans les temps troublés que nous vivons, nous dire quelque chose qui nous aide à nous frayer un chemin. Qu'une mise à distance, qui n'exclut pas le respect qui entoure cette histoire, se fasse jour progressivement, la chose n'est pas seulement souhaitable, elle est en train de s'accomplir sous nos yeux. Il serait bon que l'éloignement qui résulte de l'écoulement du temps permette de privilégier l'effort de compréhension d'une réalité complexe et difficilement intelligible sans que les passions obscurcissent notre regard : « Car l'histoire ne présente pas aux hommes une collection de faits isolés. Elle organise ces faits. Elle les explique, et donc pour les expliquer elle en fait des séries, à qui elle ne prête pas une égale attention. Car, quelle le veuille ou non, c'est en fonction de ses besoins présents qu'elle récolte systématiquement, puis qu'elle classe et groupe les faits passés. C'est en fonction de la vie qu'elle interroge la mort[6]. »

Notes

Introduction

1. Jean-Pierre Vernant, « La fabrique de soi », *Entre mythe et politique*, Le Seuil, 1996, p. 67.

2. François Bédarida, « L'histoire de la Résistance. Lectures d'hier, chantiers de demain », *Vingtième Siècle*, juillet-septembre 1986, p. 75-89.

3. Donna Evleth, *France under the German Occupation, 1940-1944. An Annotated Bibliography*, Greenwood Press, New York, Westport, Connecticut, Londres, 1991, p. 119-162.

4. Jean-Pierre Azéma, François Bédarida, « L'historisation de la Résistance », *Esprit*, janvier 1994, p. 19-35.

5. Jean-Marie Guillon, « La Résistance, cinquante ans et deux mille titres après », dans Jean-Marie Guillon, Pierre Laborie (dir.), *Mémoire et Histoire : la Résistance*, Toulouse, Privat, 1995, p. 27-43.

6. L'expression est citée par Pierre Bourdieu, *Méditations pascaliennes*, Le Seuil, 1997, p. 103.

7. Tel *Le Chagrin et la Pitié*, le documentaire réalisé en 1969 par Marcel Ophüls et qui n'aura pas peu pesé sur l'historiographie et les représentations de la période.

8. Pour lequel l'étude de référence est due à Sylvie Lindeperg, *Les Écrans de l'ombre : la Seconde Guerre mondiale dans le cinéma français*, CNRS, 1997.

9. Henri Michel, *Bibliographie critique de la Résistance*, Institut pédagogique national, 1964, note 1, p. 12.

10. *Bibliographie annuelle de l'histoire de France*. La citation est extraite de l'avertissement non paginé figurant en tête de l'édition de l'année 1964.

11. La *Bibliographie annuelle de l'histoire de France* a successivement été l'œuvre du comité français des sciences historiques dépendant du CNRS, puis du centre de documentation sciences humaines, enfin de l'Institut d'histoire moderne et contemporaine.

12. Jean-Marie Guillon, *op. cit.*, p. 30-43.
13. Consulter sur ce point Antoine Prost, Jay Winter, *Penser la Grande Guerre. Un essai d'historiographie*, Le Seuil, « Points Histoire » série « L'Histoire en débats », 2004.
14. Jean-Louis Crémieux-Brilhac, *Prisonniers de la liberté. L'odyssée des 218 évadés par l'URSS, 1940-1941*, Gallimard, 2003.
15. Daniel Cordier, *Jean Moulin. La République des catacombes*, Gallimard, 1999.
16. Marc Bloch, *Apologie pour l'histoire ou Métier d'historien*, rééd., Armand Colin, 1997, p. 59.
17. Henri Michel, « Rapport général » au congrès de Liège, 14-17 septembre 1958, *European Resistance Movements, 1939-1945*, Oxford, Pergamon, 1960, p. 1.
18. *Ibid.*, p. 2. Cette définition est reprise par Henri Michel dans *Les Mouvements clandestins en Europe*, PUF, « Que sais-je ? », 1961, p. 10-11.
19. *Les Mouvements clandestins en Europe*, *op. cit.*, p. 11.
20. *Ibid.*, p. 17.
21. Marc Bloch, *op. cit.*, p. 127.
22. *Les Idées politiques et sociales de la Résistance, documents clandestins, 1940-1944*, textes choisis et introductions par Henri Michel et Boris Mirkine-Guetzévitch, préface de Georges Bidault, avant-propos de Lucien Febvre, PUF, 1954, p. VII.

CHAPITRE 1

Une histoire soucieuse de son histoire (1940-1944)

1. *Les Idées politiques et sociales de la Résistance, documents clandestins, 1940-1944*, textes choisis et introductions par Henri Michel et Boris Mirkine-Guetzévitch, préface de Georges Bidault, avant-propos de Lucien Febvre, PUF, 1954, p. VII.
2. Pierre Brossolette, *Résistance (1927-1943)*, textes rassemblés et commentés par Guillaume Piketty, Odile Jacob, « Opus », 1998, p. 214-215.
3. *Ibid.*, p. 215-216. Nous exprimons nos plus vifs remerciements à monsieur Claude Pierre-Brossolette, qui a bien voulu nous autoriser à citer longuement le discours de son père.
4. Jean-Pierre Vernant, *L'Individu, la mort, l'amour. Soi-même et l'autre en Grèce ancienne*, Gallimard, 1992, p. 41-42.
5. Jean-Pierre Vernant a pour la première fois explicitement traité cette question dans *La Traversée des frontières*, Le Seuil, 2004.
6. René Ozouf, *Pierre Brossolette. Héros de la Résistance*, Librairie Gedalge, 1946, p. 68.
7. « Français ne craignez rien, l'homme est à la mesure du geste, et ce n'est pas lui qui vous décevra lorsque, à la tête des chars de l'armée

de la délivrance, au jour poignant de la victoire, il sera porté tout au long des Champs-Élysées, dans le murmure étouffé des longs sanglots de joie des femmes, par la rafale sans fin de vos acclamations. » Allocution du 22 septembre 1942 sur les antennes de la BBC.

8. Alors qu'il sortait parlementer après avoir enlevé la poste centrale d'Alger dans la nuit du 7 au 8 novembre 1942, le lieutenant Jean Dreyfus, qui faisait partie des groupes résistants qui facilitèrent le débarquement anglo-américain, fut abattu à l'âge de 28 ans. Révérend père dominicain, Jacques Savey, qui commandait le premier bataillon d'infanterie de marine, fut tué au combat à Bir Hakeim le 10 juin 1942 à l'âge de 32 ans. Il avait rallié les Forces françaises libres qui se rassemblaient près du Caire le 28 août 1940. Tous deux reçurent la croix de la Libération à titre posthume en 1943.

9. À ces 1 038 croix décernées à des individus, dont 238 le furent à titre posthume, il faut en ajouter 5 attribuées à des villes et 18 à des unités combattantes.

10. Testament politique de Charles de Gaulle rédigé en janvier 1952, reproduit par Jean Lacouture, *De Gaulle*, t. 3, « Le Souverain », Le Seuil, 1986, p. 791.

11. Claude Bouchinet-Serreulles, *Nous étions faits pour être libres. La Résistance avec de Gaulle et Jean Moulin*, Grasset, 2000, p. 134.

12. Ces *Conseils* ont été reproduits par Jean Texcier dans *Écrit dans la nuit*, La Nouvelle Édition, 1945. Daniel Cordier les a intégralement cités dans *Jean Moulin. L'inconnu du Panthéon*, vol. 3, Jean-Claude Lattès, 1993, p. 1078-1081. Rédacteur au ministère du Commerce, militant socialiste, Jean Texcier appartint au mouvement Libération-Nord et eut, à dater de 1942, la charge de la conception et de la publication de sa feuille clandestine.

13. Agnès Humbert, *Notre guerre. Souvenirs de résistance*, Éditions Émile-Paul Frères, 1946, p. 28 (rééd., Tallandier, 2004).

14. Médecin général Adolpe Sicé, *L'Afrique-Équatoriale et le Cameroun au service de la France*, PUF, 1946, p. 191-192.

15. Joseph Kessel, *L'Armée des ombres*, Pocket, 1998, p. 5.

16. *Ibid.*, p. 6.

17. *Ibid.*, p. 7.

18. *Ibid.*, p. 125.

19. René Char, *Feuillets d'Hypnos*, dans *Œuvres complètes*, Gallimard, « Bibliothèque de la Pléiade », 1995, p. 179. Que les héritiers de René Char et les éditions Gallimard trouvent ici l'expression de ma profonde gratitude pour m'avoir autorisé à citer *in extenso* cet extrait des *Feuillets d'Hypnos*.

20. *Ibid.*, p. 205.

21. Juste (Jean Paulhan), *Les Cahiers de la Libération*, n° 3, février 1944. Je remercie vivement Claire Paulhan, qui a bien voulu m'autoriser à citer ce texte dans son intégralité.

22. *Espoir*, revue de l'Institut Charles-de-Gaulle, n° 48, octobre 1984, p. 56.

23. *Ibid.*, p. 56.

24. Lettre citée dans Henri Noguères, *Histoire de la Résistance en France de 1940 à 1945*, Robert Laffont, t. 4 : « L'Année décisive, octobre 1943-mai 1944 », 1976, p. 630. La version reproduite par le n° 48 de la revue *Espoir* paraît moins fiable que celle que donne Noguères. Les mots en italique étaient soulignés de la main de Jacques Bingen dans le texte manuscrit.

25. François Maspero, *Les Abeilles et la Guêpe*, Le Seuil, « Points », 2002, p. 34-35.

26. Georges Canguilhem, discours prononcé le 9 mai 1967 pour l'inauguration de l'amphithéâtre Jean-Cavaillès à la nouvelle faculté des lettres de Strasbourg, dans *Vie et Mort de Jean Cavaillès*, Allia, 1996, p. 30-31. Ce recueil comprend trois textes de Canguilhem relatifs à son ami Cavaillès. Se reporter également au *Bulletin de la faculté des lettres de Strasbourg*, n° 2 de 1945, qui comporte les allocutions prononcées par Henri Cartan et par Georges Canguilhem sur Jean Cavaillès dans le grand amphithéâtre de la Sorbonne le 1er décembre 1945. Tous les éléments développés ultérieurement par Canguilhem sont déjà présents dans un texte dactylographié à interligne simple dont l'auteur m'a remis, cinquante ans plus tard, un exemplaire sur lequel est portée cette mention manuscrite en tête : 9 m[inutes] 10.

27. Georges Canguilhem, commémoration à la Sorbonne (salle Cavaillès, 19 janvier 1974), *op. cit.*, p. 42.

28. *Ibid.*, p. 42.

29. Georges Canguilhem, commémoration à l'ORTF (France-Culture, 28 octobre 1969), *op. cit.*, p. 37.

30. Pascal Copeau, préface à l'ouvrage de Fernand Rude *Libération de Lyon et de sa région*, Hachette, « La libération de la France », 1974.

31. Marc Bloch, *Apologie pour l'histoire ou Métier d'historien*, rééd., Armand Colin, 1997, p. 94.

32. *Op. cit.*, p. 9.

33. Né le 30 mai 1920 à Paris, le polytechnicien André Bollier conçut et dirigea le service de l'impression du journal *Combat*. Il trouva la mort dans l'assaut mené, le 17 juin 1944, par la Gestapo et la Milice contre l'atelier clandestin qu'il avait installé rue Viala à Lyon.

34. *Camus à Combat*, édition établie, présentée et annotée par Jacqueline Lévi-Valensi, Gallimard, 2002, p. 39.

35. Albert Camus, article paru dans *Combat* le 27 octobre 1944, *op. cit.*, p. 292-293.

36. Claude Bouchinet-Serreulles, préface à l'ouvrage de Françoise Bruneau *Essai d'historique autour du journal clandestin Résistance*, Sedes, 1951, p. 6, cité par Jean-Pierre Azéma, François Bédarida, « L'historisation de la Résistance », *Esprit*, janvier 1994, p. 19.

37. Jules Michelet, préface de 1868 à *L'Histoire de la Révolution française*, Lausanne, Rencontre, 1967, p. 30.

38. *Ibid.*, p. 34.

39. Jules Meurillon a rédigé ses souvenirs qui ont été publiés à compte d'auteur, après son décès, par son épouse en 2000, sous le titre

Julien Léonard. Un résistant ordinaire éditeur clandestin de Libération *(1940-1945)*. Cet ouvrage (dépôt légal du 1er trimestre 2000) est consultable à la Bibliothèque nationale de France et à l'Institut d'histoire du temps présent.

40. *Ibid.*, p. 29.

CHAPITRE 2

Une histoire précocement, activement et officiellement en chantier (1944-1959)

1. Antoine Prost, Jay Winter, *Penser la Grande Guerre...*, Le Seuil, « Points Histoire », 2004, p. 16.

2. Nous suivons ici l'analyse conduite par Antoine Prost et Jay Winter, *op. cit.*, p. 15-24.

3. Édouard Perroy, « La Commission d'histoire de l'Occupation et de la Libération de la France », *Revue de synthèse*, introduction à l'histoire de la guerre de 1939-1945, t. LXI, 1947, p. 15-19.

4. Henri Berr, « Avant-Propos », *Revue de synthèse*, t. LXI, 1947, p. 5.

5. Édouard Perroy, « La Commission d'histoire de l'Occupation et de la Libération de la France », *op. cit.*, p. 16.

6. *Bulletin* de la Commission d'histoire de l'Occupation et de la Libération de la France, n° 1, janvier 1948. Consultable à la bibliothèque de l'Institut d'histoire du temps présent sous la cote RV. 410.

7. Édouard Perroy, « La Commission d'histoire de l'Occupation et de la Libération de la France », *op. cit.*, p. 15.

8. Se reporter au précieux historique paru dans *La Gazette des archives*, revue trimestrielle de l'Association des archivistes français, n° 116, 1er trimestre 1982, sous la plume de M. Th. Chabord, « Le Comité d'histoire de la Deuxième Guerre mondiale et ses archives », p. 5-19, où l'on apprend notamment qu'à Paris, immédiatement après la Libération, madame Cazeaux-Varagnac, bibliothécaire à la bibliothèque de l'Arsenal, constitua un Comité d'histoire de la Libération de Paris qui fut rapidement absorbé par la CHOLF.

9. Directeur des Archives de France de 1937 à 1941, Pierre Caron (1875-1952) avait fondé la *Revue d'histoire moderne et contemporaine*, cote AB XIX 4397-4398, fonds Pierre Caron, Archives de France. Il s'était de longue date intéressé aux questions liées à la guerre, comme le notait en 1947 Henri Berr dans la *Revue de synthèse*, t. LXI, 1947, p. 6, qui indiquait : « En 1921, la *Revue* a publié déjà une *Introduction à l'histoire de la guerre mondiale*, de la guerre que l'on croyait unique, que l'on espérait la dernière. Ce fascicule s'ouvrait par deux articles qu'il n'est pas inutile de rappeler : "Sur l'étude de l'histoire de la guerre", de Pierre Caron, et "Réflexions d'un historien sur les fausses

nouvelles de la guerre", de Marc Bloch. Tous deux finissaient sur les difficultés de cette histoire. »

10. *Bulletin* de la Commission d'histoire de l'Occupation et de la Libération nationale de la France, n° 1, janvier 1948.

11. *Bulletin* n° 69 du CH2GM, octobre 1958, p. 1, nécrologie de Georges Bourgin.

12. En 1950, Georges Bidault accepte de présider effectivement les travaux de la Commission plénière de la CHOLF et Gilbert Brossolette en est vice-présidente. *Bulletin* de la Commission d'histoire de l'Occupation et de la Libération de la France, n° 17, novembre 1950, p. 1.

13. Édith Thomas, « Clio elle-même doit choisir », *Les Lettres françaises*, n° 37, 6 janvier 1945, p. 5.

14. Se reporter sur ce point à Antoine Prost, Jay Winter, *op. cit.*

15. *Ibid.*, p. 17.

16. Édith Thomas, « Clio elle-même doit choisir », *op. cit.*, p. 5.

17. Il fut élu à la faculté des lettres de Paris en 1950.

18. Inspecteur général des finances.

19. Julian Jackson, *La France sous l'Occupation, 1940-1944*, Flammarion, 2004, p. 30.

20. Décret n° 45-1189.

21. *Bulletin* du Comité d'histoire de la guerre, n° 1, novembre 1948. Consultable à la bibliothèque de l'Institut d'histoire du temps présent sous la cote RV. 411.

22. *Cahiers d'histoire de la guerre* publiés par le Comité d'histoire de la guerre, n° 1, janvier 1949.

23. Lucien Febvre, *Lettres à Henri Berr*, présentées et annotées par Jacqueline Pluet et Gilles Candar, Fayard, 1997, p. 602.

24. Le premier numéro du *Bulletin* du Comité d'histoire de la guerre date du mois de novembre 1948, celui de la Commission d'histoire de l'Occupation et de la Libération de la France du mois de janvier 1948.

25. *Bulletin* de la Commission d'histoire de l'Occupation et de la Libération de la France, n° 17, novembre 1950, p. 8-9.

26. Henri Michel, *Bibliographie critique de la Résistance*, Institut pédagogique national, 1964, p. 5.

27. *Bulletin* du Comité d'histoire de la guerre, n° 7, juin 1951.

28. *Bulletin* du CH2GM, n° 1, janvier 1952. Ce numéro fait suite au n° 20 du *Bulletin* de la CHOLF (mai 1951) et au n° 12 du *Bulletin* du Comité d'histoire de la guerre (décembre 1951). Consultable à la bibliothèque de l'Institut d'histoire du temps présent sous la cote RV. 409.

29. Le Comité de patronage, dont la composition fut donnée dans le n° 2 daté de mars 1951, était présidé par Georges Bidault et assuré du concours de noms prestigieux, parmi lesquels Raymond Aron, François Bloch-Lainé, Fernand Braudel, Julien Cain, René Cassin, les généraux Cochet et de Lattre de Tassigny, Robert Fawtier, Louis Joxe, André Latreille, Georges Lefebvre, Léon Noël, Rémy Roure, Alfred Sauvy, André Siegfried.

30. Lucien Febvre, *Lettres à Henri Berr*, *op. cit.*, p. 613.

31. Édouard Perroy, « La Commission d'histoire de l'Occupation et de la Libération de la France », *op. cit.*, p. 17.
32. *Ibid.*, p. 17-18.
33. Henri Michel, « Une enquête sur la Résistance par la Commission d'histoire de l'Occupation et de la Libération de la France », *Cahiers d'histoire de la guerre*, nº 2, 1949, p. 46.
34. *Ibid.*, p. 46.
35. *Ibid.*, p. 46.
36. *Ibid.*, p. 47.
37. Édouard Perroy, « La Commission d'histoire de l'Occupation et de la Libération de la France », *op. cit.*, p. 19.
38. Henri Michel, « Une enquête sur la Résistance par la Commission d'histoire de l'Occupation et de la Libération de la France », *op. cit.*, p. 47.
39. *Ibid.*, p. 47.
40. *Ibid.*, p. 47-48.
41. Lucien Febvre, « L'histoire dans le monde en ruines », *Revue de synthèse historique*, t. XXX, nº 88, 1920, cité par Christian Delacroix *et alii*, *Les Courants historiques en France, XIX-XXe siècle*, Armand Colin, 1999, p. 106. Dans cette leçon, Febvre opposait à la conception d'une histoire serve, qui « travaille à la grandeur de la nation », la « sérénité d'un effort d'analyse vraiment désintéressé », « aux missionnaires d'un Évangile national », la recherche de la vérité et « la perpétuelle inquiétude d'un esprit toujours en éveil, toujours en action ». Voir également l'excellente analyse de Bertrand Müller, *Lucien Febvre, lecteur et critique*, Albin Michel, 2003.
42. Henri Michel, « Une enquête sur la Résistance par la Commission d'histoire de l'Occupation et de la Libération de la France », *op. cit.*, p. 48.
43. *Ibid.*, p. 49.
44. *Ibid.*, p. 49.
45. *Ibid.*, p. 49.
46. Marc Bloch, *Apologie pour l'histoire ou Métier d'historien*, rééd., Armand Colin, 1997, p. 107.
47. Henri Michel, « Une enquête sur la Résistance par la Commission d'histoire de l'Occupation et de la Libération de la France », *op. cit.*, p. 49.
48. *Ibid.*, p. 49.
49. *Ibid.*, p. 49.
50. Par exemple, un organisme d'études, filiale du Comité d'histoire de la guerre et de la Commission d'histoire de l'Occupation et de la Libération de la France, est constitué en décembre 1948 en Algérie par arrêté du gouverneur général. Au même moment, des organismes analogues sont en cours de création au Maroc et en Afrique-Équatoriale française. *Bulletin* du Comité d'histoire de la guerre, nº 1, novembre 1948.
51. Henri Michel, « Une enquête sur la Résistance par la Commission d'histoire de l'Occupation et de la Libération de la France », *op. cit.*, p. 50.

52. *Ibid.*, p. 50.
53. *Ibid.*, p. 50.
54. *Bulletin intérieur* de la Commission d'histoire de l'Occupation et de la Libération de la France, n° 2, mars 1948, p. 2.
55. Henri Michel, « Une enquête sur la Résistance par la Commission d'histoire de l'Occupation et de la Libération de la France », *op. cit.*, p. 51.
56. Nantes verse ainsi 25 000 francs par an en 1945, 1946 et 1947. *Bulletin* de la Commission d'histoire de l'Occupation et de la Libération de la France, n° 1, janvier 1948, p. 3.
57. Henri Michel, « Une enquête sur la Résistance par la Commission d'histoire de l'Occupation et de la Libération de la France », *op. cit.*, p. 51.
58. *Bulletin* de la Commission d'histoire de l'Occupation de la Libération de la France, n° 1, janvier 1948, p. 3.
59. *Ibid.*, n° 2, mars 1948, p. 4.
60. *Ibid.*, n° 1, janvier 1948, p. 3.
61. *Ibid.*, p. 4.
62. *Ibid.*, n° 2, mars 1948, p. 3.
63. *Bulletin* du CH2GM, n° 4, avril 1952, p. 9-10.
64. Henri Michel, « Une enquête sur la Résistance par la Commission d'histoire de l'Occupation et de la Libération de la France », *op. cit.*, p. 52.
65. Dans le bulletin n° 118 du CH2GM de mars 1963, p. 1, Henri Michel expose que le Comité dispose maintenant de correspondants dans tous les départements sauf un.
66. Henri Michel, « Une enquête sur la Résistance par la Commission d'histoire de l'Occupation et de la Libération de la France », *op. cit.*, p. 51.
67. *Ibid.*, p. 51.
68. *Ibid.*, p. 52.
69. *Bulletin* de la Commission d'histoire de l'Occupation et de la Libération de la France, numéro spécial, octobre 1949.
70. Henri Michel, « Une enquête sur la Résistance par la Commission d'histoire de l'Occupation et de la Libération de la France », *op. cit.*, p. 52.
71. *Ibid.*, p. 52.
72. *Ibid.*, p. 53.
73. *Ibid.*, p. 53.
74. *Bulletin* du CH2GM, n° 2, février 1952, « note importante », p. 7, signée par Georges Bourgin, vice-président, président de la sous-commission des Archives.
75. Henri Michel, « Une enquête sur la Résistance par la Commission d'histoire de l'Occupation et de la Libération de la France », *op. cit.*, p. 55.
76. Lucien Febvre, « Par manière de préface », *Cahiers d'histoire de la guerre*, n° 3, février 1950.

77. *Bulletin* du CH2GM, n° 76, mai 1959, p. 7, rapport d'Henri Michel.
78. *Ibid.*, p. 7.
79. *Ibid.*, p. 8.
80. *Ibid.*, p. 8.
81. Henri Michel, « Pour une histoire de la Résistance », *Écho de la Résistance*, n° 7, juillet 1955, p. 16-17.

CHAPITRE 3

Les témoins gardent la parole et prennent la plume (1944-1974)

1. Par exemple, Agnès Humbert publia *Notre guerre. Souvenirs de Résistance* en 1946 chez Émile-Paul Frères, maison qui avait imprimé les premiers numéros de *Résistance*, la feuille clandestine du groupe du Musée de l'Homme. Merci à Julien Blanc d'avoir attiré mon attention sur ce point.
2. Henri Michel, « Pour une histoire de la Résistance », *Écho de la Résistance*, n° 7, juillet 1955, p. 16-17.
3. Élisabeth Terrenoire, *Combattantes sans uniforme. Les femmes dans la Résistance*, Bloud et Gay, 1946, p. 5.
4. Édith Thomas, Jacques Lecompte-Boinet, Edgar de Larminat, René Char, Vercors, *Berthie Albrecht, Pierre Arrighi, général Brosset, Dominique Corticchiato, Jean Prévost, cinq parmi d'autres*, Éditions de Minuit, 1947, p. 11-12. Achevé d'imprimer le 20 décembre 1947.
5. Se reporter à l'ouvrage que lui a consacré sa fille, Mireille Albrecht, *Berty : la grande figure de la Résistance*, Robert Laffont, 1986.
6. Nous suivons ici l'analyse de Robert Frank, « La mémoire empoisonnée », dans Jean-Pierre Azéma, François Bédarida (dir.), *La France des années noires*, Le Seuil, 2 vol., 1993, t. 2, p. 483-514.
7. Au chapitre premier.
8. Henri Michel, *Bibliographie critique de la Résistance*, Institut pédagogique national, 1964, p. 35.
9. René Ozouf, *Pierre Brossolette. Héros de la Résistance*, Librairie Gedalge, 1946.
10. *Ibid.*, p. 9-10.
11. Georges Canguilhem, *Vie et mort de Jean Cavaillès*, Allia, 1996, p. 35.
12. Charles de Gaulle, *Mémoires de guerre*, Plon, 1954, rééd., 1989, p. 245.
13. André Malraux, *op. cit.*, p. 110.
14. André Postel-Vinay, *Un fou s'évade. Souvenirs de 1941-1942*, Éditions du Félin, 1997, p. 204.

15. Georges Canguilhem, *op. cit.*, p. 37-38.
16. Henri Michel, *Bibliographie critique…*, *op. cit.*, p. 24.
17. *Mémorial des compagnons de la Libération. Compagnons morts entre le 18 juin 1940 et le 8 mai 1945*, grande chancellerie de l'ordre de la Libération, 1961. Ce *Mémorial* décline les biographies de quelque 312 compagnons morts dans la clandestinité, en déportation et sur les champs de bataille.
18. Jean-Paul Sartre, *Les Lettres françaises*, n° 20, samedi 9 septembre 1944, p. 1, reproduit dans *Situations,* t. 3, « Lendemains de guerre », rééd., Gallimard, 1992.
19. Pierre Laborie, *Les Français des années troubles. De la guerre d'Espagne à la Libération*, rééd., Le Seuil, 2003, p. 276.
20. Pierre Guillain de Bénouville, *Le Sacrifice du matin*, Robert Laffont, 1946.
21. *Ibid.*, p. 570-572.
22. *Ibid.*, p. 11. Ce sont là les premiers mots du chapitre premier.
23. Ainsi, *La nuit finira*, d'Henri Frenay, publié en 1973 aux Éditions Robert Laffont, voit le récit commencer le 16 juin 1940.
24. Tel fut également le cas de Maurice Chevance-Bertin, Jacques Chaban-Delmas et Alfred Malleret-Joinville.
25. Il suscita également une vive réaction de Carte (André Girard) : *Peut-on dire la vérité sur la Résistance ?*, Éditions du Chêne, 1947.
26. Rémy, *Mémoires d'un agent secret de la France libre, juin 1940-juin 1942*, Aux Trois Couleurs, 1945.
27. Dans une même veine et parmi une production pléthorique, on peut se reporter à *Ici, Londres…, Melpomène se parfume au camphre*, de Philippe Gaussot, Éditions Marco, 1946, qui retrace la vie d'un réseau de résistance.
28. Paul Mouy, Suzanne Delorme, « La France de la Résistance d'après quelques témoignages », *Revue de synthèse*, 1947, t. LXI, 1946-1947, p. 115-126, p. 118.
29. *Ibid.*, p. 115.
30. Agnès Humbert, *Notre guerre. Souvenirs de Résistance*, *op. cit.*
31. Dans la même veine, consulter Maurice Clavel, *Dernière Saison*, Denoël, 1945.
32. Emmanuel d'Astier de la Vigerie, *Avant que le rideau ne tombe*, Sagittaire, 1945.
33. *Ibid.*, p. 10-11.
34. *Ibid.*, p. 11-12.
35. *Ibid.*, p. 9.
36. Indomitus (Philippe Viannay), *Nous sommes les rebelles*, Collection Défense de l'Homme, 1946, p. 11.
37. François Wetterwald, *Vengeance. Histoire d'un corps franc*, Mouvement Vengeance, 1947, p. 6-7.
38. *Ibid.*, p. 299.
39. André Roure, *Valeur de la vie humaine*, PUF, 1948, p. 13-14.

40. Pierre Denis (P. Rauzan), *Souvenirs de la France libre*, Berger-Levrault, 1947, p. IX-X.
41. Colonel Passy, *Missions secrètes en France*, Plon, 1951, annexe XXIV, lettre d'Henri Frenay de juillet 1950, p. 407-414.
42. Extrait de la lettre d'Henri Frenay publiée en annexe du tome 3 des Mémoires du colonel Passy, cité en introduction de *La nuit finira. Mémoires de Résistance, 1940-1945*, Robert Laffont, 1973, p. 10.
43. Lucie Aubrac, *La Résistance (naissance et organisation)*, Robert Lang, 1945, p. 9-10.
44. *Annuaire de la Résistance*, Éditions de l'OGEPT, 1948, p. 4-5.
45. Pour une analyse globale de ce phénomène, se reporter à Pierre Nora, « Gaullistes et communistes », dans Pierre Nora (dir.), *Les Lieux de mémoire*, rééd., Gallimard, « Quarto », 1997, vol. 2, p. 2489-2532.
46. Colonel Passy, *2e Bureau Londres*, Monte-Carlo, R. Solar, 1947 ; *10, Duke Street Londres*, Monte-Carlo, R. Solar, 1948 ; *Missions secrètes en France*, Plon, 1951. Ces trois volumes ont été réédités en 2000 chez Odile Jacob, avec une préface de Jean-Louis Crémieux-Brilhac qui en restitue bien à la fois l'intérêt, les limites et le contexte, sous le titre : *Souvenirs du chef des services secrets de la France libre*.
47. Henri Michel, *Bibliographie critique*..., *op. cit.*, p. 25.
48. *Ibid.*, p. 25.
49. *Ibid.*, p. 25.
50. *Ibid.*, p. 25.
51. Jacques Soustelle, *Envers et contre tout*, t.1, « De Londres à Alger 1940-1942 » ; t. 2, « D'Alger à Paris 1942-1944 », Robert Laffont, 1947 et 1950.
52. Henri Michel, *Revue d'histoire de la Deuxième Guerre mondiale*, n° 2, mars 1951, p. 91-93.
53. Charles de Gaulle, *Mémoires de guerre*, t. 1. « L'Appel », Plon, 1954 ; t. 2. « L'Unité », Plon, 1956.
54. Henri Frenay, « De Gaulle et la Résistance », *Preuves*, n° 70, décembre 1956, p. 78-84.
55. *Ibid.*, p. 84.
56. Colonel Passy, *10, Duke Street Londres. (Le BCRA)*, *op. cit.*, p. 103-104.
57. *Ibid.*, p. 121.
58. Stéphane Courtois, « Luttes politiques et élaboration d'une histoire : le PCF historien du PCF dans la Deuxième Guerre mondiale », *Communisme*, n° 4, 1983, p. 5-26, p. 5, dont nous suivons ici l'analyse.
59. *Des victoires de Hitler au triomphe de la démocratie et du socialisme. Origines et bilan de la Deuxième Guerre mondiale (1939-1945)*, Éditions sociales, 1970. Compte rendu des travaux du colloque scientifique organisé par l'Institut Maurice-Thorez (Paris, 17-19 octobre 1969), intervention de Waldeck-Rochet, p. 14.
60. Auteur en 1959 d'un témoignage sous le titre *C'était ainsi (1940-1945)*, réédité par les Éditions sociales en 1970.
61. Publié deux ans plus tôt, en 1967.

62. Fernand Grenier, « Vérités et contre-vérités sur la Résistance », *Des victoires de Hitler au triomphe de la démocratie…*, *op. cit.*, p. 96-97.

63. *Le Parti communiste français dans la Résistance*, Éditions sociales, 1967, rédigé par Germaine Willard, Jean Gacon, Basile Darivas et Henri Rol-Tanguy, p. 9.

64. Stéphane Courtois, « Luttes politiques et élaboration d'une histoire : le PCF historien du PCF dans la Deuxième Guerre mondiale », *op. cit.*, p. 8.

65. *Ibid.*, p. 9.

66. Se reporter à Stéphane Courtois, *Le PCF dans la guerre. De Gaulle, la Résistance, Staline…*, Ramsay, 1980, p. 477-478.

67. Jean Bouvier, Jean Gacon, *La Vérité sur 1939 : la politique extérieure de l'URSS d'octobre 1938 à juin 1941*, Éditions sociales, 1953.

68. Stéphane Courtois, « Luttes politiques et élaboration d'une histoire : le PCF historien du PCF dans la Deuxième Guerre mondiale », *op. cit.*, p. 18.

69. Charles Tillon, *Les FTP. Témoignage pour servir à l'histoire de la Résistance*, Julliard, 1962.

70. Une note de bas de page, p. 9, remercie « tous les anciens résistants qui, en 1950, avaient, avec Guy Serbat, réussi [*sic*, pour réuni] les documents qui ont rendu possible la rédaction du présent ouvrage ». En effet, le deuxième congrès national des anciens FFI-FTP avait, le 27 avril 1947, voté une résolution pour que soient publiés et diffusés « des ouvrages rétablissant la vérité sur la lutte armée » (p. 645).

71. *Des victoires de Hitler au triomphe de la démocratie…*, *op. cit.*, p. 173.

72. *Ibid.*, p. 180.

73. *Ibid.*, p. 88-97.

74. Jean-Pierre Azéma, « Présentation », dans Jean-Pierre Azéma, Antoine Prost, Jean-Pierre Rioux (dir.), *Le Parti communiste français des années sombres, 1938-1941*, Le Seuil, 1986, p. 7, qui s'appuie sur Annie Kriegel, *Les Communistes français dans leur premier demi-siècle, 1920-1970*, Le Seuil, 1985, p. 162.

75. Henri Michel, *Bibliographie critique…*, *op. cit.*, p. 90.

76. Germaine Willard, *La Drôle de guerre et la trahison de Vichy (septembre 1939-juin 1941)*, Éditions sociales, « Contribution à l'histoire du Parti communiste français », 1960, p. 7.

77. *Ibid.*, p. 113.

78. *Ibid.*, p. 114.

79. André Tollet, *La Classe ouvrière dans la Résistance*, Éditions sociales, 1969, p. 1. Dans la deuxième édition de 1984, avec une préface de Germaine Willard, le premier paragraphe devient : « Beaucoup d'historiens ne semblent pas avoir aperçu le principal acteur du drame : *le peuple* » (p. 11).

80. À commencer par Emmanuel d'Astier de la Vigerie, *Sept Jours en exil*, J. Haumont, 1946 ; *Sept Fois sept jours*, Éditions de Minuit, 1947 ; *Les Dieux et les Hommes*, Julliard, 1952 ; *Les Grands*, Gallimard, 1961.

81. Robert Verdier, *La Vie clandestine du Parti socialiste*, Éditions de la Liberté, 1944, p. 3-4.
82. Sur ce point, se reporter à Stéphane Courtois, « Luttes politiques et élaboration d'une histoire : le PCF historien du PCF dans la Deuxième Guerre mondiale », *op. cit.*, p. 9.
83. La création en fut décidée lors d'une séance plénière du CH2GM du 25 novembre 1955, *Bulletin* n° 38 du Comité d'histoire, décembre 1955, p. 3.
84. Daniel Mayer, *Les Socialistes dans la Résistance*, PUF, 1968.
85. Henri Noguères, en collaboration avec Marcel Degliame-Fouché et Jean-Louis Vigier, *Histoire de la Résistance en France de 1940 à 1945* : t. 1, « La Première Année, juin 1940-juin 1941 », Robert Laffont, 1967 ; t. 2, « L'Armée de l'ombre, juillet 1941-octobre 1942 », 1969 ; t. 3, « Et du Nord au Midi... novembre 1942-septembre 1943 », 1972 ; t. 4, « L'Année décisive, octobre 1943-mai 1944 », 1976 ; t. 5, « Au grand soleil de la Libération, juin 1944-mai 1945 », 1981.
86. *Ibid.*, t. 1, « La Première Année, juin 1940-juin 1941 », p. 15.
87. Le premier volume parut en 1972.
88. Jean-Marie Guillon, « La Résistance, cinquante ans et deux mille titres après », colloque « La Résistance et les Français. Histoire et mémoires. Le midi de la France », Toulouse, 16-18 décembre 1993, multigr., deuxième partie, p. 6.
89. Le discours était reproduit *in extenso* en ouverture du premier numéro de la *Revue d'histoire de la Deuxième Guerre mondiale*, octobre 1950, p. 1-5.
90. *Revue d'histoire de la Deuxième Guerre mondiale*, octobre 1950, p. 1.
91. Henri Michel, « Le Comité d'histoire de la Deuxième Guerre mondiale », *Revue d'histoire de la Deuxième Guerre mondiale*, n° 124, octobre 1981, p. 1-17, p. 1.
92. Michel Borwicz, *Écrits des condamnés à mort sous l'occupation allemande (1939-1945)*, Étude sociologique, préface de René Cassin, PUF, « Esprit de la Résistance », 1954.
93. *Revue d'histoire de la Deuxième Guerre mondiale*, octobre 1950, p. 4.
94. Charles d'Aragon, *La Résistance sans héroïsme*, Le Seuil, 1977 ; rééd., Genève, Éditions du Tricorne, 2001.
95. D'autres études devaient suivre comme celle de David Diamant, *Héros juifs de la Résistance française*, Éditions Renouveau, Union des Juifs pour la Résistance et l'Entraide, 1962, qui se composait de 160 courtes biographies de résistants juifs.
96. David Knout, *Contribution à l'histoire de la résistance juive en France (1940-1944)*, préface de Louis Saillant, Éditions du Centre, 1947, p. 5-7.
97. *Ibid.*, p. 9.
98. *Ibid.*, p. 12.
99. Léon Poliakov, « Une grande institution française. Le Comité

d'histoire de la Deuxième Guerre mondiale », *Le Monde juif*, avril 1956, p. 19-22.

100. *Ibid.*, p. 22.

101. Élisabeth Terrenoire, *op. cit.*, p. 17.

102. Paul Mouy, Suzanne Delorme, « La France de la Résistance d'après quelques témoignages », *op. cit.*, p. 119.

103. Jean-Marie Guillon, « La Résistance, cinquante ans et deux mille titres après », colloque « La Résistance et les Français. Histoire et mémoires. Le midi de la France », Toulouse,16-18 décembre 1993, multigr., première partie, p. 2.

104. Henri Michel, *Bibliographie critique...*, *op. cit.*, p. 11.

105. Se reporter à Henry Rousso, *Le Syndrome de Vichy, 1944-198...*, Le Seuil, 1987, p. 38-66.

106. Desgranges (abbé), *Les Crimes masqués du résistantialisme*, Éditions de l'Élan, 1948. Cette même année, J.-F. Mauloy faisait paraître *Les Nouveaux Saigneurs*, Éditions de la Balance.

107. Député du Morbihan de 1928 jusqu'à la guerre, Jean-Marie Desgranges (1874-1958) fut relevé de l'inéligibilité qui le frappait en raison de son vote du 10 juillet 1940 par décision du jury d'honneur en date du 31 décembre 1945. Il ne fit plus acte de candidature électorale par la suite.

108. Gilbert Renault, *On m'appelait Rémy*, Plon, 1951.

109. *Revue d'histoire de la Deuxième Guerre mondiale*, n° 6, avril 1952, p. 90.

110. Henry Rousso, *op. cit.*, p. 49-50.

111. Jean Paulhan, *Lettre aux directeurs de la Résistance*, Éditions de Minuit, 1952.

112. Jean Cassou, *La Mémoire courte*, Éditions de Minuit, 1953 ; rééd., Mille et Une Nuits, 2001.

113. « Le pouls de notre temps », *Annales Économies Sociétés Civilisations*, 1954, p. 416.

114. Jean Cassou, *op. cit.*, p. 7.

115. *Ibid.*, p. 23-24.

116. *Ibid.*, p. 39. La même idée se retrouve sous la plume d'autres acteurs à d'autres dates. Ainsi, dans l'argumentaire sur feuille volante qui accompagne la réédition en 2004, en collection de poche aux Éditions du Félin, de *Un fou s'évade. Souvenirs de 1941-1942*, une phrase prêtée à André Postel-Vinay dit ceci : « J'ai écrit ce livre il y a plus de vingt ans, avec l'aide de notes prises à Londres en 1943, mais je ne me suis décidé à l'éditer qu'à l'âge de 85 ans. Il m'a semblé qu'il n'était plus indiscret de le publier, car le jeune homme dont je parle a maintenant totalement disparu. »

117. *Ibid.*, p. 65.

118. *Ibid.*, p. 55.

119. *Ibid.*, p. 55.

120. *Ibid.*, p. 60.

121. Henri Frenay, *La nuit finira*, *op. cit.*, p. 11.

122. Marie Granet, Henri Michel, *Combat. Histoire d'un mouvement de Résistance, de juillet 1940 à juillet 1943*, PUF, « Esprit de la Résistance », 1957.
123. Germaine Tillion, « Première Résistance en zone occupée. Du côté du réseau Musée de l'Homme-Hauet-Vildé », *Revue d'histoire de la Deuxième Guerre mondiale*, n° 30, avril 1958. Cet article a fait l'objet d'une réédition dans le n° 261 de la revue *Esprit*, février 2000, pour partie consacré à Germaine Tillion, p. 106-124, que nous prenons pour référence.
124. *Ibid.*, p. 106.
125. *Ibid.*, p. 110.
126. *Ibid.*, p. 119.
127. Germaine Tillion, *Ravensbrück*, Le Seuil, 1973.
128. *Ibid.*, p. 21.

CHAPITRE 4

Clio au travail (1944-1978)

1. Ce comité international regroupait 35 pays en 1975, 42 en 1978, 54 en 1983. Son bureau tenait une séance annuelle, et une assemblée plénière avait lieu tous les cinq ans. Il fut admis comme organisme affilié par le Comité international des sciences historiques lors de sa séance de Rome des 3 et 4 juin 1967 et participa dès lors à ses congrès tous les cinq ans. À partir de février 1968, il publia deux fois par an un Bulletin de nouvelles. Dans son numéro 19 de décembre 1983, p. 4, Henri Michel évoquait des débuts difficiles dans le contexte de la guerre froide : « Il n'y avait pas grand-chose à espérer de nos rencontres, sinon précisément les certitudes d'affrontements que chacune comportait. Pourtant, aucune rupture ne s'est jamais produite. » De fait, ce comité existe toujours et poursuit son activité en publiant mises au point et bibliographies.
2. Jean-Pierre Azéma, François Bédarida, « L'historisation de la Résistance », *Esprit*, janvier 1974, p. 29. Professeur d'histoire au lycée Molière à Paris, Odette Merlat-Guitard fut effectivement détachée de son poste et affectée à la CHOLF du 1er octobre 1945 au 30 septembre 1947, comme secrétaire générale adjointe.
3. « É. Perroy a eu le grand mérite d'être le premier à tracer une "Esquisse d'une histoire de la Résistance" à partir seulement de quelques témoignages rassemblés par la Commission d'histoire de l'Occupation et de la Libération de la France[…] », Henri Michel, *Bibliographie critique de la Résistance*, Institut pédagogique national, 1964, p. 30.
4. « Esquisse d'une histoire de la Résistance française », *Notes documentaires et études*, n° 225 (série française-LXVI). Première partie, « De l'armistice au débarquement allié en Afrique du Nord (juin 1940-

novembre 1942) », ministère de l'Information, Direction de la documentation, 30 janvier 1946, p. 3.

5. « Esquisse d'une histoire de la Résistance française », *Notes documentaires et études*, n° 226 (série française.- LXVII). Deuxième partie, « Du débarquement allié en Afrique du Nord à l'insurrection nationale (novembre 1942-août 1944) », ministère de l'Information, Direction de la documentation, 31 janvier 1946, p. 2.

6. *Ibid.*, p. 2.

7. *Ibid.*, p. 11.

8. Paul Mouy, Suzanne Delorme, « La France de la Résistance d'après quelques témoignages », *Revue de synthèse*, 1947, t. LXI, 1946-1947, p. 115.

9. *Revue d'histoire de la Deuxième Guerre mondiale*, n° 1, octobre 1950, p. 6.

10. *Ibid.*, p. 7.

11. *Ibid.*, p. 7.

12. *Ibid.*, p. 105.

13. « Au jour le jour », « Une tragédie, trois comptes rendus, 1940-1944 », Lucien Febvre, *Annales ESC*, 1948, p. 51-68.

14. Léon Halkin, *À l'ombre de la mort*, Casterman, « Cahiers de la revue nouvelle », 1947 ; Jean Guéhenno, *Journal des années noires, 1940-1944*, Gallimard, 1947 ; Léon Werth, *Déposition. Journal, 1940-1944*, Bernard Grasset, 1946.

15. Auteur en 1925 de la tentative la plus saisissante pour faire entendre la voix des poilus, avec *Témoins*, Jean Norton Cru soumettait les témoignages publiés jusqu'alors à une impitoyable critique. Son œuvre a suscité et suscite encore de vifs débats. Pour en saisir la vigueur et les enjeux, se reporter à Christophe Prochasson, « Les mots pour le dire : Jean Norton Cru, du témoignage à l'histoire », *Revue d'histoire moderne et contemporaine*, 48-4, octobre-décembre 2001, p. 160-189 ; Frédéric Rousseau, *Le Procès des témoins de la Grande Guerre. L'affaire Norton Cru*, Le Seuil, 2003 ; Antoine Prost et Jay Winter, *Penser la Grande Guerre*, Le Seuil, « Points Histoire », 2004.

16. « Au jour le jour », « Une tragédie, trois comptes rendus, 1940-1944 », Lucien Febvre, *Annales ESC*, 1948, p. 51.

17. *Ibid.*, p. 52. Le projet avoué de Michelet dans cette célèbre préface était « la résurrection de la vie intégrale ».

18. *Ibid.*, p. 68.

19. *Les Idées politiques et sociales de la Résistance, documents clandestins, 1940-1944*, textes choisis et introductions par Henri Michel et Boris Mirkine-Guetzévitch, préface de Georges Bidault, avant-propos de Lucien Febvre, PUF, 1954, p. VII.

20. *Ibid.*, p. VIII-IX.

21. Né en 1878, élève de l'École normale supérieure en 1898, pensionnaire de la Fondation Thiers, professeur aux facultés des lettres de Dijon et de Strasbourg avant d'être élu au Collège de France, président de section de l'École des hautes études en 1948, élu à l'Académie des

sciences morales et politiques l'année suivante, Lucien Febvre avait accompli un parcours sans faute. En 1953, il était la figure dominante de la communauté des historiens. Il devait mourir trois ans plus tard.

22. *Les Idées politiques et sociales…*, *op. cit.*, p. IX.

23. Bertrand Müller, *Lucien Febvre, lecteur et critique*, Albin Michel, 2003.

24. Lucien Febvre, *Combats pour l'Histoire*, Armand Colin, 1953 ; rééd., 1992, p. III.

25. *Ibid.*, p. VII.

26. *Ibid.*, p. 433.

27. Fernand Braudel, *La Méditerranée et le monde méditerranéen à l'époque de Philippe II*, Armand Colin, 1949.

28. *Les Idées politiques et sociales…*, *op. cit.*, p. IX.

29. Henri Michel, « Les Historiens en face de la Deuxième Guerre mondiale », texte imprimé, CH2GM, 1956, 8 p. Repris dans *Évidences*, juin-juillet 1956, p. 21-26 et 49.

30. Marie Granet, Henri Michel, *Combat…*, PUF, 1957, p. 3-4.

31. Arthur Calmette, *L'Organisation civile et militaire, histoire du mouvement de Résistance de 1940 à 1946*, PUF, « Esprit de la Résistance », 1961.

32. Françoise Bruneau, *Essai d'historique du mouvement né autour du journal clandestin « Résistance »*, Sedes, 1951. Préface de Claude Bouchinet-Serreulles, p. 6.

33. Lucien Febvre, *Combats pour l'Histoire*, *op. cit.*, p. 6.

34. *Ibid.*, p. 426.

35. *Ibid.*, p. 427.

36. *Ibid.*, p. 433.

37. Fernand Braudel, « Positions de l'histoire en 1950 », dans *Écrits sur l'histoire*, Flammarion, « Champs », 1984, p. 15.

38. *Ibid.*, p. 25.

39. *Ibid.*, p. 35.

40. L'expression était de Henri Berr, *Revue de synthèse*, 1929, p. 5-20.

41. Lucien Febvre, *Un destin : Martin Luther*, PUF, rééd., 1968, p. VII.

42. Paul Leuilliot, « Réflexions sur des biographies », *Revue de synthèse*, t. LXI, 1947, p. 169.

43. *Ibid.*, p. 169.

44. *Ibid.*, p. 170.

45. André Varagnac, « Sources du folklore de la guerre et des résistances », *Revue de synthèse*, t. LXI, 1947, p. 49-50.

46. *Annales ESC*, 1955, p. 415.

47. *Annales ESC*, 1947, éditorial : « Au bout d'un an. »

48. Gabriel Esquer, *8 novembre 1942, jour premier de la Libération*, Éditions Charlot, 1946.

49. *Annales ESC*, 1947, p. 500-502.

50. Henri Michel tenait exactement le même langage que Lucien Febvre à la Conférence de Liège en septembre 1958 : « L'originalité du

combat de la Résistance est telle que seuls ceux qui l'ont pratiqué peuvent convenablement le relater ; du moins tout travail de leurs successeurs serait très difficile si les acteurs ne donnaient pas, d'abord, leur version des faits. » « Rapport général sur la Résistance européenne », Conférence de Liège, 14-17 septembre 1958, séance du 13 septembre 1958, dactylographié, 40 p., p. 1 ; *European Resistance Movements, 1939-1945*, Oxford, Pergamon, 1960.

51. *Bulletin* intérieur, n° 9, septembre 1951, CHG, sous-commission de la Déportation. Compte rendu de la séance inaugurale le 20 juin 1951 au Centre national de la recherche scientifique, p. 3.

52. Henri Michel, *Bibliographie critique…*, *op. cit.*, p. 68.

53. Françoise Bruneau, *Essai d'historique du mouvement né autour du journal clandestin « Résistance »*, *op. cit.*, p. 6.

54. *Ibid.*, p. 7.

55. Françoise Bruneau s'appelait en réalité Yvonne Gouineau.

56. Marcel Baudot, *L'Opinion publique sous l'Occupation*, PUF, « Esprit de la Résistance », 1960, p. X.

57. Henri Denis, *Le Comité parisien de la Libération*, PUF, 1963, préface de Maurice Baumont, p. IX.

58. *Bulletin*, n° 118, mars 1963, p. 3.

59. Henri Michel, « Rapport général sur la Résistance européenne », Conférence de Liège, 14-17 septembre 1958, séance du 13 septembre 1958, dactylographié, 40 p., p. 1.

60. *Ibid.*, p. 31.

61. *Bulletin* du CH2GM, n° 16, juillet 1953, p. 3-4.

62. Il fut publié dans la collection « Esprit de la Résistance » des PUF.

63. « Par arrêté du Ministre de l'Éducation nationale du 15 juin 1954, rang et prérogatives d'Inspecteur général de l'Instruction publique ont été conférés à M. Henri Michel, Secrétaire général du Comité d'histoire de la deuxième Guerre mondiale. » *Bulletin* du CH2GM, n° 26, p. 2.

64. Stéphane Courtois, Marc Lazar, *Histoire du Parti communiste français*, PUF, 1995, p. 14.

65. Henri Michel, *Bibliographie critique…*, *op. cit.*, p. 7.

66. *Bulletin* du CH2GM, n° 38, décembre 1955, p. 3.

67. *Ibid.*, p. 4.

68. *Bulletin* du CH2GM, n° 42, avril 1956, p. 9.

69. *Bulletin* du CH2GM, n° 44, juin 1956, p. 6-9.

70. *Bulletin* du CH2GM, n° 61, janvier 1958, p. 11. La même information est reproduite dans les n°s 62 de février 1958, p. 1 et 76 de mai 1959, p. 5 du Bulletin.

71. *Bulletin* du CH2GM, n° 62, février 1958, p. 1.

72. N° 30, avril 1958, « Sur la Résistance en zone nord » ; n° 35, juillet 1959, « Sur la Résistance française » ; n° 47, juillet 1962, « Aspects de la Résistance française » ; n° 49, janvier 1963, « Sur les maquis ».

73. *Bulletin* du CH2GM, n° 81, novembre 1959, p. 1.

74. *Bulletin* du CH2GM, n° 126, décembre 1963, p. 1. François

Bédarida avait officiellement intégré la Commission le 21 octobre 1963.

75. *Bulletin* du CH2GM, n° 128, février 1964, p. 7.

76. *Bulletin* du CH2GM, n° 150, février 1966, p. 9.

77. *Bulletin* du CH2GM, n° 209, janvier-février 1974, p. 3.

78. *Bulletin* du CH2GM, p. 28-32.

79. *Bulletin* du CH2GM, n° 74, mars 1959. Voir aussi le *Bulletin* du CH2GM, numéro spécial, octobre 1959, « Chronologie de la Résistance ».

80. *Bulletin* du CH2GM, n° 90, août-septembre 1960, p. 4, « Chronologie de la Résistance, fichier ».

81. Henri Michel, « Pour une chronologie de la Résistance », *Revue Historique*, t. CCXXIV, juillet-septembre 1960, p. 111-122.

82. *Ibid.*, p. 117.

83. *Ibid.*, p. 117.

84. *Bulletin*, numéro spécial consacré à l'établissement d'une chronologie de la Résistance, octobre 1959, p. 1.

85. *Bulletin* du CH2GM, n° 104, décembre 1961, « Principes d'élaboration de la chronologie », p. 8.

86. *Bulletin,* n^os^ spéciaux dédiés à la chronologie de la Résistance. Directives. Modalités, novembre 1963, 25 p. et juillet 1966, 32 p.

87. Henri Michel, « Le Comité d'histoire de la Deuxième Guerre mondiale », *Revue d'histoire de la Deuxième Guerre mondiale*, n° 124, octobre 1981, p. 1-17, p. 9.

88. Henry Rousso, « La Résistance entre la légende et l'oubli », *L'Histoire,* n° 41, janvier 1982, p. 99-111, p. 104.

89. Henry Rousso, *Le Syndrome de Vichy, 1944-198...*, Le Seuil, 1987, p. 263.

90. Jean-Marie Guillon, « La Résistance, cinquante ans et deux mille titres après », colloque « La Résistance et les Français. Histoire et mémoires. Le midi de la France », Toulouse, 16-18 décembre 1993, multigr., première partie, note 17, p. 7.

91. *Bulletin* du CH2GM, n° 76, mai 1959, p. 5.

92. *Ibid.*, p. 9.

93. Henri Michel et Boris Mirkine-Guetzévitch, *Les Idées politiques et sociales de la Résistance*, *op. cit.*

94. Henri Michel, *Bibliographie critique...*, *op. cit.*, p. 73.

95. On a vu déjà que c'était l'ouvrage de Françoise Bruneau consacré à Résistance qui avait ouvert la voie.

96. René Hostache, *Le Conseil national de la Résistance. Les institutions de la clandestinité*, PUF, 1958.

97. Marie Granet, *Défense de la France. Histoire d'un mouvement de Résistance, 1940-1944*, PUF, 1960 ; *Le Journal* Défense de la France, introduction et notes de Marie Granet, PUF, 1961.

98. Arthur Calmette, *L'Organisation civile et militaire, histoire d'un mouvement de résistance de 1940 à 1946*, PUF, 1961.

99. Henri Michel, *Les Courants de pensée de la Résistance*, PUF, 1962.

100. Madeleine Baudoin, *Histoire des groupes francs (MUR) des Bouches-du-Rhône de septembre 1943 à la Libération*, PUF, 1962.

101. Daniel Mayer, *Les Socialistes dans la Résistance*, PUF, 1968.

102. Henri Michel, *La Résistance française*, PUF, 1950 ; *Les Mouvements clandestins en Europe*, PUF, 1961, tiré des rapports présentés à la Conférence internationale de Milan (mars 1961) sur le thème « Les Alliés et la Résistance en Europe », Henri Michel, *Bibliographie critique de la Résistance*, *op. cit.*, p. 30 ; *Histoire de la France libre*, PUF, 1963.

103. Précédé comme souvent par un article de Marie Granet, dans le numéro 47 de juillet 1962 de la *Revue d'histoire de la Deuxième Guerre mondiale*, qui voisinait avec les articles de Raymond Josse, « La naissance de la Résistance à Paris » et de Robert Fiat, « L'insurgé ».

104. À propos duquel Christian Pineau a livré en 1960 son témoignage dans *La Simple Vérité, 1940-1945*, Éd. René Julliard ; rééd., Éditions Phalanx, 1983.

105. Objet d'une étude informée présentée sous la forme d'une sorte de récit d'aventures de Martin Blumenson, *The Vildé Affair : Beginning of the French Resistance*, 1977, paru en traduction française sous le titre, *Le Réseau du Musée de l'Homme. Les débuts de la Résistance en France*, Le Seuil, 1979.

106. Jean-Marie Guillon, « La Résistance, cinquante ans et deux mille titres après », colloque « La Résistance et les Français. Histoire et mémoires. Le midi de la France », Toulouse, 16-18 décembre 1993, multigr., première partie, p. 12.

107. Henri Michel, « Maquis et maquis », *Revue d'histoire de la Deuxième Guerre mondiale*, n° 49, janvier 1963, p. 3-10, p. 3.

108. *Ibid.*, p. 4.

109. *Ibid.*, p. 4.

110. *Ibid.*, p. 8.

111. Henri Michel, *Bibliographie critique…*, *op. cit.*

112. *Ibid.*, p. 5.

113. *Ibid.*, p. 6.

114. *Ibid.*, p. 6-7.

115. *Ibid.*, p. 201.

116. *Ibid.*, p. 201.

117. *Ibid.*, p. 202.

118. *Ibid.*, p. 202.

119. *Ibid.*, p. 202-203.

120. *Ibid.*, p. 203-204.

121. *Ibid.*, p. 204.

122. Henri Michel, *Jean Moulin. L'unificateur*, Hachette, 1971 ; rééd., 1983, préface de juillet 1970, p. 15.

123. *Ibid.*, p. 24.

124. La première en était à la publication de son troisième tome quand parut en 1972 le premier volume de la seconde.

125. Henri Noguères, *Histoire de la Résistance en France de 1940 à 1945*, Robert Laffont, 1976, t. 1, p. 14-15.

126. Henri Noguères, *op. cit.*, t. 5, p. 880-886.
127. *Ibid.*, p. 887-890.
128. Alain Guérin, *La Résistance*, t. 5, « Le Combat total », Livre club Diderot, 1976, postface de Robert Vollet, p. 389-397, p. 390. Cette postface a disparu de la réédition de 2002 aux Éditions Omnibus.
129. Celle de la résistance communiste.
130. Alain Guérin, *La Résistance*, *op. cit.*, p. 396.
131. L'actuelle région Rhône-Alpes.
132. Alban Vistel, *La Nuit sans ombre. Histoire des mouvements unis de résistance, leur rôle dans la libération du Sud-Est*, Fayard, 1970. Le titre est explicité par la citation du général de Gaulle figurant en exergue d'un autre ouvrage du même auteur, *L'Héritage spirituel de la Résistance*, Lyon, Éditions Lugdunum, 1955 : « Il me semble que la Résistance française, dans la nuit de son cachot, dans les ténèbres de sa clandestinité, peut dire ce que disait le martyr devant le tyran : Ma nuit n'a pas d'ombre. »
133. Gilles Lévy, Francis Cordet, *À nous, Auvergne ! La vérité sur la Résistance en Auvergne, 1940-1944*, Presses de la Cité, 1974.
134. Jean-Louis Crémieux-Brilhac (dir.), *Ici Londres, 1940-1944. Les voix de la Liberté*, Documentation française, 5 vol., 1975-1976.
135. Paul Paillole, *Services spéciaux (1939-1945)*, Robert Laffont, 1975 ; Augustin de Dainville, *L'ORA, la résistance de l'armée*, Paris-Limoges, Lavauzelle, 1974.
136. Henri Michel, « Le Comité d'histoire de la Deuxième Guerre mondiale », *Revue d'histoire de la Deuxième Guerre mondiale*, n° 124, octobre 1981, p. 1-17.
137. Pascal Copeau, « La libération de la France », actes du Colloque international tenu à Paris du 28 au 31 octobre 1974, CNRS, 1976, p. 952.
138. Extrait d'un article paru dans les *Annales d'histoire sociale*, 1940, cité par Carole Fink, *Marc Bloch, a Life in History*, Cambridge University Press, 1989, p. 13, note 3.
139. Renée Bédarida, *Les Armes de l'esprit. Témoignage chrétien (1941-1944)*, Les Éditions ouvrières, 1977.
140. Dominique Veillon, Le Franc-Tireur, *un journal clandestin, un mouvement de résistance, 1940-1944*, Flammarion, 1977.
141. Henri Frenay, *La nuit finira…*, Robert Laffont, 1973.
142. Claude Bourdet, *L'Aventure incertaine*, Stock, 1975 ; rééd., Éditions du Félin, 2000.
143. Henri Frenay, *L'Énigme Jean Moulin*, Robert Laffont, 1977.
144. *Bulletin* du CH2GM, n° 1, janvier 1952, p. 14.
145. Henri Frenay, « De Gaulle et la Résistance », *Preuves*, n° 70, décembre 1956, p. 82-83.
146. Charles d'Aragon, *La Résistance sans héroïsme*, Le Seuil, 1977.
147. Charles d'Aragon, « L'hiver le plus long », *Esprit*, n° 404, juin 1971, p. 1156-1157.
148. Fondateur avec Gilles Martinet et Roger Stéphane de *L'Observateur* en 1950, il fonda également le PSU.

149. C'est le journaliste Philippe Ganier-Raymond qui avait enregistré ses propos à l'aide d'un magnétophone dissimulé. Darquier de Pellepoix affirmait : « Je vais vous dire, moi, ce qui s'est exactement passé à Auschwitz. On a gazé. Oui, c'est vrai. Mais on a gazé les poux. »

150. Henry Rousso, *Le Syndrome de Vichy*, *op. cit.* ; Éric Conan, Henry Rousso, *Vichy, un passé qui ne passe pas*, Fayard, 1994 ; Henry Rousso, *La Hantise du passé. Entretien avec Philippe Petit*, Textuel, 1998.

151. François Nourissier, « Le cadavre dans le placard », *Le Point*, 11 mars 1974, p. 87.

152. André Frossard, « Occupation : le temps de mes vingt ans », *Le Point*, 11 mars 1974, p. 89.

153. André Frossard, « L'œil écoute », *Le Point*, 25 mars 1974, p. 89.

154. Réalisé par Louis Malle, le film, sorti sur les écrans en 1974, mettait en scène, en juin 1944 dans une petite ville du Sud-Ouest, un jeune homme, Lucien Lacombe, qui adhérait à la Milice et agissait en son sein.

155. Réalisé par Robert Bresson en 1956, le film relatait, avec une sobriété ascétique, l'histoire de l'évasion réussie d'André Devigny du fort Montluc.

156. Stanley Hoffmann, « Chagrin et Pitié ? », *Essais sur la France : déclin ou renouveau ?*, Le Seuil, 1974, p. 86-87.

157. Robert Paxton, *La France de Vichy*, Le Seuil, 1973.

158. John F. Sweets, *The Mouvements Unis de la Résistance (MUR). A Study of Noncommunist Resistance Movements in France, 1940-1944*, thèse de doctorat de philosophie, Duke University, 1971, 386 p. Cette thèse peut être consultée à la bibliothèque de l'IHTP sous la référence RF 181. Elle est reprise pour l'essentiel dans John F. Sweets, *The Politics of Resistance in France : A History of the Mouvements Unis de la Résistance*, Northern Illinois University Press, De Kalb, 1976.

159. Jean-Pierre Azéma, « The Paxtonian Revolution », dans Sarah Fishman, Laura Lee Downs, Ioannis Sinanoglou, Leonard V. Smith, Robert Zaretsky (dir.), *France at War. Vichy and the Historians*, Oxford-New York, Berg, 2000, p. 13-20. L'ouvrage a été publié en traduction française sous le titre *La France sous Vichy. Autour de Robert Paxton*, Éditions Complexe/IHTP, 2004.

160. Julian Jackson, *La France sous l'Occupation, 1940-1944*, Flammarion, 2004, p. 34.

CHAPITRE 5

Une historiographie remise en cause et renouvelée (1978-2002)

1. *Bulletin* du CH2GM, 1978, p. 2.
2. Décision du directeur général du CNRS datée du 26 septembre 1978, article 2, rapport d'activité de l'IHTP, 1er janvier 1979-31 décembre 1980.
3. Rapport d'activité de l'IHTP, 1er janvier 1979-31 décembre 1980, p. 10.
4. Henri Michel, « Le Comité d'histoire de la Deuxième Guerre mondiale », *Revue d'histoire de la Deuxième Guerre mondiale*, n° 124, octobre 1981, p. 1-17. Après 144 numéros, la *Revue d'histoire de la Deuxième Guerre mondiale* changea de titre et élargit son champ en devenant, à dater de 1987, *Guerres mondiales et conflits contemporains*.
5. *Ibid.*, p. 1.
6. *Ibid.*, p. 1.
7. *Ibid.*, p. 2.
8. *Ibid.*, p. 12-13.
9. Alain Guérin, *Chronique de la Résistance*, Omnibus, 2000, p. 1611.
10. *Ibid.*, p. 1610.
11. *Ibid.*, p.1610.
12. *Ibid.*, p. 1602.
13. La méfiance à l'endroit des historiens professionnels de la génération qui n'a pas connu la guerre n'est pas l'apanage d'Alain Guérin. Ainsi, auteur d'une histoire des compagnons de la Libération, *1 061 Compagnons. Histoire des compagnons de la Libération*, Perrin, 2000, Jean-Christophe Notin, ingénieur des Mines de son état, déplore, dans un avant-propos vigoureux, p. 11 : « Derrière le respect qu'inspirent les objets et les cérémonies se tapit l'oubli. » Saluant les travaux de Jean-Louis Crémieux-Brilhac et d'Henri Noguères, il convie, p. 14, « tous les historiens aux lunettes furibondes, les atrabilaires au passé sensible, les pointilleux et les tatillons à ne pas lire ce livre ».
14. Henry Rousso, « La Résistance entre la légende et l'oubli », *L'Histoire*, n° 41, janvier 1982, p. 99.
15. *Ibid.*, p. 99.
16. Jacqueline Sainclivier, « Sociologie de la Résistance, quelques aspects méthodologiques et leur application en Ille-et-Vilaine », *Revue d'histoire de la Deuxième Guerre mondiale*, n° 117, janvier 1980 ; Joseph Girard, « La Résistance dans les Alpes-Maritimes », thèse de 3e cycle, Nice, 1973 ; Dominique Veillon, Le Franc-Tireur, *un journal clandestin, un mouvement de résistance, 1940-1944*, Flammarion, 1977 ; Harry Roderick Kedward, *Resistance in Vichy France*, Oxford University Press, 1978.

17. Henry Rousso, « La Résistance entre la légende et l'oubli », *op. cit.*, p. 106.
18. *Ibid.*, p. 111.
19. *Ibid.*, p. 111.
20. Robert Frank, « Les Français et la Seconde Guerre mondiale depuis 1945 : lectures et interprétations », *Histoire et temps présent, journées d'études des correspondants départementaux, 28-29 novembre 1980*, IHTP-CNRS, 1980, p. 25-39, p. 25.
21. *Ibid.*, p. 39.
22. François Bédarida avait créé et animé, dès les débuts de l'IHTP, un séminaire de réflexion et de justification épistémologique de l'histoire du temps présent qui tranchait avec l'approche essentiellement pragmatique du CH2GM. Voir sur ce point Christian Delacroix, « Demande sociale et histoire du temps présent, une normalisation épistémologique ? », *EspacesTemps*, n°s 84/85/86, « L'opération épistémologique. Réfléchir les sciences sociales », 2004, p. 106-119. Se reporter également à *Écrire l'histoire du temps présent. En hommage à François Bédarida*, Actes de la journée d'études de l'IHTP du 14 mai 1992, CNRS, 1993 et à François Bédarida, *Histoire, critique et responsabilité*, Éditions Complexe-IHTP, 2003, publication posthume qui rassemble nombre de textes où le fondateur de l'IHTP interroge et légitime les pratiques mises en œuvre dans son laboratoire.
23. François Bédarida, « L'histoire de la Résistance… », *Vingtième siècle*, juillet-septembre 1986, p. 76.
24. *Ibid.*, p. 75.
25. *Ibid.*, p. 89.
26. Henri Michel, rapport général aux congrès de Liège et de Milan, *European Resistance Movements, 1939-1945*, Oxford, Pergamon, 1960, p. 2.
27. Louis de Jong, *Het Koninkrijk der Nederlanden in de Tweede Wereldoorlog*, VII, 2, La Haye, 1976, p. 1030.
28. François Bédarida, « L'histoire de la Résistance… », *op. cit.*, p. 80.
29. Sur cette question, délicate entre toutes, de la définition de la Résistance, se reporter notamment à François Bédarida, « Sur le concept de Résistance », dans Jean-Marie Guillon, Pierre Laborie (dir.), *Mémoire et Histoire : la Résistance*, Toulouse, Privat, 1995, p. 45-50, et à Pierre Laborie, *Les Français des années troubles. De la guerre d'Espagne à la Libération*, Le Seuil, 2003, p. 65-80, qui reprend l'article paru dans les *Cahiers de l'IHTP*, « La Résistance et les Français, nouvelles approches », n° 37, décembre 1997, sous le titre « L'Idée de résistance, entre définition et sens : retour sur un questionnement ».
30. IHTP, *Jean Moulin et le Conseil national de la Résistance*, CNRS, 1983, préface de François Bédarida, p. 3.
31. *Ibid.*, p. 7-8.
32. *Ibid.*, p. 31.
33. Christian Pineau évoque sa présence, *ibid.*, p. 38.

34. *Ibid.*, p. 50.
35. *Ibid.*, p. 51.
36. La recherche de Claire Andrieu sera publiée l'année suivante : *Le Programme commun de la Résistance. Des idées dans la guerre*, Les Éditions de l'Érudit, 1984.
37. René Hostache, *Le Conseil national de la Résistance*..., PUF, 1958.
38. Selon les termes de René Rémond, IHTP, *Jean Moulin et le Conseil national de la Résistance*, *op. cit.*, p. 31.
39. *Ibid.*, p. 28.
40. *Ibid.*, p. 35.
41. *Ibid.*, p. 37.
42. *Ibid.*, p. 38.
43. *Ibid.*, p. 40.
44. *Ibid.*, p. 41.
45. *Ibid.*, p. 50.
46. *Ibid.*, p. 51.
47. *Ibid.*, p. 51.
48. *Ibid.*, p. 52.
49. *Ibid.*, p. 60.
50. *Ibid.*, p. 53.
51. *Ibid.*, p. 64.
52. « En tant qu'historien non acteur, j'ai été extrêmement frappé par la nouveauté de ce qu'a apporté Daniel Cordier, eu égard à un certain nombre d'idées reçues », *ibid.*, p. 52.
53. Il évoquait « la magnifique communication de Daniel Cordier », *ibid.*, p. 58.
54. Éric Conan, Daniel Lindenberg, « Pourquoi y a-t-il une affaire Jean Moulin ? », *Esprit*, « Que reste-t-il de la Résistance ? », janvier 1994, p. 5-18, p. 11.
55. Pierre Laborie, « Historiens sous haute surveillance », *ibid.*, p. 36-49, p. 41.
56. Daniel Cordier, *Jean Moulin. L'inconnu du Panthéon*, 2 tomes, Jean-Claude Lattès, 1989. Un troisième tome parut en 1993 chez le même éditeur.
57. Daniel Cordier, *Jean Moulin. L'inconnu du Panthéon*, *op. cit.*, t. 1, p. 303.
58. Daniel Cordier, *Jean Moulin. La République des catacombes*, Gallimard, 1999, p. 433.
59. Tentant de caractériser l'action de Charles de Gaulle, Jean-Louis Crémieux-Brilhac invoque Prométhée et pas Richelieu.
60. Jean-Louis Crémieux-Brilhac, *La France libre. De l'appel du 18 juin à la Libération*, Gallimard, 1996.
61. *Ibid.*, p. 33.
62. *Ibid.*, p. 34.
63. *Ibid.*, p. 35.
64. *Ibid.*, p. 36-37.

65. *Ibid.*, p. 37.
66. *Ibid.*, p. 917-918.
67. « La libération de la France », actes du Colloque international tenu à Paris du 28 au 31 octobre 1974, CNRS, 1976, p. 409.
68. Publiant une histoire de *La Franche-Comté sous l'Occupation, 1940-1944*, en deux volumes : t. 1, « La Résistance dans le Jura », Besançon, Cêtre, 1985 ; t. 2, « Les Voix de la Résistance. Tracts et journaux clandestins francs-comtois », Cêtre, 1989, François Marcot illustrait cet échange entre historiens et acteurs en revenant dans une postface du second volume sur la réception du premier pour répondre aux objections qu'il avait soulevées chez les lecteurs.
69. François Maspero, *Les Abeilles et la Guêpe*, Le Seuil, 2002, p. 195.
70. Robert de La Rochefoucauld, *La liberté, c'est mon plaisir*, Perrin, 2002, p. 7-8.
71. L'étude de référence sur cet organisme demeure celle de Diane de Bellescize, *Les Neuf Sages de la Résistance. Le Comité général d'Études dans la clandestinité*, Plon, « Espoir », 1979. Les neuf membres en ont été François de Menthon, Paul Bastid, Robert Lacoste, Alexandre Parodi, Pierre-Henri Teitgen, René Courtin, Michel Debré, le bâtonnier Jacques Charpentier et Pierre Lefaucheux.
72. Pierre-Henri Teitgen, *Faites entrer le témoin suivant. 1940-1958. De la Résistance à la Ve République*, Rennes, Ouest-France, 1988, p. 9.
73. *Ibid.*, p. 5.
74. *Ibid.*, postface d'Étienne Borne, « Le Risque et la Raison », p. 533-543.
75. Alain Griotteray, *1940 : La droite était au rendez-vous ? Qui furent les premiers résistants ?*, Robert Laffont, 1985.
76. Jean-Marie Guillon, « La Résistance, cinquante ans et deux mille titres après », colloque « La Résistance et les Français. Histoire et mémoires. Le midi de la France », Toulouse, 16-18 décembre 1993, multigr., première partie, p. 11.
77. Roger Pannequin, *Ami si tu tombes*, Le Sagittaire, 1976, p. 11-12.
78. Charles Tillon, *On chantait rouge*, Robert Laffont, 1977.
79. Jean-Pierre Azéma, « Présentation », dans Jean-Pierre Azéma, Antoine Prost, Jean-Pierre Rioux (dir.), *Le Parti communiste français des années sombres, 1938-1941*, Le Seuil, 1986, p. 9.
80. *La Presse clandestine, 1940-1944*, colloque d'Avignon des 20-21 juin 1985, Avignon, 1986, p. 111-112.
81. Philippe Viannay, *Du bon usage de la France. Résistance, journalisme, Glénans*, Ramsay, 1988, p. 13.
82. Jean-Pierre Levy, *Mémoires d'un franc-tireur. Itinéraire d'un résistant (1940-1944)*, Éditions Complexe-IHTP-CNRS, 1998.
83. Rose et Philippe d'Estienne d'Orves, *Honoré d'Estienne d'Orves. Pionnier de la Résistance*, France-Empire, 2001 ; Gabrielle Ferrières, *Jean Cavaillès*, Éditions du Félin, 2003 ; Laure Moulin, *Jean Moulin. Biographie*, Les Éditions de Paris Max Chaleil, 2001 ; Marie-Claire

Scamaroni, *Fred Scamaroni. Mort pour la France*, France-Empire, 2001.

84. Bernard Comte, Jean-Marie Domenach, Christian Rendu, Denise Rendu, *Gilbert Dru. Un chrétien résistant*, Beauchesne, 1998.

85. Parmi une production foisonnante, citons : Boris Vildé, « Journal et lettres de prison, 1941-1942 », présentation de François Bédarida et Dominique Veillon, notes de François Bédarida, *Cahiers de l'IHTP*, n° 7, février 1988 ; rééd., Allia, 1997 ; « Notes de prison de Bertrande d'Astier de la Vigerie (15 mars-4 avril 1941) », *Cahiers de l'IHTP*, n° 25, octobre 1993 ; Pierre Brossolette, *Résistance (1927-1943)*, textes rassemblés et commentés par Guillaume Piketty, Odile Jacob, « Opus », 1998 ; Robert Belot, *Paroles de résistants*, Berg International Éditeurs, 2001 ; François Garbit, *Dernières Lettres d'Afrique et du Levant (1940-1941)*, Éditions Sépia (6, avenue du Gouverneur-Général-Binger, 94100 Saint-Maur), 2001 ; *La Résistance spirituelle, 1941-1944. Les cahiers clandestins du Témoignage chrétien*, textes présentés par François et Renée Bédarida, Albin Michel, 2001.

86. François Marcot, en collaboration avec Angèle Baud, *La Résistance dans le Jura*, Besançon, Cêtre, 1985, p. 7.

87. *Ibid.*, p. 7-8.

88. *Ibid.*, p. 9.

89. Jean Glénisson, « L'historiographie française contemporaine : tendances et réalisations », *La Recherche historique en France de 1940 à 1965*, Éditions du CNRS, 1965, p. IX.

90. *Ibid.*, p. LXIII.

91. *Ibid.*, p. LXIII.

92. Charles-Louis Foulon, *Le Pouvoir en province à la Libération. Les commissaires de la République, 1943-1946*, Armand Colin et FNSP, 1975. Cette thèse de doctorat d'études politiques dirigée par Alfred Grosser avait été soutenue en 1973 à l'université de Paris 10 devant un jury composé d'Alfred Grosser, René Rémond, Maurice Agulhon et Léo Hamon.

93. Jean-Pierre Vernant, *Mythe et société en Grèce ancienne*, Le Seuil, 1992, p. 8.

94. Soutenue en 1978, elle fut remaniée dans une version abrégée sous le titre, *La Résistance en Ille-et-Vilaine, 1940-1944*, Rennes, Presses universitaires de Rennes, 1993.

95. Monique Luirard, *La Région stéphanoise dans la guerre et dans la paix, 1936-1951*, Le Puy, Centre d'études foréziennes, 1980.

96. Pierre Laborie, *Résistants, Vichyssois et autres. L'évolution de l'opinion et des comportements dans le Lot de 1939 à 1944*, Éditions du CNRS, 1980.

97. *Ibid.*, p. 1.

98. Jean-Pierre Azéma, *De Munich à la Libération, 1938-1944*, Le Seuil, « Nouvelle histoire de la France contemporaine », 1979.

99. « Le problème des attitudes sous Vichy et l'occupation est inévitablement chargé de passion. Pour l'auteur, la période des années qua-

rante est celle de sa petite enfance et il était évidemment hors de question de prétendre donner des leçons. » Note de Pierre Laborie.

100. Pierre Laborie, *Résistants, vichyssois et autres...*, *op. cit.*, p. 5.

101. Jean-Pierre Azéma, *De Munich à la Libération*, *op. cit.*

102. *Ibid.*, p. 169.

103. Stéphane Courtois, *Le PCF dans la guerre. De Gaulle, la Résistance, Staline...*, Ramsay, 1980.

104. Marc Sadoun, *Les Socialistes sous l'Occupation. Résistance et collaboration*, FNSP, 1982.

105. *Ibid.*, p. 1.

106. Il réunissait Maurice Agulhon, Jean-Jacques Becker, François Bédarida, Jean Bouvier, Georges Lavau, Antoine Prost, René Rémond et Claude Willard.

107. La publication des actes se fit en deux temps et chez deux éditeurs distincts ; Jean-Pierre Azéma, Antoine Prost, Jean-Pierre Rioux (dir.), *Le Parti communiste français des années sombres, 1938-1941*, Le Seuil, 1986 ; Jean-Pierre Rioux, Antoine Prost, Jean-Pierre Azéma (dir.), *Les Communistes français de Munich à Châteaubriant, 1938-1941*, PFNSP, 1987.

108. Jean-Pierre Azéma, « Présentation », dans Jean-Pierre Azéma, Antoine Prost, Jean-Pierre Rioux (dir.), *Le Parti communiste français des années sombres, 1938-1941*, *op. cit.*, p. 13.

109. Jean Bouvier, « Une ou des histoires du PCF ? », *ibid.*, p. 303.

110. *Ibid.*, p. 304-305.

111. Harry Roderick Kedward, *Resistance in Vichy France*, Oxford University Press, 1978 ; trad. fr., *Naissance de la Résistance dans la France de Vichy, 1940-1942. Idées et motivations*, Champ Vallon, 1989.

112. *Ibid.*, p. 13.

113. *Ibid.*, p. 18.

114. *Ibid.*, p. 253.

115. Des principes assez voisins inspirèrent John F. Sweets, *Choices in Vichy France : The French under Nazi Occupation*, New York, Oxford, Oxford University Press, 1986 ; trad. fr., *Clermont-Ferrand à l'heure allemande*, Plon, 1996.

116. Harry Roderick Kedward, *In Search of the Maquis*, Oxford University Press, 1993, trad. fr., *À la recherche du maquis. La Résistance dans la France du Sud, 1942-1944*, Éditions du Cerf, « Passages », 1999.

117. Harry Roderick Kedward, *À la recherche du maquis...*, *op. cit.*, p. 407.

118. Jacques Sémelin, *Sans armes face à Hitler. La résistance civile en Europe, 1939-1943*, Payot, 1989.

119. Jacques Sémelin, « Qu'est-ce que résister ? », *Esprit*, janvier 1994, p. 50-63, p. 60.

120. Celui de Saint-Denis : « La libération de la France », 12-13 octobre 1984, par l'Institut de recherches marxistes. Celui de Paris : « Les maquis », 22-23 novembre 1984.

121. Xavier de Montclos (dir.), *Églises et chrétiens dans la Deuxième Guerre mondiale. La région Rhône-Alpes. Actes du colloque de Grenoble, 1976*, Lyon, Presses universitaires de Lyon, 1978 ; Xavier de Montclos (dir.), *Églises et chrétiens dans la Deuxième Guerre mondiale. La France*, Lyon, Presses universitaires de Lyon, 1982.

122. Il faut citer ici, coordonné par Anne Grynberg, *Les Juifs dans la Résistance et la Libération. Histoire, témoignages, débats*, ensemble de textes réunis et présentés par l'Association pour la recherche sur l'histoire contemporaine des Juifs, Éditions du Scribe, 1985. Dans son avant-propos, intitulé « La fin d'un long silence », Lilly Scherr énonçait distinctement le but assigné à la rencontre qui donnait lieu à publication : « redonner à cette histoire trop longtemps tue toute sa dimension ».

123. Jean-Marie Guillon, « La Résistance, cinquante ans et deux mille titres après », colloque « La Résistance et les Français. Histoire et mémoires. Le midi de la France », Toulouse, 16-18 décembre 1993, multigr., deuxième partie, p. 12.

124. *Les Femmes dans la Résistance*, 22-23 novembre 1975, Éditions du Rocher, 1977 ; Ania Francos, *Il était des femmes dans la Résistance*, Stock, 1978 ; Dominique Veillon, « Résister au féminin », *Pénélope*, nº 12, printemps 1985 ; Margaret L. Rossiter, *Women in the Resistance*, New York, Praeger Publishers, 1986 ; « Résistances et Libérations. France, 1940-1945 », *Clio*, Presses universitaires du Mirail, nº 1, 1995 ; Hanna Diamond, *Women and the Second World War in France, 1939-1948 : Choices and Constraints*, Longman, 1999 ; Évelyne Morin-Rotureau (dir.), *1939-1945 : combats de femmes. Françaises et Allemandes, les oubliées de la guerre*, Autrement, « Mémoires », nº 74, octobre 2001 ; Mechtild Gilzmer, Christine Levisse-Touzé, Stefan Martens (dir.), *Les Femmes dans la Résistance en France*, Tallandier, 2003.

125. Annette Wieviorka, *Ils étaient juifs, résistants, communistes*, Denoël, 1986, p. 12.

126. Stéphane Courtois, Denis Peschanski, Adam Rayski, *Le Sang de l'étranger. Les immigrés de la MOI dans la Résistance*, Fayard, 1989, p. 426.

127. Jean-Pierre Azéma, François Bédarida, *La France des années noires*, 2 vol., Le Seuil, 1993.

128. Jean-Pierre Azéma, François Bédarida, « L'historisation de la Résistance », *Esprit*, janvier 1994, p. 34.

129. Philippe Buton, *Les lendemains qui déchantent. Le Parti communiste français à la Libération*, PFNSP, 1993 ; Olivier Wieviorka, *Une certaine idée de la Résistance*, Le Seuil, 1995 (consacré au mouvement de zone nord Défense de la France) ; Laurent Douzou, *La Désobéissance. Histoire du mouvement de résistance Libération-Sud*, Odile Jacob, 1995 ; Alya Aglan, *La Résistance sacrifiée*, Flammarion, 1999 (consacré au mouvement Libération-Nord).

130. Marie Granet, *Le Journal « Défense de la France »*, PUF, 1960 ; Marie Granet, *Étude sur Libération-Nord*, inédite, Archives natio-

nales ; Marie Granet, *Un journal socialiste clandestin pendant l'Occupation, Libération-Nord*, Arras, 1966.

131. Jean-Pierre Azéma, François Bédarida, « L'historisation de la Résistance », *op. cit.*, p. 34.

132. Guillaume Piketty, *Pierre Brossolette. Un héros de la Résistance*, Odile Jacob, 1998.

133. Laurent Douzou, Denis Peschanski, « La Résistance française face à l'hypothèque de Vichy », dans David Bidussa, Denis Peschanski (dir.), *La France de Vichy, 1940-1944. Archives inédites d'Angelo Tasca*, Milan, Fondazione Giangiacomo Feltrinelli, 1996, p. 3-42.

134. Bernard Comte, *Une utopie combattante. L'école des cadres d'Uriage, 1940-1942*, Fayard, 1991.

135. James Steel, *Littératures de l'ombre. Récits et nouvelles de la Résistance, 1940-1944*, PFNSP, 1991 ; Anne Simonin, *Les Éditions de Minuit, 1942-1945. Le devoir d'insoumission*, IMEC Éditions, 1994 ; Gisèle Sapiro, *La Guerre des écrivains, 1940-1953*, Fayard, 1999. Ces études renouvelaient profondément l'appréhension d'un domaine longtemps perçu à travers les écrits d'acteurs, notamment Louis Parrot, *L'Intelligence en guerre*, La Jeune Parque, 1945 (rééd., Le Castor astral, 1990), et Jacques Debû-Bridel, *La Résistance intellectuelle*, Julliard, 1970.

136. Jean-Marie Guillon, *La Résistance dans le Var : essai d'histoire politique*, doctorat d'État, 3 vol., Université de Provence, UER d'histoire, 1989.

137. *Ibid.*, p. I.

138. Outre les ouvrages déjà cités de Daniel Cordier et de Guillaume Piketty, on peut citer, parmi une abondante production, quelques titres émanant de journalistes et d'historiens : Jean-Pierre Tuquoi, *Emmanuel d'Astier. La plume et l'épée*, Arléa, 1987 ; Pierre Leenhardt, *Pascal Copeau (1908-1982). L'histoire préfère les vainqueurs*, L'Harmattan, 1994 ; Pierre-Louis Basse, *Guy Môquet. Une enfance fusillée*, Stock, 2000 ; Étienne de Montety, *Honoré d'Estienne d'Orves. Un héros français*, Perrin, 2001 ; Pierre Favre, *Jacques Decour. L'oublié des Lettres françaises, 1910-1942*, Tours, Farrago, 2002 ; Robert Belot, *Henri Frenay. De la Résistance à l'Europe*, Le Seuil, 2003 ; Jean-Pierre Azéma, *Jean Moulin. Le rebelle, le politique, le résistant*, Perrin, 2003. Les ouvrages de Gabrielle Ferrières et de Marie-Claire Scamaroni ont été heureusement réédités : Gabrielle Ferrières, *Jean Cavaillès. Un philosophe dans la guerre, 1903-1944*, Éditions du Félin, 2003 ; Marie-Claire Scamaroni, *Fred Scamaroni. Mort pour la France*, France-Empire, 2001.

139. Anne-Marie Bauer, *Les Oubliés et les Ignorés*, Mercure de France, 1993.

140. Se reporter à la présentation qui en a été faite par Jean-Marie Guillon juste avant le colloque final d'Aix, « La Résistance historisée », *Vingtième Siècle*, 1996, n° 52, p.132-135.

141. Jean-Marie Guillon, Pierre Laborie (dir.), *Mémoire et Histoire : la Résistance*, Toulouse, Privat, 1995 ; Jacqueline Sainclivier, Christian Bougeard (dir.), *La Résistance et les Français : enjeux stratégiques et*

environnement social, Rennes, PUR, 1995 ; Robert Frank, José Gotovitch (dir.), *La Résistance et les Européens du Nord*, 2 vol., 1994 et 1996 ; François Marcot, *La Résistance et les Français : lutte armée et maquis*, 1996 ; Laurent Douzou *et al.*, *La Résistance et les Français : villes, centres et logiques de décision*, IHTP-CNRS, 1995 ; Jean-Marie Guillon, Robert Mencherini (dir.), *La Résistance et les Européens du Sud*, L'Harmattan, 1999.

142. « La Résistance et les Français. Nouvelles approches », *Cahiers de l'IHTP*, n° 37, décembre 1997.

143. « Pour une histoire sociale de la Résistance », *Mouvement social*, n° 180, 1997.

144. Jean-Marie Guillon, « La Résistance historisée », *Vingtième Siècle*, n° 52, 1996, p. 134.

145. *Ibid.*, p. 135.

146. Jean-Marie Guillon, Pierre Laborie (dir.), *Mémoire et Histoire…*, *op cit.*, p. 15.

147. Signalons Christine Levisse-Touzé, *L'Afrique du Nord dans la guerre, 1939-1945*, Albin Michel, 1998.

148. En dépit de quelques avancées récentes dont Alya Aglan, *Mémoires résistantes. Histoire du réseau Jade-Fitzroy, 1940-1944*, Éditions du Cerf, 1994 ; Sylvaine Baehrel, *Alibi, 1940-1944. Histoire d'un réseau de renseignement pendant la Seconde Guerre mondiale*, Éditions Jean-Michel Place (3, rue Lhomond, 75005), 2002 ; Marie Ducoudray, *Ceux de Manipule. Un réseau de renseignements dans la Résistance en France*, Éditions Tirésias (BP 249, 75866 Paris Cedex 18), 2002.

149. Jean-Pierre Azéma, François Bédarida, « L'historisation de la Résistance », *op. cit.*, p. 33.

CHAPITRE 6

La fin des héros ?

1. Desgranges (abbé), *Les Crimes masqués du résistantialisme*, Éditions de l'Élan, 1948, p. 11.

2. Daniel Cordier, *Jean Moulin. La République des catacombes*, Gallimard, 1999, p. 807.

3. Alban Vistel, *Héritage spirituel de la Résistance*, Lyon, Éditions Lugdunum, 1955, p. 2.

4. Papiers Jacques Bingen, Archives nationales, cote 72 AJ 421.

5. « Me voilà, échappé sain et sauf de la terre nazie et prêt à rejoindre l'Empire britannique et à combattre Hitler jusqu'à sa fin. » Il y évoquait « le dégoûtant armistice français » et poursuivait : « J'ai perdu tout ce que j'avais, mon argent (plus un sou vaillant !), mon travail, ma famille qui est restée en France et que je ne reverrai peut-être jamais, mon pays et mon Paris bien-aimé… Mais je demeure un homme libre dans un pays libre et cela compte plus que tout. »

6. Claude Bouchinet-Serreules (maître d'œuvre de l'entreprise), René Pleven, Maurice Schumann, Vitia Hessel, Daniel Cordier, Michel Debré, Jacques Chaban-Delmas, Gaston Defferre, Jacques Baumel, Maurice Bourgès-Maunoury, José Aboulker, Claude Bourdet, Yves Farge, Pascal Copeau.

7. Voir celle qui a été citée au premier chapitre de cet ouvrage.

8. *Espoir*, revue de l'Institut Charles-de-Gaulle, n° 48, octobre 1984, Plon, « Cahier Jacques Bingen, compagnon de la Libération, 1908-1944 », p. 29.

9. Jean-Baptiste Duroselle, *L'Abîme, 1939-1945*, Imprimerie nationale, 1982.

10. Voir les ouvrages de Gabrielle Ferrières, *Jean Cavaillès...*, et Marie-Claire Scamaroni, *Fred Scamaroni...*, cités *supra*.

11. Boris Vildé, « Journal et lettres de prison, 1941-1942 », présentation de François Bédarida et Dominique Veillon, *Cahiers de l'IHTP*, n° 7, février 1988, p. 129.

12. « Jean Moulin et la Résistance en 1943 », Jean-Pierre Azéma, François Bédarida, Robert Frank (dir.), *Cahiers de l'IHTP*, n° 27, juin 1994, p. 168.

13. André Malraux, *Antimémoires*, p. 453-454.

14. Pour une réflexion approfondie sur ce point, consulter Pierre Laborie, « André Malraux et l'expérience de la Résistance », *Les Français des années troubles. De la guerre d'Espagne à la Libération*, Le Seuil, 2003, p. 81-98.

15. Édith Thomas, Jacques Lecompte-Boinet, Edgar de Larminat, René Char, Vercors, *Berthie Albrecht, Pierre Arrighi, général Brosset, Dominique Corticchiato, Jean Prévost, cinq parmi d'autres*, *op. cit.*, p. 11-12.

16. Au chapitre 4.

17. Olivier Rolin, *Tigre en papier*, Le Seuil, « Points », 2003, p. 130.

18. Ce qui ne signifie nullement que la mémoire de la Résistance ne fut l'objet d'aucune bataille au cours de ces années. Le général de Gaulle mort, le Parti communiste isolé à dater de la rupture du Programme commun en 1977 et amoindri par son incapacité persistante à examiner lucidement son passé, les mémoires gaulliste et communiste, longtemps hégémoniques dans le champ de la Résistance, éprouvèrent des difficultés grandissantes à maintenir leur oligopole.

19. Paru en France aux Éditions du Seuil en janvier 1973.

20. Stanley Hoffmann, « Chagrin et Pitié ? », *Essais sur la France : déclin ou renouveau ?*, Le Seuil, 1974, p. 77.

21. *Ibid.*, p. 69.

22. Tel fut, par exemple, le cas de Germaine Tillion par le moyen d'une tribune libre parue dans *Le Monde* du 8 juin 1971 sous le titre « Un profil non ressemblant ». Elle concluait ainsi : « Les réalisateurs du *Chagrin et la Pitié* me semblent avoir mal résisté à la tentation de braquer leurs projecteurs sur tel ou tel petit fait plus apte à surprendre et à secouer les plus amorphes des spectateurs, préférant un quart de vérité qui scandalise à trois quarts de vérité défraîchie par l'usage. »

23. Se reporter à l'ouvrage, déjà évoqué au chapitre précédent, de John F. Sweets, *Clermont-Ferrand à l'heure allemande*, Plon, 1996.
24. Stanley Hoffmann, « Chagrin et Pitié ? », *op. cit.*, p. 68-69.
25. *Ibid.*, p. 71.
26. *Ibid.*, p. 71.
27. L'article – un portrait du président Pompidou – parut dans le *New York Times Magazine* le 29 août 1971. Se reporter à Henry Rousso, *Le Syndrome de Vichy...*, Le Seuil, 1987, p. 129.
28. Outre Henry Rousso, *Le Syndrome de Vichy*, *op. cit.*, consulter, d'Éric Conan et Henry Rousso, *Vichy, un passé qui ne passe pas*, Fayard, 1994.
29. Le 2 avril 1998.
30. Déchu de son pourvoi en cassation, il fut incarcéré en octobre 1999 avant de bénéficier d'une remise en liberté pour raisons médicales en septembre 2002.
31. Y sont recensés, convoi par convoi, les noms, prénoms, dates et lieux de naissance des déportés. Évoquant l'impossible deuil des enfants de déportés morts dans les camps, François Maspero, dans *Les Abeilles et la Guêpe*, (Le Seuil, « Points », 2002), note fort justement, p. 31 : « Il a fallu Serge Klarsfeld pour qu'au nom des enfants des exterminés juifs, et en leur nom seulement (juste retour des choses), ce silence soit rompu. »
32. Se reporter à Valérie Igounet, *Histoire du négationnisme en France*, Le Seuil, 2000. On consultera également avec profit Laurent Joly, *Darquier de Pellepoix et l'antisémitisme français*, Berg International, 2002.
33. Daniel Cordier, *Jean Moulin. La République des catacombes*, *op. cit.*, p. 807.
34. Daniel Cordier, *Jean Moulin. L'inconnu du Panthéon*, Jean-Claude Lattès, vol 1, 1989, notamment p. 25-28 où est reproduit le Manifeste du Mouvement de Libération nationale rédigé par Frenay.
35. La vérité oblige à dire que Daniel Cordier n'avait pas attendu le décès d'Henri Frenay pour s'opposer avec vigueur à sa thèse. Le 11 octobre 1977, lors d'un débat des « Dossiers de l'écran », il avait affirmé, en présence d'Henri Frenay, que *L'Énigme Jean Moulin* était « un tissu de contre-vérités ».
36. Maurice Chevance-Bertin, *Le Monde*, 25 novembre 1989. Pour prendre connaissance des termes de cette polémique extrêmement violente, se reporter aux annexes de Daniel Cordier dans *Jean Moulin. L'inconnu du Panthéon*, vol. 3, *op. cit.*, p. 1309-1335.
37. Jean-Pierre Azéma, *Le Monde*, 7 novembre 1989.
38. *Jean Moulin. La République des catacombes*, *op. cit.*, est dédié : « À mes camarades de la France libre, soldats de la liberté, morts pour la France. »
39. Henri-Christian Giraud, *De Gaulle et les communistes*, vol. 1, « L'alliance, juin 1941-mai 1943 », Albin Michel, 1988.
40. Jacques Baynac, *Les Secrets de l'affaire Jean Moulin*, Le Seuil, 1998.

41. Thierry Wolton, *Le Grand Recrutement*, Grasset, 1993.

42. Se reporter au dossier que leur consacre Daniel Cordier, *Jean Moulin. La République des catacombes*, *op. cit.*, p. 839-876. On consultera également Pierre Vidal-Naquet, *Le Trait empoisonné. Réflexions sur l'affaire Jean Moulin*, La Découverte, 1993.

43. François Mitterrand, *Discours, 1981-1995*, Éditions Europolis, 1995, textes réunis par Jean-François Beau et Jean-Christophe Ulmer, p. 454-455.

44. Olivier Wieviorka, *Nous entrerons dans la carrière. De la Résistance à l'exercice du pouvoir*, Le Seuil, 1994, p. 354.

45. *Ibid.*, p. 330.

46. Pierre Péan, *Une jeunesse française. François Mitterrand, 1934-1947*, Fayard, 1994.

47. Pascale Froment, *René Bousquet*, Fayard, 1994, réédité en 2001, sans cahier de photos, ce qui peut laisser espérer qu'on lira cette enquête en mesurant mieux ses indéniables apports.

48. Éric Conan, Henry Rousso, *Vichy, un passé qui ne passe pas*, *op. cit.*

49. Photographie publiée par Pascale Froment.

50. Olivier Wieviorka, *Nous entrerons dans la carrière*, *op. cit.*, p. 350.

51. Assisté pour le scénario de Christian Clavier et Martin Lamotte.

52. Mathieu Kassovitz, Anouk Grinberg, Sandrine Kiberlain, Albert Dupontel, Jean-Louis Trintignant.

53. Julian Jackson, *La France sous l'Occupation, 1940-1944*, Flammarion, 2004, p. 25 (traduction de *France. The Dark Years, 1940-1944*, Oxford University Press, 2001).

54. L'affaire n'a pas donné lieu à beaucoup de publications touchant au fond. Citons le dossier réalisé par la *Nouvelle Revue Justices*, n° 2, juin 2000, avec des articles de Lucien Karpik, Daniel Soulez-Larrivière et les réactions de Maurice Agulhon, Jean-Pierre Azéma, François Bédarida, Henry Rousso et Jean-Pierre Vernant ; Henry Rousso, *La Hantise du passé. Entretiens avec Philippe Petit*, Textuel, 1998 ; les prises de position de Jean-Pierre Vernant dans les ouvrages de François Hartog, Pauline Schmitt, Alain Schnapp (dir.), *Pierre Vidal-Naquet, un historien dans la cité*, La Découverte, 1998, et de Georges-Marc Benamou, *C'était un temps déraisonnable. Les premiers résistants racontent*, Robert Laffont, 1999, et, de façon plus approfondie, dans Jean-Pierre Vernant, *La Traversée des frontières*, Le Seuil, 2004, p. 47-59 ; François Delpla, *Aubrac. Les faits et la calomnie*, Le Temps des cerises, 1997 ; Jean-Marie Guillon, « L'affaire Aubrac ou les dérives d'une certaine façon de faire l'histoire », *Modern & Contemporary France*, vol. 7, 1999, n° 1, p. 89-93. Julian Jackson a exposé et commenté les faits dans *La France sous l'Occupation…*, *op. cit.*, p. 728-729. Bien que participant de cette table ronde, je m'y suis opposé dans l'instant, comme en fait foi le propos liminaire que j'ai tenu en cette circonstance, et ultérieurement. Je ne développerai pas ici ma position

dans cette affaire, sur laquelle je reviendrai spécifiquement quelque jour. Cette table ronde ne nous arrête en l'occurrence que pour sa part d'élucidation des traits particuliers du mode d'élaboration de l'histoire de la Résistance de 1944 à nos jours.

55. Une table ronde désigne, dans le langage des chercheurs, une rencontre, préparée antérieurement à sa tenue, autour d'une problématique, au cours de laquelle les participants avancent et discutent des hypothèses en se fondant sur leurs propres travaux.

56. René Hardy fut jugé en janvier 1947 devant la cour de justice de la Seine et acquitté faute de preuves suffisantes. Jugé une nouvelle fois par le tribunal militaire permanent de la Seine en avril-mai 1950, il fut acquitté à la minorité de faveur.

57. Se reporter à Jean-Pierre Azéma, Dominique Veillon, « Le point sur Caluire », dans *Jean Moulin et la Résistance en 1943*, Jean-Pierre Azéma, François Bédarida, Robert Frank (dir.), *Cahiers de l'IHTP*, n° 27, juin 1994, p. 127-144.

58. Daniel Cordier, *Jean Moulin. La République des catacombes*, *op. cit.*, p. 713.

59. Le titre en était *Que la vérité est amère*. Le réalisateur en était Claude Bal.

60. Henri Noguères réfute également René Hardy en publiant *La vérité aura le dernier mot*, Le Seuil, 1985.

61. L'avocat fut condamné le 30 avril 1987 (puis, en appel, le 10 février 1988) pour avoir relayé, voire conforté les insinuations de son client, Klaus Barbie, à l'encontre des époux Aubrac dans le film de Claude Bal.

62. Klaus Barbie n'a manifestement pas rédigé ce mémoire qui agençait quantité de données éparses avec une visée diffamatoire d'autant plus insidieuse que le scénario qu'il ébauchait mêlait des faits avérés et des élucubrations totalement fantaisistes.

63. Les dix-neuf signataires étaient Jean Mattéoli, Marie-Jo Chombart de Lauwe, Geneviève Anthonioz-de Gaulle, Jean-Bernard Badaire, Pierre de Bénouville, Claude Bouchinet-Serreulles, Léon Bouvier, Jean Brenas, Robert Chambeiron, Claude Hallouin, Jacques Larpent, Maurice Plantier, Serge Ravanel, Pierre Sudreau, Henri Rol-Tanguy, Germaine Tillion, Robert Verdier, Maurice Kriegel-Valrimont, Adam Rayski.

64. Numéro en date du 8 avril.

65. Numéro en date du 11 avril.

66. Nous reprenons ici les termes de Lucie Aubrac tels que la sténographie intégrale de la journée les a fixés.

67. Selon le texte de la sténographie intégrale des débats.

68. Il se situa juste avant l'interruption qui mit fin à la matinée à 13h10.

69. Son véritable patronyme était Samuel. Il prit après la Libération pour nom l'un de ses pseudonymes du temps de la clandestinité, Aubrac.

70. Les parents de Raymond Aubrac furent déportés à Auschwitz, où ils furent exterminés.

71. Comme le relève Henry Rousso dans *La Hantise du passé*, *op. cit.*

72. Citons notamment l'article d'Antoine Prost, « Les historiens et les Aubrac : une question de trop », *Le Monde*, 12 juillet 1997, qui réprouve le fait que la question d'un lien hypothétique entre les préparatifs de l'évasion de Raymond Aubrac et l'arrestation de ses parents, déportés et morts à Auschwitz, ait pu être posée. Consulter également l'article signé conjointement par Claire Andrieu et Diane de Bellescize, « Les Aubrac, jouets de l'histoire à l'estomac », *Le Monde*, 17 juillet 1997.

73. Raymond Aubrac, « Ce que cette table ronde m'a appris » ; Lucie Aubrac, « Des éloges aux soupçons », 10 juillet 1997 ; Daniel Cordier, « Je vous écris d'un pays lointain » ; Dominique Veillon, « Trouble-mémoire » ; Henry Rousso, « De l'usage du “mythe nécessaire” », 11 juillet 1997 ; François Bédarida, « Mémoire de la Résistance et devoir de vérité » ; Jean-Pierre Vernant, « Faut-il briser les idoles ? » ; Maurice Agulhon, « Un débat pénible et bien peu productif » ; Laurent Douzou, « Les documents ne sont pas des électrons libres », 12-13 juillet 1997. À signaler également, Gérard Chauvy, « Ma réponse au débat avec les Aubrac », 24 juillet 1997.

74. Pour mesurer l'ampleur et les enjeux de ces dissensions, outre les ouvrages et articles cités *supra*, on trouvera un argumentaire prenant position contre la table ronde dans la tribune publiée par *Libération* le 25 juillet 1997, « Déplorable leçon d'histoire », signée par onze historiens spécialistes de la période, dont l'auteur de ce livre.

75. Marc Bloch, *Apologie pour l'histoire ou Métier d'historien*, rééd., Armand Colin, 1997, p. 127.

76. Laurent Douzou, « Histoire du temps présent et sources orales. Appel à témoins, témoins en appel, historiens à l'affût », *Bulletin du Centre Pierre Léon d'histoire économique et sociale*, « Imaginaires et représentations », 1997, 1-2, p. 55-63.

77. Henri Michel, « Une enquête sur la Résistance par la Commission d'histoire de l'Occupation et de la Libération de la France », *Cahiers d'histoire de la guerre*, n° 2, 1949, p. 49.

78. Marc Bloch, « Critique historique et critique du témoignage », *Histoire et Historiens. Textes réunis par Étienne Bloch*, Armand Colin, 1995, p. 13.

79. *Ibid.*, p. 16.

80. Henry Rousso, *La Hantise du passé*, *op. cit.*, p. 122.

81. Christian Font, « Quelques aspects de la sociologie résistante en Aveyron à travers une enquête orale », « La Résistance et les Français. Histoire et mémoires. Le midi et la France », pré-actes du colloque international des 16-18 novembre 1993, Jean-Marie Guillon, Pierre Laborie (dir.), université de Toulouse-Le Mirail, p. 433.

82. Michael Pollak, *L'Expérience concentrationnaire*, Éditions Métailié, 2000.

83. Annette Wieviorka, *Déportation et Génocide. Entre la mémoire et l'oubli*, Plon, 1992.

84. Robert Frank, « La mémoire empoisonnée », dans Jean-Pierre Azéma, François Bédarida (dir.), *La France des années noires*, Le Seuil, 1993, vol. 2, p. 491.

85. François Bédarida, « L'histoire de la Résistance... », *Vingtième Siècle*, juillet-septembre 1986, p. 88.

86. Jacques Sémelin, *Sans armes face à Hitler*, Payot, 1989.

87. La médaille des Justes leur est décernée. Y est gravée cette maxime du Talmud : « Quiconque sauve une vie sauve l'univers tout entier. » Se reporter à Lucien Lazare (dir.), *Dictionnaire des Justes de France*, Fayard, 2003.

88. Selon le titre de l'ouvrage, cité *supra*, d'Anne-Marie Bauer publié au Mercure de France en 1993.

89. Georges Waysand, *Estoucha*, Denoël, 1997.

90. *Ibid.*, p. 398.

91. « [...] J'ai lu ces feuilles et les lui ai rendues avec quelques paroles d'encouragement, pas très éloignées du ton plein de paternalisme professionnel qu'il m'arrive d'utiliser avec les jeunes chercheurs de mon équipe qui rédigent leur thèse », *ibid.*, p. 20.

92. « Les images, comme les travaux des historiens, sont objectivantes et réductrices », *ibid.*, p. 186.

93. *Ibid.*, p. 156.

94. Aude Yung-de Prévaux, *Un amour dans la tempête de l'histoire. Jacques et Lotka de Prévaux*, Éditions du Félin, « Résistance Liberté Mémoire », 1999.

95. François Maspero, *Les Abeilles et la Guêpe*, *op. cit.*, p. 280.

96. *Ibid.*, p. 280.

97. *Ibid.*, p. 29.

98. *Ibid.*, p. 31.

99. *Ibid.*, p. 9.

100. « J'ai lu, dès leur parution, et presque enfant encore, une grande part des témoignages des survivants », *ibid.*, p. 13.

Conclusion

1. Cette histoire, qui a conquis droit de cité, a été, ces derniers temps, l'objet d'interrogations et de remises en cause. Se reporter à l'avant-propos de Pierre Laborie, *Les Français des années troubles*, rééd., Le Seuil, 2003, p. 9-18, et au *Bulletin* de l'Institut d'histoire du temps présent, juin 2000, p. 8-76.

2. Pierre Laborie, *Les Français des années troubles*, *op. cit.*, p. 65.

3. *Ibid.*, p. 71.

4. Lucien Febvre, *Combats pour l'Histoire*, Armand Colin, 1953 ; rééd., 1992, p. 425.

5. Signalons à cet égard l'ouvrage de Pieter Lagrou *Mémoires patriotiques et Occupation nazie*, Bruxelles, Éditions Complexe/IHTP, 2003, bel exemple d'une recherche comparative consacrée à la France, à la Belgique et aux Pays-Bas. L'approche comparative est particulièrement délicate à mettre en œuvre comme en fait foi la diversité du vocabulaire utilisé en Europe pour désigner la Résistance. Se reporter sur ce point à François Bédarida, « L'histoire de la Résistance », *Vingtième Siècle*, juillet-septembre 1986, p. 78-79, et à Jacques Sémelin, *Sans armes face à Hitler*, *op. cit.*, p. 43-54.

6. Lucien Febvre, *Combats pour l'Histoire*, *op. cit.*, p. 437.

Bibliographie d'orientation

Compte tenu de la masse impressionnante d'écrits publiés sur l'histoire de la Résistance, la présente bibliographie ne pouvait, bien entendu, être qu'indicative. Elle vise, par la variété des contributions qu'elle réunit, à autoriser le lecteur à satisfaire sa curiosité, à approfondir des questions que nous avons nécessairement laissées en suspens, bref à aller plus loin. On y trouvera d'une part les ouvrages et articles sur lesquels cet essai a pris directement appui, d'autre part des références choisies afin de mettre en relief l'extrême hétérogénéité des travaux et des œuvres de mémoire suscités par l'histoire de la Résistance. C'est sciemment qu'ont été laissés de côté, sauf exception remarquable, les travaux de recherche, de la maîtrise à la thèse, qui n'ont pas fait l'objet d'une publication (l'association Mémoire et Espoirs de la Résistance a constitué dans ce domaine une base de données très riche, accessible par Internet à l'adresse suivante : http://www.memoresist.org/). En procédant selon la technique de l'arborescence, le lecteur n'aura cependant aucune difficulté à en trouver les références et à s'y reporter. Plus largement, les articles et ouvrages retenus devraient permettre à quiconque veut parfaire sa connaissance d'y parvenir sans trop de difficulté. Les travaux historiens ont été choisis de manière à tenter de couvrir toute la palette chronologique (et, dans une certaine mesure aussi, idéologique) dessinée depuis la Libération. Quant aux écrits des acteurs, des contemporains ou de leurs descendants, leur choix (qui ne vaut, dans notre esprit, aucunement palmarès) a obéi à la même volonté d'essayer d'en restituer la variété.

I. Revues

Annales, Économies, Sociétés, Civilisations (ESC)
Annales du Midi
Bulletin de la Commission d'histoire de l'Occupation et de la Libération de la France
Bulletin de la Société d'histoire du protestantisme français
Bulletin de nouvelles du Comité international d'histoire de la Deuxième Guerre mondiale
Bulletin du Comité d'histoire de la Deuxième Guerre mondiale
Bulletin intérieur du Comité d'histoire de la guerre
Bulletin du Comité international d'histoire de la Deuxième Guerre mondiale
Bulletin de l'Institut d'histoire du temps présent
Cahiers de l'IHTP
Cahiers de l'Institut Maurice Thorez, puis Cahiers d'histoire
Cahiers d'histoire de la guerre
Carrefour
Clio. Histoire, Femmes, Sociétés
Communisme
Écho de la Résistance
EspacesTemps
Espoir, revue de l'Institut Charles-de-Gaulle
Esprit
Évidences
French Historical Studies
Gazette des archives
Guerres mondiales et conflits contemporains
Historia
Le Déporté (UNADIF/FNDIR)
Le Monde juif
Le Patriote résistant (FNDIRP)
Le Point
Les Lettres françaises
L'Express
L'Histoire
Newsletter de l'American Committee on the History of the Second World War
Newsletter de la World War Two Studies Association (formerly American Committee on the History of the Second World War)
Pénélope
Preuves
Revue d'histoire de la Deuxième Guerre mondiale

Revue de la France libre
Revue de synthèse
Revue historique
The American Historical Review
Vierteljahrshefte für Zeitgeschichte (Institut für Zeitgeschichte, Oldenbourg)
Vingtième Siècle, revue d'histoire

II. Ouvrages et articles portant sur l'historiographie et sur la mémoire

Azéma Jean-Pierre, Bédarida François, « L'historisation de la Résistance », *Esprit*, janvier 1994, p. 19-35.
Barcellini Serge, Wieviorka Annette, *Passant, souviens-toi ! Les lieux du souvenir de la Seconde Guerre mondiale en France*, Plon, 1995.
Barrière Philippe, *Histoire et mémoires de la Seconde Guerre mondiale. Grenoble en ses après-guerre (1944-1964)*, Grenoble, Presses universitaires de Grenoble, 2004.
Bédarida François, « L'histoire de la Résistance. Lectures d'hier, chantiers de demain », *Vingtième Siècle*, juillet-septembre 1986, p. 75-89.
Bédarida François (dir.), *L'Histoire et le métier d'historien en France, 1945-1995*, Éditions de la Maison des sciences de l'homme, 1995.
Bédarida François, *Histoire, critique et responsabilité*, Bruxelles, Éditions Complexe-IHTP, 2003.
Bloch Marc, *Apologie pour l'histoire ou Métier d'historien*, rééd., Armand Colin, 1997.
Bourdé Guy, Martin Hervé, en collaboration avec Pascal Balmand, *Les Écoles historiques*, Le Seuil, 1990.
Boutier Jean, Julia Dominique (dir.), *Passés recomposés. Champs et chantiers de l'histoire*, Autrement, 1995.
Comité français des sciences historiques, *Bibliographie annuelle de l'histoire de France*, Éditions du Centre national de la recherche scientifique, 1956.
Delacroix Christian, Dosse François, Garcia Patrick, *Les Courants historiques en France, XIXe-XXe siècle*, Armand Colin, « U », 1999.
Delacroix Christian, « Demande sociale et histoire du temps présent, une normalisation épistémologique ? », *Espaces Temps*, n°s 84, 85, 86, « L'opération épistémologique. Réfléchir les sciences sociales », 2004, p. 106-119.

Dumoulin Olivier, *Marc Bloch*, Presses de Sciences-Po, « Références/Facettes », 2000.

Dumoulin Olivier, *Le Rôle social de l'historien. De la chaire au prétoire*, Albin Michel, 2003.

Écrire l'histoire du temps présent, Actes de la journée d'études de l'IHTP du 14 mai 1992, CNRS Éditions, 1993.

Enser A.G.S., *A Subject Bibliography of the Second World War. Books in English, 1939-1974*, Londres, André Deutsch, 1997.

Enser A.G.S., *A Subject Bibliography of the Second World War, and Aftermath : Books in English, 1975-1987*, Londres, Gower, 1990.

Evleth Donna, *France under the German Occupation, 1940-1944. An Annotated Bibliography*, Greenwood Press, New York, Westport, Connecticut, Londres, 1991, p. 119-162.

Febvre Lucien, *Combats pour l'Histoire*, Armand Colin, 1953 ; rééd., 1992.

Fishman Sarah, Downs Laura Lee, Sinanoglou Ioannis, Smith Leonard V., Zaretsky Robert (dir.), *La France sous Vichy. Autour de Robert O. Paxton*, Éditions Complexe/IHTP, 2004.

Funk Arthur L., *The Second World War. A Select Bibliography of Books in English since 1975*, Claremont, Californie, Regina Guides to Historical Issues, 1985.

Glénisson Jean, « L'historiographie française contemporaine : tendances et réalisations », *La Recherche historique en France de 1940 à 1965*, Éditions du CNRS, 1965.

Guillon Jean-Marie, « La Résistance, cinquante ans et deux mille titres après », dans Guillon Jean-Marie, Laborie Pierre (dir.), *Mémoire et Histoire : la Résistance*, Toulouse, Privat, 1995, p. 27-43.

Hartog François, *Régimes d'historicité. Présentisme et expériences du temps*, Le Seuil, « La librairie du XXIe siècle », 2003.

Joutard Philippe, *Ces voix qui nous viennent du passé*, Hachette, 1983.

Halbwachs Maurice, *Les Cadres sociaux de la mémoire*, Alcan-PUF, 1925 ; rééd., Albin Michel, 1994, postface de Gérard Namer.

Halbwachs Maurice, *La Mémoire collective*, édition critique établie par Gérard Namer, Albin Michel, 1997 (1re édition, PUF, 1950).

Histoire et Temps présent, journées d'études des correspondants départementaux, 28-29 novembre 1980, IHTP-CNRS, 1980.

Koselleck Reinhart, *Le Futur passé, contribution à la sémantique des temps historiques*, EHESS, 1990.

« L'histoire du temps présent, hier et aujourd'hui », *Bulletin* de l'Institut d'histoire du temps présent, nº 75, juin 2000, contributions de Pieter Lagrou, Henry Rousso, Danièle Voldman, Valeria Galimi, Benjamin Stora, p. 8-76.

Laborie Pierre, « Historiens sous haute surveillance », *Esprit*, janvier 1994, p. 36-49.

Lagrou Pieter, *Mémoires patriotiques et occupation nazie*, Bruxelles, Éditions Complexe/IHTP, 2003.

La Mémoire des Français. Quarante ans de commémoration de la Seconde Guerre mondiale, actes du colloque de Sèvres des 4 et 5 février 1985, IHTP, Éditions du CNRS, 1986.

Lavabre Marie-Claire, *Le Fil rouge. Sociologie de la mémoire communiste*, Presses de la FNSP, 1994.

Le Goff Jacques, Nora Pierre (dir.), *Faire de l'histoire* : t. 1, « Nouveaux Problèmes » ; t. 2, « Nouvelles Approches » ; t. 3, « Nouveaux Objets », Gallimard, 1974.

Les Échos de la mémoire. Tabous et enseignement de la Seconde Guerre mondiale, textes réunis et présentés par Georges Kantin et Gilles Manceron, Le Monde-Éditions, 1991.

Lindeperg Sylvie, *Les Écrans de l'ombre : la Seconde Guerre mondiale dans le cinéma français*, CNRS, 1997.

Michel Henri, *Bibliographie critique de la Résistance*, Institut pédagogique national, 1964.

Montjaret Hervé, « Une grande figure de la France libre, Jean Moulin, compagnon de la Libération », *Revue de la France libre*, nº 148, p. 7-8.

Müller Bertrand, *Lucien Febvre, lecteur et critique*, Albin Michel, 2003.

Namer Gérard, *La Commémoration en France de 1945 à nos jours*, L'Harmattan, 1987.

Nora Pierre (dir.), *Les Lieux de mémoire*, Gallimard, 1984-1992 ; rééd., « Quarto ».

Pollak Michael, *L'Expérience concentrationnaire. Essai sur le maintien de l'identité sociale*, Éditions Métailié, 2000.

Prost Antoine, *Douze Leçons sur l'histoire*, Le Seuil, 1996.

Prost Antoine, Winter Jay, *Penser la Grande Guerre. Un essai d'historiographie*, Le Seuil, « Points Histoire » série « L'histoire en débats », 2004.

Ricœur Paul, *La Mémoire, l'histoire, l'oubli*, Le Seuil, 2000.

Rousso Henry, *Le Syndrome de Vichy, 1944-198…*, Le Seuil, 1987 ; rééd., 1990, *Le Syndrome de Vichy, 1944 à nos jours*, Le Seuil, « Points Histoire ».

Rousso Henry, *La Hantise du passé. Entretien avec Philippe Petit*, Textuel, 1998.

Rousso Henry, *Vichy. L'événement, la mémoire, l'histoire*, Gallimard, « Folio histoire », 2001.
Van Galen Last Dick, « Fifty years of writing the history of the Second World War », *Bulletin* du Comité international d'histoire de la Deuxième Guerre mondiale, n° 29, 1996-1997, p. 35-131.
Voldman Danièle, « La Bouche de la vérité ? La recherche historique et les sources orales », *Les Cahiers de l'IHTP*, n° 21, novembre 1992.
Wieviorka Annette, *Déportation et Génocide. Entre la mémoire et l'oubli*, Plon, 1992.
Wieviorka Annette, *L'Ère du témoin*, Plon, 1998.

III. Ouvrages généraux portant sur la période de l'Occupation

Alary Éric, *La Ligne de démarcation*, Perrin, 2003.
Amouroux Henri, *La Grande Histoire des Français sous l'Occupation*, Robert Laffont, 10 vol., 1977-1993.
Archives des années noires. Artistes, écrivains, éditeurs, documents réunis et présentés par Claire Paulhan et Olivier Corpet, Institut Mémoires de l'édition contemporaine, 2004.
Azéma Jean-Pierre, *De Munich à la Libération, 1938-1944*, « Nouvelle histoire de la France contemporaine », n° 14, Le Seuil, 1979.
Azéma Jean-Pierre, Bédarida François (dir.), *Vichy et les Français*, Fayard, 1992.
Azéma Jean-Pierre, Bédarida François (dir.), *La France des années noires*, 2 vol., Le Seuil, 1993.
Burrin Philippe, *La France à l'heure allemande, 1940-1944*, Le Seuil, 1995.
Cointet Jean-Paul et Michèle (dir.), *Dictionnaire historique de la France sous l'Occupation*, Tallandier, 2000.
Duroselle Jean-Baptiste, *L'Abîme, 1939-1945*, Imprimerie nationale, 1982.
Eck Hélène (dir.), *La Guerre des ondes : histoire des radios de langue française pendant la Deuxième Guerre mondiale*, Armand Colin, 1985.
Encrevé André (dir.), *Les Protestants français pendant la Seconde Guerre mondiale*, actes du colloque de Paris des 19-21 novembre 1992, réunis par André Encrevé et Jacques Poujol, *Bulletin de la Société de l'histoire du protestantisme français*, supplément au n° 3, juillet-septembre 1994.

Franck Christiane, *La France de 1945. Résistance. Retours. Renaissances*, actes du colloque de Caen (17-19 mai 1995), Caen, Presses universitaires de Caen, 1996.
Gordon Bertram M., *Historical Dictionary of World War II France. The Occupation, Vichy and the Resistance, 1938-1946*, Westport, Connecticut, Greenwood Press, 1998.
Jäckel Eberhard, *La France dans l'Europe de Hitler*, Fayard, 1968.
Jackson, Julian, *La France sous l'Occupation, 1940-1944*, Flammarion, 2004.
Kaspi André (en collaboration avec Anne Grynberg, Catherine Nicault, Ralph Schor et Annette Wieviorka), *La Libération de la France, juin 1944-janvier 1946*, Perrin, 1995.
Laborie Pierre, *L'Opinion française sous Vichy*, Le Seuil, 1990.
La Seconde Guerre mondiale, guide des sources conservées en France : 1939-1945, direction des Archives de France, rédigé par Brigitte Blanc, Henry Rousso, Chantal de Tourtier-Bonazzi, Archives nationales, 1994.
Les Facs sous Vichy : étudiants, universitaires et universités de France pendant la Seconde Guerre mondiale, actes du colloque de Clermont-Ferrand, novembre 1993, textes rassemblés et présentés par André Gueslin, Clermont-Ferrand, Institut d'études du Massif central, 1994.
Loyd E. Lee (dir.), *World War II in Europe, Africa, and the Americas, with General Sources. A Handbook of Literature and Research*, Westport, Connecticut, Greenwood Press, 1997.
Meyer Ahlrich, *L'Occupation allemande en France, 1940-1944*, Toulouse, Privat, 2002.
Panicacci Jean-Louis, *Les Alpes-Maritimes de 1939 à 1945*, Nice, Éditions Serre, 1989.
Pavone Claudio, *Una guerra civile. Saggio storico sulla moralità nella Resistenza*, Turin, Bollati Boringhieri, 1991 ; trad. fr., *Une guerre civile. Essai historique sur l'éthique de la Résistance italienne*, Le Seuil, 2005.
Paxton Robert, *La France de Vichy*, Le Seuil, 1973.
Peschanski Denis, *Vichy 1940-1944. Contrôle et exclusion*, Bruxelles, Éditions Complexe, 1997.
Peschanski Denis, *La France des camps (1938-1946)*, Gallimard, 2002.
Poznanski Renée, *Être juif en France pendant la Seconde Guerre mondiale*, Hachette, « La vie quotidienne », 1994 ; *Les Juifs en France pendant la Seconde Guerre mondiale*, 2e édition mise à jour et corrigée, Hachette, 1997.
Rayski Adam, *Le Choix des Juifs sous Vichy entre soumission et résistance*, La Découverte, 1992.

Rioux Jean-Pierre, *La France de la IVe République* : vol. 1, « L'Ardeur et la Nécessité (1944-1952) », « Nouvelle histoire de la France contemporaine », n° 15, Le Seuil, 1980.
Sapiro Gisèle, *La Guerre des écrivains, 1940-1953*, Fayard, 1999.
Signes de la collaboration et de la Résistance, textes de Michel Wlassikoff et Philippe Delangle, préface de Jean-Pierre Azéma, présentation de Jean-Pierre Greff, Autrement/Direction de la mémoire, du patrimoine et des archives (ministère de la Défense), 2002.
Umbreit Hans, *Der Militärbefehlshaber in Frankreich, 1940-1944*, Boppard-sur-le-Rhin, Harald Bolldt Verlag, 1968.
Wlassikoff Michel, Delangle Philippe, *Signes de la collaboration et de la Résistance*, Autrement/Direction de la mémoire, du patrimoine et des archives (ministère de la Défense), 2002.

IV. Ouvrages et articles traitant de l'histoire de la Résistance

Aglan Alya, *Mémoires résistantes. Histoire du réseau Jade-Fitzroy, 1940-1944*, Éditions du Cerf, 1994.
Aglan Alya, *La Résistance sacrifiée*, Flammarion, 1999.
Aglan Alya, Azéma Jean-Pierre (dir.), *Jean Cavaillès résistant ou la Pensée en actes*, Flammarion, 2002.
Alary Éric, *Un procès sous l'Occupation au Palais-Bourbon, mars 1942*, Assemblée nationale, 2000.
Amoretti Henri, *Lyon capitale, 1940-1944*, Éditions France Empire, 1964.
Andrieu Claire, *Le Programme commun de la Résistance. Des idées dans la guerre*, Les Éditions de l'Érudit, 1984.
Angeli Claude, Gillet Paul, *Debout, partisans !*, Fayard, 1969.
Aragon Charles d', « L'hiver le plus long », *Esprit*, n° 404, juin 1971.
Azéma Jean-Pierre, Prost Antoine, Rioux Jean-Pierre (dir.), *Le Parti communiste français des années sombres, 1938-1941*, Le Seuil, 1986.
Azéma Jean-Pierre (dir.), *Jean Moulin face à l'Histoire*, Flammarion, 2000.
Azéma Jean-Pierre, *Jean Moulin. Le rebelle, le politique, le résistant*, Perrin, 2003.
Baehrel Sylvaine, *Alibi, 1940-1944. Histoire d'un réseau de renseignement pendant la Seconde Guerre mondiale*, Éditions Jean-Michel Place, 2002.

Bartosek Karel, Gallissot René, Peschanski Denis (dir.), *De l'exil à la Résistance. Réfugiés et immigrés d'Europe centrale en France, 1933-1945*, Presses universitaires de Vincennes-Arcantère, 1989.

Basse Pierre-Louis, *Guy Môquet. Une enfance fusillée*, Stock, 2000.

Baudoin Madeleine, *Histoire des groupes francs (MUR) des Bouches-du-Rhône de septembre 1943 à la Libération*, PUF, « Esprit de la Résistance », 1962.

Baudot Marcel, *L'Opinion publique sous l'Occupation*, PUF, « Esprit de la Résistance », 1960.

Baudot Marcel, *Libération de la Bretagne*, Hachette, « La libération de la France », 1974.

Baudot Marcel, *Libération de la Normandie*, Hachette, « La libération de la France », 1974.

Bécamps Pierre, *Libération de Bordeaux*, Hachette, « La libération de la France », 1974.

Bédarida Renée, *Les Armes de l'esprit. Témoignage chrétien (1941-1944)*, Les Éditions ouvrières, 1977.

Bédarida Renée, *Pierre Chaillet. Témoin de la résistance spirituelle*, Fayard, 1988.

Belot Robert, *Aux frontières de la liberté : Vichy, Madrid, Alger, Londres (1942-1944)*, Fayard, 1998.

Belot Robert, *Paroles de résistants*, Berg International Éditeurs, 2001.

Belot Robert, *Henri Frenay. De la Résistance à l'Europe*, Le Seuil, 2003.

Bellanger Claude, *Presse clandestine (1940-1944)*, Armand Colin, « Kiosque », 1961.

Bellescize Diane de, *Les Neuf Sages de la Résistance. Le Comité général d'Études dans la clandestinité*, Plon, « Espoir », 1979.

Bernard Henri, *Histoire de la Résistance européenne*, Verviers, Gérard et Cie, 1968.

Bertaux Pierre, *Libération de Toulouse et de sa région*, Hachette, « La libération de la France », 1973.

Bidussa David, Peschanski Denis (dir.), *La France de Vichy, 1940-1944. Archives inédites d'Angelo Tasca*, Annali de la Fondation Giangiacomo Feltrinelli, Milan, Feltrinelli, 1996.

Blanc Julien, « Le réseau du Musée de l'Homme », *Esprit*, n° 261, février 2000, p. 89-103.

Blumenson Martin, *The Vildé Affair : Beginning of the French Resistance*, 1977 ; trad. fr., *Le Réseau du Musée de l'Homme. Les débuts de la Résistance en France*, Le Seuil, 1979.

Borwicz Michel, *Écrits des condamnés à mort sous l'occupation allemande (1939-1945)*, Étude sociologique, préface de René Cassin, PUF, « Esprit de la Résistance », 1954.

Bougeard Christian, *Histoire de la Résistance en Bretagne*, Éditions J.-P. Gisserot, 1992.

Bougeard Christian, *René Pleven. Un Français libre en politique*, Rennes, Presses universitaires de Rennes, 1995.

Bougeard Christian, *Tanguy Prigent. Un paysan ministre*, Rennes, Presses universitaires de Rennes, 2002.

Bourderon Roger, *Libération du Languedoc méditerranéen*, Hachette, « La libération de la France », 1974.

Bourderon Roger, *La Négociation. Été 1940 : crise au PCF*, Éditions Syllepse, 2001.

Bourderon Roger, *Rol-Tanguy*, Tallandier, 2004.

Boursier Jean-Yves (dir.), *Résistants et Résistance*, L'Harmattan, 1997.

Bouvier Jean, Gacon Jean, *La Vérité sur 1939 : la politique extérieure de l'URSS d'octobre 1938 à juin 1941*, Éditions sociales, 1953.

Bruneau Françoise, *Essai d'historique du mouvement né autour du journal clandestin Résistance*, Sedes, 1951, préface de Claude Bouchinet-Serreulles.

Buton Philippe, Guillon Jean-Marie (dir.), *Les Pouvoirs en France à la Libération*, Belin, 1994.

Buton Philippe, *Les lendemains qui déchantent. Le Parti communiste français à la Libération*, PFNSP, 1993.

Buton Philippe, *La Libération de la France*, Éditions Complexe-IHTP-CNRS, 2004.

Calmette, Arthur, *L'Organisation civile et militaire, histoire d'un mouvement de Résistance de 1940 à 1946*, PUF, « Esprit de la Résistance », 1961.

Capdevila Luc, *Les Bretons au lendemain de l'Occupation. Imaginaire et comportement d'une sortie de guerre, 1944-1945*, Rennes, Presses universitaires de Rennes, 1999.

Cévennes, terre de refuge : 1940-1944, textes et documents rassemblés par Philippe Joutard, Jacques Poujol et Patrick Cabanel, Montpellier, Presses du Languedoc, 1987.

Chauvet Paul, *La Résistance chez les fils de Gutenberg dans la Deuxième Guerre mondiale*, témoignages, Paris, 1979, ouvrage imprimé à compte d'auteur.

Cointet Michèle et Jean-Paul, *La France à Londres : renaissance d'un État 1940-1943*, Bruxelles, Complexe, 1990.

Collin Claude, *Jeune combat. Les Jeunes Juifs de la MOI dans la Résistance*, Saint-Martin-d'Hères, Presses universitaires de Grenoble, 1998.

Collin Claude, *Carmagnole et Liberté. Les étrangers dans la Résistance en Rhône-Alpes*, Grenoble, Presses universitaires de Grenoble, 2000.

Collins-Weitz Margaret, *Les Combattantes de l'ombre. Histoire des femmes dans la Résistance*, Albin Michel, 1997.

Comte Bernard, *Une utopie combattante. L'école des cadres d'Uriage, 1940-1942*, Fayard, 1991.

Comte Bernard, Domenach Jean-Marie, Rendu Christian, Rendu Denise, *Gilbert Dru. Un chrétien résistant*, Beauchesne, 1998.

Comte Bernard, *L'Honneur et la Conscience. Catholiques français en résistance, 1940-1944*, Éditions de l'Atelier, 1998.

Cordier Daniel, *Jean Moulin. L'inconnu du Panthéon*, Jean-Claude Lattès, 3 vol., 1989 et 1993.

Cordier Daniel, *Jean Moulin. La République des catacombes*, Gallimard, 1999.

Courtois Stéphane, *Le PCF dans la guerre. De Gaulle, la Résistance, Staline...*, Ramsay, 1980.

Courtois Stéphane, « Luttes politiques et élaboration d'une histoire : le PCF historien du PCF dans la Deuxième Guerre mondiale », *Communisme*, n° 4, 1983.

Courtois Stéphane, Peschanski Denis, Rayski Adam, *Le Sang de l'étranger. Les immigrés de la MOI dans la Résistance*, Fayard, 1989.

Crémieux-Brilhac Jean-Louis (dir.), *Ici Londres, 1940-1944. Les voix de la Liberté*, Documentation française, 5 vol., 1975-1976.

Crémieux-Brilhac Jean-Louis, *La France libre. De l'appel du 18 juin à la Libération*, Gallimard, 1996.

Crémieux-Brilhac Jean-Louis, *Prisonniers de la liberté. L'odyssée des 218 évadés par l'URSS, 1940-1941*, Gallimard, 2003.

Dainville Augustin de, *L'ORA, la résistance de l'armée*, Paris-Limoges, Lavauzelle, 1974.

Dansette Adrien, *Histoire de la Libération de Paris*, Fayard, 1959.

Dejonghe Étienne, Laurent Daniel, *Libération du Nord et du Pas-de-Calais*, Hachette, « La libération de la France », 1974.

Dejonghe Étienne, Le Maner Yves, *Le Nord-Pas-de-Calais dans la main allemande*, Lille, La Voix du Nord, 1999.

Denis Henri, *Le Comité parisien de la Libération*, PUF, « Esprit de la Résistance », 1963.

Des victoires de Hitler au triomphe de la démocratie et du socialisme. Origines et bilan de la Deuxième Guerre mondiale (1939-1945), Éditions sociales, 1970, 446 p. Compte rendu des travaux du colloque scientifique organisé par l'Institut Maurice-Thorez (Paris, 17-19 octobre 1969).

Diamant David, *Héros juifs de la Résistance française*, Éditions Renouveau, Union des Juifs pour la Résistance et l'Entraide, 1962.

Diamant David, *Les Juifs dans la Résistance française, 1940-1944, avec armes ou sans armes*, Le Pavillon, 1971.

Diamant David, *Le Billet vert : la vie et la résistance à Pithiviers et Beaune-la-Rolande, camps pour juifs, camps pour chrétiens, camps pour patriotes*, Éditions Renouveau, 1977.

Diamant David, *Combattants, héros et martyrs de la Résistance : biographies, dernières lettres, témoignages et documents*, Édition Renouveau, 1984.

Diamond Hanna, *Women and the Second World War in France, 1939-1948 : Choices and Constraints*, Longman, 1999.

Douzou Laurent, *La Désobéissance. Histoire du mouvement de résistance Libération-Sud*, Odile Jacob, 1995.

Douzou Laurent, Frank Robert, Peschanski Denis, Veillon Dominique (dir.), *La Résistance et les Français : villes, centres et logiques de décision*, IHTP-CNRS, suppl. au *Bulletin* de l'IHTP, 1995.

Douzou Laurent, « La démocratie sans le vote. La question de la décision dans la Résistance », *Actes de la recherche en sciences sociales*, n° 140, décembre 2001, p. 57-67.

Douzou Laurent, Peschanski Denis, « La Résistance française face à l'hypothèque de Vichy », dans David Bidussa, Denis Peschnski (dir.), *La France de Vichy. Archives inédites d'Angelo Tasca*, Milan, Fondazione Giancomo Feltrinelli, 1996.

Dreyfus Paul, *Histoire de la Résistance en Vercors*, Arthaud, 1975.

Ducoudray Marie, *Ceux de Manipule. Un réseau de renseignements dans la Résistance en France*, Éditions Tirésias (BP 249, 75866 Paris Cedex 18), 2002.

Durand Yves, Vivier Robert, *Libération des pays de Loire*, Hachette, « La libération de la France », 1974.

« Esquisse d'une histoire de la Résistance française », *Notes documentaires et Études*, n° 225 (série française - LXVI) ; première partie, « De l'armistice au débarquement allié en Afrique du Nord (juin 1940-novembre 1942) », ministère de l'Information, Direction de la documentation, 30 janvier 1946.

« Esquisse d'une histoire de la Résistance française », *Notes documentaires et Études*, n° 226 (série française-LXVII) ; deuxième partie, « Du débarquement allié en Afrique du Nord à l'insurrection nationale (novembre 1942-août 1944) », ministère de l'Information, Direction de la documentation, 31 janvier 1946.

European Resistance Movements, 1939-1945 : First International Conference on the History of the Resistance Movements Held at Liege-Bruxelles-Breendonk, 14-17 september 1958, Oxford, Pergamon, 1960.

European Resistance Movements, 1939-1945 : Second International Conference on the History of the Resistance Movements, Milan, 1960, Londres, Pergamon, 1964.

Eychenne Émilienne, *Les Pyrénées de la liberté. Le franchissement clandestin des Pyrénées pendant la Seconde Guerre mondiale : 1939-1945*, France-Empire, 1983.

Favre Pierre, *Jacques Decour. L'oublié des Lettres françaises, 1910-1942*, Tours, Farrago, 2002.

Fink Carole, *Marc Bloch : A Life in History*, New York, Cambridge University Press, 1989 ; trad. fr., *Marc Bloch : une vie au service de l'histoire*, Lyon, Presses universitaires Lyon, 1997.

Fleutot François-Marin, *Des royalistes dans la Résistance*, Flammarion, 2000.

Fondation Charles-de-Gaulle, *Le Rétablissement de la légalité républicaine, 1944*, actes du colloque de Bayeux, 6-8 octobre 1994, Bruxelles, Éditions Complexe, 1996.

Foot Michael Richard, *SOE in France, 1940-1944*, Londres, HMSO, 1966.

Foot Michael Richard, *Resistance. An Analysis of European Resistance to Nazism,* Londres, Eyre Methuen, 1976.

Foot Michael Richard, *An Outline History of the Special Operations Executive, 1940-1946*, Londres, British Broadcasting Corporation, 1984.

Fouilloux Étienne, *Les Chrétiens français entre crise et Libération, 1937-1947*, Le Seuil, 1997.

Foulon Charles-Louis, *Le Pouvoir en province à la Libération. Les commissaires de la République, 1943-1946*, Armand Colin et FNSP, 1975.

Foulon Charles-Louis (dir.), *André Malraux et le rayonnement culturel de la France*, Bruxelles, Éditions Complexe, 2004.

Francos Ania, *Il était des femmes dans la Résistance*, Stock, 1978.

Frank Robert, Gotovitch José (dir.), *La Résistance et les Européens du Nord*, Bruxelles, Centre d'études et de recherches historiques de la Seconde Guerre mondiale et IHTP, 2 vol., 1994 et 1996.

Funk Arthur Layton, *Hidden Ally : The French Resistance. Special Operations Landings in Southern France, 1944*, New York, Greenword Press, 1994.

Gabert Michèle, *Entrés en Résistance. Isère. Des hommes et des femmes dans la Résistance*, Grenoble, Presses universitaires de Grenoble, 2000.

Gambiez Fernand, *Libération de la Corse*, Hachette, « La libération de la France », 1973.
Gilzmer Mechtild, Levisse-Touzé Christine, Martens Stefan (dir.), *Les Femmes dans la Résistance en France*, Tallandier, 2003.
Goubet Michel, Debauges Paul, *Histoire de la Résistance en Haute-Garonne*, Toulouse, Milan, 1986.
Grandval Gilbert, Collin André, *Libération de l'est de la France*, Hachette, « La libération de la France », 1974.
Granet Marie, Michel Henri, *Combat. Histoire d'un mouvement de Résistance, de juillet 1940 à juillet 1943*, PUF, « Esprit de la Résistance », 1957.
Granet Marie, « Un journal socialiste clandestin pendant l'Occupation, Libération-Nord », suppl. à la *Revue socialiste*, n° 192.
Granet Marie, *Défense de la France. Histoire d'un mouvement de Résistance, 1940-1944*, PUF, « Esprit de la Résistance », 1960.
Granet Marie, *Le Journal* Défense de la France, introduction et notes de Marie Granet, PUF, 1961.
Granet Marie, *Ceux de la Résistance (1940-1944)*, Éditions de Minuit, 1964.
Granet Marie, *Cohors-Asturies : histoire d'un réseau de résistance, 1942-1944*, Bordeaux, Édition des Cahiers de la Résistance, 1974.
Granet Marie, *Les Jeunes dans la Résistance*, France-Empire, 1985.
Guérin Alain, *La Résistance, chronique illustrée 1930-1950*, Livre club Diderot : t. 1, « Victoire du crime », 1972 ; t. 2, « Une révolte très organisée », 1973 ; t. 3, « Du côté des bourreaux », 1973 ; t. 4, « Au temps des malentendus », 1975 ; t. 5, « Le Combat total », 1976 ; rééd. sous le titre *Chronique de la Résistance*, Omnibus, 2000.
Guidoni Pierre, Verdier Robert (dir.), *Les Socialistes en Résistance (1940-1944). Combats et débats*, Éditions Seli Arslan, 1999.
Guillin François-Yves, *Le Général Delestraint. Premier chef de l'Armée secrète*, Plon, 1995.
Guillon Jean-Marie, *La Résistance dans le Var : essai d'histoire politique*, doctorat d'État, 3 vol., Université de Provence, UER d'histoire, 1989.
Guillon Jean-Marie, Laborie Pierre (dir.), *Mémoire et Histoire : la Résistance*, Toulouse, Privat, 1995.
Guillon Jean-Marie, Mencherini Robert (dir.), *La Résistance et les Européens du Sud*, L'Harmattan, 1999.
Guingouin Georges, *Quatre Ans de lutte sur le sol limousin*, Hachette, « La libération de la France », 1974.
Guiral Pierre, *Libération de Marseille*, Hachette, « La libération de la France », 1974.

Haestrup Jorgen, *European Resistance Movements, 1939-1945 : A Complete History*, Westport, Connecticut, Londres, Meckler, 1981.
Hoffmann Stanley, « Chagrin et Pitié ? », *Essais sur la France : déclin ou renouveau ?*, Le Seuil, 1974.
Hostache René, *Le Conseil national de la Résistance. Les institutions de la clandestinité*, PUF, « Esprit de la Résistance »,1958.
Huguen Roger, *Par les nuits les plus longues : réseaux d'évasion d'aviateurs en Bretagne, 1940-1944*, Saint-Brieuc, Presses bretonnes, 1976.
Ingrand Henry, *Libération de l'Auvergne*, Hachette, « La libération de la France », 1974.
Jean Moulin et le Conseil national de la Résistance, IHTP-CNRS, 1983, 192 p.
« Jean Moulin et la Résistance en 1943 », Jean-Pierre Azéma, François Bédarida, Robert Frank (dir.), *Les Cahiers de l'IHTP*, n° 27, juin 1994.
Joutard Philippe, Marcot François (dir.), *Les Étrangers dans la Résistance en France*, actes des Rencontres universitaires du 6 novembre 1992, Besançon, musée de la Résistance et de la Déportation, 1992.
Kahn Annette, *Robert et Jeanne : à Lyon sous l'Occupation*, France-Loisirs, 1990.
Kaspi André, *La Mission de Jean Monnet à Alger, mars-octobre 1943*, Éditions Richelieu et Publications de la Sorbonne, 1971.
Kedward Harry Roderick, *Resistance in Vichy France*, Oxford University Press, 1978 ; trad. fr., *Naissance de la Résistance dans la France de Vichy, 1940-1942. Idées et motivations*, Champ Vallon, 1989.
Kedward Harry Roderick, *In Search of the Maquis*, Oxford University Press, 1993 ; trad. fr., *À la recherche du maquis. La Résistance dans la France du Sud, 1942-1944*, Éditions du Cerf, « Passages », 1999.
Knout David, *Contribution à l'histoire de la résistance juive en France (1940-1944)*, préface de Louis Saillant, Éditions du Centre, 1947.
L'Huillier Fernand, *Libération de l'Alsace*, Hachette, « La libération de la France », 1975.
La Libération de la France. Actes du colloque international tenu à Paris du 28 au 31 octobre 1974, CNRS, 1976.
La Presse clandestine, 1940-1944, colloque d'Avignon des 20-21 juin 1985, Avignon, 1986.
« La Résistance et les Français. Nouvelles approches », *Les Cahiers de l'IHTP*, n° 37, décembre 1997.

Laborie Pierre, *Résistants, vichyssois et autres. L'évolution de l'opinion et des comportements dans le Lot de 1939 à 1944*, Éditions du CNRS, 1980.

Laborie Pierre, *Les Français des années troubles. De la guerre d'Espagne à la Libération*, rééd., Le Seuil, 2003.

Lacouture Jean, *De Gaulle* : t. 1, « Le Rebelle », Le Seuil, 1984 ; t. 3, « Le Souverain », Le Seuil, 1986.

Lacouture Jean, *Le Témoignage est un combat. Une biographie de Germaine Tillion*, Le Seuil, 2000.

Lazare Lucien, *La Résistance juive en France*, Stock, 1987.

Le Parti communiste français dans la Résistance, Éditions sociales, 1967, rédigé par Germaine Willard, Jean Gacon, Basile Darivas et Henri Rol-Tanguy.

Leenhardt Pierre, *Pascal Copeau (1908-1982). L'histoire préfère les vainqueurs*, L'Harmattan, 1994.

Les Femmes dans la Résistance, colloque de l'Union des femmes françaises des 22-23 novembre 1975, Monaco, Éditions du Rocher, 1977.

Les Juifs dans la Résistance et la Libération. Histoire, témoignages, débats, ensemble de textes réunis et présentés par l'Association pour la recherche sur l'histoire contemporaine des Juifs, Anne Grynberg (coord.), Éditions du Scribe, 1985.

Levisse-Touzé Christine (dir.), *Paris 1944 : les enjeux de la Libération*, actes du colloque des 2-4 février 1994, Albin Michel, 1994.

Levisse-Touzé Christine, *L'Afrique du Nord dans la guerre, 1939-1945*, Albin Michel, 1998.

Lévy Gilles, Cordet Francis, *À nous, Auvergne ! La vérité sur la Résistance en Auvergne, 1940-1944*, Presses de la Cité, 1974.

Lheureux Danièle, *La Résistance « Action-Buckmaster ». Sylvestre-Farmer*, 2 vol., Roubaix, Éditions Le Geai Bleu, 2001-2002.

Luirard Monique, *La Région stéphanoise dans la guerre et dans la paix, 1936-1951*, Le Puy, Centre d'études foréziennes, 1980.

Madjarian Grégoire (avec la collaboration d'Aude Bergier), *Conflits, pouvoirs et société à la Libération*, Union générale d'éditions, 1980.

Marcot François, *La Franche-Comté sous l'Occupation, 1940-1944* : t. 1, « La Résistance dans le Jura », Besançon, Cêtre, 1985 ; t. 2, « Les Voix de la Résistance. Tracts et journaux clandestins francs-comtois », Cêtre, 1989.

Marcot François, *La Résistance et les Français : lutte armée et maquis*, Annales littéraires de l'université de Franche-Comté, vol. 617, 1996.

Mayer Daniel, *Les Socialistes dans la Résistance*, PUF « Esprit de Résistance », 1968.
Michel Henri, *Bibliographie critique de la Résistance*, Institut pédagogique national, 1964.
Michel Henri, *La Résistance française*, PUF, « Que sais-je ? », 1950.
Michel Henri, Mirkine-Guetzévitch Boris, *Les Idées politiques et sociales de la Résistance, documents clandestins, 1940-1944*, préface de Georges Bidault, avant-propos de Lucien Febvre, PUF, « Esprit de la Résistance », 1954.
Michel Henri, *Les Mouvements clandestins en Europe*, PUF, « Que sais-je ? », 1961.
Michel Henri, *Les Courants de pensée de la Résistance*, PUF, « Esprit de la Résistance », 1962.
Michel Henri, *Histoire de la France libre*, PUF, « Que sais-je ? », 1963.
Michel Henri, *La Guerre de l'ombre : la Résistance en Europe*, Grasset, 1970.
Michel Henri, *Jean Moulin. L'unificateur*, Hachette, 1971 ; rééd. 1983.
Michel Henri, *Paris résistant*, Albin Michel, 1982.
Michel Henri, « Rapport général », Conférence de Liège, 14-17 septembre, séance du 13 septembre 1958.
Milza Pierre, Peschanski Denis (dir.), *Exils et Migration. Italiens et Espagnols en France, 1938-1946*, L'Harmattan, 1994.
Montclos Xavier de (dir.), *Églises et chrétiens dans la Deuxième Guerre mondiale. La région Rhône-Alpes. Actes du colloque de Grenoble, 1976*, Lyon, Presses universitaires de Lyon, 1978.
Montclos Xavier de (dir.), *Églises et chrétiens dans la Deuxième Guerre mondiale. La France*, Lyon, Presses universitaires de Lyon, 1982.
Montety Étienne de, *Honoré d'Estienne d'Orves. Un héros français*, Perrin, 2001.
Morin-Rotureau Évelyne (dir.), *1939-1945 : combats de femmes. Françaises et Allemandes, les oubliées de la guerre*, Autrement, « Mémoires », n° 74, octobre 2001.
Muracciole Jean-François, *Histoire de la Résistance en France*, PUF, « Que sais-je ? », 1993.
Noguères Henri, *La vérité aura le dernier mot*, Le Seuil, 1985.
Noguères Henri, en collaboration avec Degliame-Fouché Marcel et Vigier Jean-Louis, *Histoire de la Résistance en France de 1940 à 1945*, Robert Laffont : t. 1, « La Première Année, juin 1940-juin 1941 », 1967 ; t. 2, « L'Armée de l'ombre, juillet 1941-octobre 1942 », 1969 ; t. 3, « Et du Nord au Midi...

novembre 1942-septembre 1943 », 1972 ; t. 4, « L'Année décisive, octobre 1943-mai 1944 », 1976 ; t. 5, « Au grand soleil de la Libération, juin 1944-mai 1945 », 1981.

Notin Jean-Christophe, *1 061 Compagnons. Histoire des compagnons de la Libération*, Perrin, 2000.

Péan Pierre, *Une jeunesse française. François Mitterrand, 1934-1947*, Fayard, 1994.

Péan Pierre, *Vies et morts de Jean Moulin*, Fayard, 1998.

Pennetier Claude (dir.), *Dictionnaire biographique du mouvement ouvrier français : le Maitron*, CD-Rom, Éditions de l'Atelier-Éditions ouvrières, 1997.

Perrault Gilles, *L'Orchestre rouge*, Fayard, 1967.

Perroy Édouard, « La Commission d'histoire de l'Occupation et de la Libération de la France », *Revue de synthèse*, introduction à l'histoire de la guerre de 1939-1945, tome LXI, 1947.

Petitdemange Francis, Genet Jean-François, *Les Passeurs. Des Lorrains anonymes dans la Résistance*, Nancy, Éditions de l'Est, 2003.

Piketty Guillaume, *Pierre Brossolette. Un héros de la Résistance*, Odile Jacob, 1998.

Poujol Jacques, « André Philip. Les années de guerre, 1939-1945 », *Bulletin de la Société d'histoire du protestantisme français*, t. 138, avril-mai-juin 1992, p. 181-241.

Pouvreau Benoît, *Un politique en architecture. Eugène Claudius-Petit (1907-1989)*, Éditions Le Moniteur, 2004.

Pradoux Martine, *Daniel Mayer. Un socialiste dans la Résistance*, Éditions de l'Atelier, 2002.

Prost Antoine (dir.), *La Résistance, une histoire sociale*, Éditions de l'Atelier, « Mouvement social », 1997.

Ravine Jacques, *La Résistance organisée des Juifs de France*, Julliard, 1973.

Richards Brooks (sir), *Flottilles secrètes. Les liaisons clandestines en France et en Afrique du Nord, 1940-1944*, Le Touvet, Éditions Marcel-Didier Vrac, 2001.

Rings Werner, *Leben mit der Feind : Anpassung und Widerstand in Hitlers Europa*, Munich, Kindler Verlag, 1979 ; trad. fr., *Vivre avec l'ennemi*, Robert Laffont, 1981.

Rioux Jean-Pierre, Prost Antoine, Azéma Jean-Pierre (dir.), *Les Communistes français de Munich à Châteaubriant, 1938-1941*, PFNSP, 1987.

Romans-Petit Henri, *Les Maquis de l'Ain*, Hachette, « La libération de la France », 1974.

Rossiter Margaret L., *Women in the Resistance*, New York, Praeger Publishers, 1986.

Rousso Henry, *La Hantise du passé. Entretien avec Philippe Petit*, Textuel, 1998.

Rousso Henry, « La Résistance entre la légende et l'oubli », *L'Histoire*, nº 41, janvier 1982.

Rousso Henry, *Le Syndrome de Vichy, 1944-198…*, Le Seuil, 1987.

Rousso Henry, Conan Éric, *Vichy, un passé qui ne passe pas*, Fayard, 1994.

Roux-Fouillet Renée et Paul, *Catalogue des périodiques clandestins diffusés en France de 1939 à 1945*, Bibliothèque nationale de France, 1954.

Ruby Marcel, *La Résistance à Lyon*, Lyon, L'Hermes, 2 vol., 1979.

Rude Fernand, *Libération de Lyon et de sa région*, Hachette, « La libération de la France », 1974.

Sadoun Marc, *Les Socialistes sous l'Occupation. Résistance et collaboration*, FNSP, 1982.

Sainclivier Jacqueline, « Sociologie de la Résistance, quelques aspects méthodologiques et leur application en Ille-et-Vilaine », *Revue d'histoire de la Deuxième Guere mondiale*, nº 117, janvier 1980.

Sainclivier Jacqueline, Bougeard Christian (dir.), *La Résistance et les Français : enjeux stratégiques et environnement social*, Rennes, Presses universitaires de Rennes, 1995.

Sainclivier Jacqueline, *La Résistance en Ille-et-Vilaine, 1940-1944*, Rennes, Presses universitaires de Rennes, 1993.

Sapiro Gisèle, *La Guerre des écrivains, 1940-1953*, Fayard, 1999.

Seghers Pierre, *La Résistance et ses poètes (France, 1940-1945)*, Seghers, 1974 ; rééd., 2004.

Sémelin Jacques, *Sans armes face à Hitler. La résistance civile en Europe, 1939-1943*, Payot, 1989.

Sémelin Jacques, « Qu'est-ce que résister ? », *Esprit*, janvier 1994.

Simonin Anne, *Les Éditions de Minuit, 1942-1945. Le devoir d'insoumission*, IMEC Éditions, 1994.

Steel James, *Littératures de l'ombre. Récits et nouvelles de la Résistance, 1940-1944*, PFNSP, 1991.

Sweets John F., *The Politics of Resistance in France : A History of the Mouvements Unis de la Résistance*, Northern Illinois University Press, De Kalb, 1976.

Sweets John F., *Choices in Vichy France : The French under Nazi Occupation*, New York, Oxford, Oxford University Press, 1986 ; trad. fr., *Clermont-Ferrand à l'heure allemande*, Plon, 1996.

Tillion Germaine, « Première Résistance en zone occupée. Du côté du réseau "Musée de l'Homme-Hauet-Vildé" », *Revue d'his-*

toire de la Deuxième Guerre mondiale, n° 30, avril 1958 ; rééd., *Esprit*, n° 261, février 2000, p. 106-124.
Tuquoi Jean-Pierre, *Emmanuel d'Astier. La plume et l'épée*, Arléa, 1987.
Veillon Dominique, Le Franc-Tireur, *un journal clandestin, un mouvement de résistance, 1940-1944*, Flammarion, 1977.
Veillon Dominique, « Résister au féminin », *Pénélope*, n° 12, printemps 1985.
Venner Dominique, *Histoire critique de la Résistance*, Paris, Pygmalion, 1995.
Vergnon Gilles, *Le Vercors. Histoire et mémoire d'un maquis*, PUF, Éditions de l'Atelier, 2002.
Vidalenc Jean, *L'Exode de mai-juin 1940*, préface de Daniel Mayer, Paris, « Esprit de la Résistance », 1957.
Vidal-Naquet, Pierre, *Le Trait empoisonné. Réflexions sur l'affaire Jean Moulin*, La Découverte, 1993.
Vincenot Alain, *La France résistante. Histoires de héros ordinaires*, Éditions des Syrtes, 2004.
Vistel, Alban, *L'Héritage spirituel de la Résistance*, Lyon, Éditions Lugdunum, 1955.
Vistel Alban, *La Nuit sans ombre. Histoire des mouvements unis de résistance, leur rôle dans la libération du Sud-Est*, Fayard, 1970.
Wieviorka Annette, *Ils étaient juifs, résistants, communistes*, Denoël, 1986.
Wieviorka Olivier, *Nous entrerons dans la carrière. De la Résistance à l'exercice du pouvoir*, Le Seuil, 1994.
Wieviorka Olivier, *Une certaine idée de la Résistance*, Le Seuil, 1995.
Wieviorka Olivier, *Les Orphelins de la République. Destinées des députés et sénateurs français (1940-1945)*, Le Seuil, 2001.
Willard Germaine, *La Drôle de guerre et la trahison de Vichy (septembre 1939-juin 1941)*, Éditions sociales, « Contribution à l'histoire du Parti communiste français », 1960.

V. Ouvrages émanant d'acteurs et de contemporains de la Résistance

Albrecht Mireille, *Berty : la grande figure féminine de la Résistance*, Robert Laffont, 1986.
Aglion Raoul, *L'Épopée de la France combattante*, New York, Éditions de la Maison française, 1943.
Annuaire des médaillés de la Résistance, hôtel des Invalides, 1952.
Annuaire de la Résistance, Éditions de l'OGEPT, 1948.

Aragon Charles d', *La Résistance sans héroïsme*, Le Seuil, 1977 ; rééd., Genève, Éditions du Tricorne, 2001.
Aron Raymond, *Mémoires*, Julliard, 1983.
Aron Raymond, *Chroniques de guerre : la France libre, 1940-1945*, Gallimard, 1990.
Astier de la Vigerie Emmanuel d', *Avant que le rideau ne tombe*, Sagittaire, 1945.
Astier de la Vigerie Emmanuel d', *Sept Jours*, Éditions de Minuit, 1945.
Astier de la Vigerie Emmanuel d', *Sept Jours en exil*, J. Haumont, 1946.
Astier de la Vigerie Emmanuel d', *Sept Fois sept jours*, Éditions de Minuit, 1947.
Astier de la Vigerie Emmanuel d', *Les Dieux et les Hommes*, Julliard, 1952.
Astier de la Vigerie Emmanuel d', *Les Grands*, Gallimard, 1961.
Astier de la Vigerie Emmanuel d', *De la chute à la libération de Paris, 25 août 1944*, Gallimard, « Trente journées qui ont fait la France », 1965.
Aubrac Lucie, *La Résistance (naissance et organisation)*, Robert Lang, 1945.
Aubrac Lucie, *Ils partiront dans l'ivresse : Lyon, mai 1943-Londres, février 1944*, Le Seuil, 1984.
Aubrac Raymond, *Où la mémoire s'attarde*, Odile Jacob, 1996.
Audibert-Boulloche Christiane, Boissieu Françoise de, Dupont Françoise, Guillemot Gisèle, Janot Catherine, Postel-Vinay Anise, Rolland Lucienne, Roquère-Salmanowicz Suzanne, de Rouville Odile, Scamaroni Marie-Claire, Vincent-Jurgensen Rose, *Femmes dans la guerre, 1940-1945. Joueuses d'un terrible jeu*, Paris, Éditions du Félin, 2004.
Aveline Claude, *Le Temps mort*, Mercure de France, 1962.
Barel Virgile, *Cinquante Années de luttes*, Éditions sociales, 1966.
Bauer Anne-Marie, *Les Oubliés et les Ignorés*, Mercure de France, 1993.
Baumel Jacques, *Résister. Histoire secrète des années d'Occupation*, Albin Michel, 1999.
Benamou Georges-Marc, *C'était un temps déraisonnable. Les premiers résistants racontent*, Robert Laffont, 1999.
Bénouville Pierre Guillain de, *Le Sacrifice du matin*, Robert Laffont, 1946.
Bidault Georges, *D'une Résistance à l'autre*, Presses du siècle, 1965.
Bidault Suzanne, *Souvenirs de guerre et d'Occupation*, La Table ronde, 1974.

Bloch Marc, *L'Étrange Défaite. Témoignage écrit en 1940*, préface de Stanley Hoffmann, Gallimard, « Folio », 1990 (1re édition, Franc Tireur, 1946).
Bohec Jeanne, *La Plastiqueuse à bicyclette*, Mercure de France, 1975 ; rééd., Éditions du Félin, 1999.
Bouchinet-Serreulles Claude, *Nous étions faits pour être libres. La Résistance avec de Gaulle et Jean Moulin*, Grasset, 2000.
Bounin Jacques, *Beaucoup d'imprudences*, Stock, 1974.
Bourdet Claude, *L'Aventure incertaine*, Stock, 1975 ; rééd., Éditions du Félin, 2000.
Brome Vincent, *L'Histoire de Pat O'Leary*, Le Livre Contemporain-Amiot-Dumont, 1957.
Brossolette Gilberte, *Il s'appelait Pierre Brossolette*, Albin Michel, 1976.
Brossolette Pierre, *Résistance (1927-1943)*, textes rassemblés et commentés par Guillaume Piketty, Odile Jacob, « Opus », 1998.
Camus à Combat. Éditoriaux et articles d'Albert Camus, 1944-1947, édition établie, présentée et annotée par Jacqueline Lévi-Valensi, Gallimard, 2002.
Canguilhem Georges, *Vie et mort de Jean Cavaillès*, Allia, 1996.
Carte (André Girard), *Peut-on dire la vérité sur la Résistance ?*, Éditions du Chêne, 1947.
Cassin René, *Les Hommes partis de rien. Le réveil de la France abattue*, Plon, 1974.
Cassou Jean, *La Mémoire courte*, Éditions de Minuit, 1953 ; rééd., Mille et Une Nuits, 2001.
Cassou Jean, *Une vie pour la liberté*, Robert Laffont, 1981.
Cerf-Ferrière René, *Chemin clandestin, 1940-1943*, Julliard, 1968.
Chaban-Delmas Jacques, *L'Ardeur*, Stock, 1975.
Chaintron Jean, *Le vent soufflait devant ma porte*, Le Seuil, 1993.
Chambrun Gilbert de, *Journal d'un militaire d'occasion*, Avignon, Éditions Aubanel, 1982.
Char René, *Feuillets d'Hypnos*, dans *Œuvres complètes*, Gallimard, « Bibliothèque de la Pléiade », 1995.
Chevance-Bertin Maurice, *Vingt Mille Heures d'angoisse, 1940-45*, Robert Laffont, 1990.
Churchill Peter, *Missions secrètes en France, 1941-1943*, Presses de la Cité, 1967.
Clavel Maurice, *Dernière Saison*, Denoël, 1945.
Closon Francis, *Le Temps des passions. De Jean Moulin à la Libération, 1943-1944*, Presses de la Cité, 1974.
Cochet Gabriel (général), *Appels à la résistance lancés par le général Cochet, 1940-1941*, Gallimard, 1945.

Copeau Pascal, préface à l'ouvrage de Fernand Rude, *Libération de Lyon et de sa région*, Hachette, « La libération de la France », 1974.

Crémieux Francis, *Entretiens avec Emmanuel d'Astier*, Belfond, 1966.

Crémieux-Brilhac Jean-Louis, *Retour par l'URSS. Récits d'évasions*, Calmann-Lévy, 1945.

Daix Pierre, *J'ai cru au matin*, Robert Laffont, 1976.

Debû-Bridel Jacques, *Les Éditions de Minuit*, Éditions de Minuit, 1945.

Debû-Bridel Jacques, *La Résistance intellectuelle*, Julliard, 1970.

Denis Pierre (P. Rauzan), *Souvenirs de la France libre*, Berger-Levrault, 1947.

Devigny André, *Un condamné à mort s'est échappé*, Gallimard, 1956.

Domenach-Lallich Denise, *Demain, il fera beau. Journal d'une adolescente, novembre 1939-septembre 1944*, Lyon, Éditions BGA Permezel, 2001.

Duclos Jacques, *Mémoires*, vol. 3 et 4, Fayard, 1970.

Esquer Gabriel, *8 novembre 1942, jour premier de la Libération*, Éditions Charlot, 1946.

Estienne d'Orves Rose et Philippe d', *Honoré d'Estienne d'Orves. Pionnier de la Résistance*, France-Empire, 2001.

Farge Yves, *Rebelles, soldats et citoyens. Souvenirs d'un commissaire de la République*, Grasset, 1946.

Feletin Clarisse, *Hélène Viannay. L'instinct de résistance de l'Occupation à l'école des Glénans*, Éditions Pascal, 2004.

Ferrières Gabrielle, *Jean Cavaillès*, PUF, 1950 ; rééd., Éditions du Félin, 2003.

Flavian C. L., *Ils furent des hommes*, Nouvelles Éditions latines, 1948.

Fourcade Marie-Madeleine, *L'Arche de Noë*, Fayard, 1968.

Frenay Henri, *La nuit finira. Mémoires de Résistance, 1940-1945*, Robert Laffont, 1973.

Frenay Henri, *Volontaires de la nuit*, Robert Laffont, 1976.

Frenay Henri, *L'Énigme Jean Moulin*, Robert Laffont, 1977.

Fugain Pierre, *Ici l'ombre*, Grenoble, Imprimerie du CRDP, 1971.

Fugère Marie-Gabriel, *Mémorial de « L'Insurgé ». Témoignages et documents*, présentation de Fernand Rude, Lyon, Imprimerie nouvelle lyonnaise, 1968.

Garbit François, *Dernières Lettres d'Afrique et du Levant (1940-1941)*, Éditions Sépia (6, avenue du Gouverneur-Général-Binger, 94100 Saint-Maur), 2001.

Gaulle Charles de, *Mémoires de guerre*, Plon, 1954-1956 ; rééd., 1989, 2 vol : t. 1, « L'Appel » ; t. 2, « L'Unité ».
Gaulle Charles de, *Discours et messages pendant la guerre, 1940-1946*, Plon, 1970.
George François (dir.), « Visages de la Résistance », *La Liberté de l'esprit*, Lyon, La Manufacture, n° 16, 1987.
Gex Le Verrier Madeleine, *Une Française dans la tourmente*, Émile-Paul Frères, 1945.
Gillot Auguste et Simone, *Un couple dans la Résistance*, Éditions sociales, 1975.
Gosse Lucienne, *René Gosse, 1883-1943. Chronique d'une vie française*, Plon, 1962.
Grenier Fernand, *C'était ainsi (1940-1945)*, Éditions sociales, 1959 ; rééd., 1970.
Griotteray Alain, *1940 : La droite était au rendez-vous ? Qui furent les premiers résistants ?*, Robert Laffont, 1985.
Groussard Georges, *Service secret, 1940-1945*, La Table ronde, 1964.
Guéhenno Jean, *Journal des années noires, 1940-1944*, Gallimard, 1947 ; rééd., « Folio », 2002.
Guéhenno Jean, *Aventures de l'esprit*, Gallimard, 1954.
Halkin Léon, *À l'ombre de la mort*, Casterman, « Cahiers de la revue nouvelle », 1947.
Hamon Léo, *Vivre ses choix*, Robert Laffont, 1991.
Hardy René, *Derniers Mots*, Fayard, 1984.
Henneguier Pierre, *Le Soufflet de forge*, Éditions de la pensée moderne, 1960.
Héros de la Résistance, La documentation française illustrée, n° 5, février-mars 1947.
Hervé Pierre, *La Libération trahie*, Grasset, 1945.
Hessel Stéphane, *Danse avec le siècle*, Le Seuil, 1997.
Humbert Agnès, *Notre guerre. Souvenirs de résistance*, Éditions Émile-Paul Frères, 1946 ; rééd. Tallandier, 2004.
Indomitus (Philippe Viannay), *Nous sommes les rebelles*, Défense de l'Homme, 1945.
Jacob François, *La Statue intérieure*, Odile Jacob, 1987.
Jérome Jean, *Les Clandestins : 1940-1944, souvenirs d'un témoin*, Acropole, 1986.
Joseph Gilbert, *Combattant du Vercors*, Fayard, 1972.
Joxe Louis, *Victoires sur la nuit. Mémoires, 1940-1946*, Flammarion, 1981.
Kahn Annette, *Robert et Jeanne à Lyon sous l'Occupation*, Payot, 1990.

Kayser Jacques, *Un journaliste sur le front de Normandie. Carnet de route, juillet-août 1944*, Arléa, 1991.
Kessel Joseph, *L'Armée des ombres*, Alger, Charlot, 1943 ; rééd., Pocket, 1998.
Kriegel Annie, *Ce que j'ai cru comprendre*, Robert Laffont, 1991.
Kriegel-Valrimont Maurice, *La Libération : les archives du COMAC (mai-août 1944)*, Éditions de Minuit, 1964.
Kriegel-Valrimont Maurice (avec Olivier Biffaud), *Mémoires rebelles*, Odile Jacob, 1999.
La Résistance spirituelle, 1941-1944. Les Cahiers clandestins du Témoignage chrétien, textes présentés par François et Renée Bédarida, Albin Michel, 2001.
La Rochefoucauld Robert de, *La liberté, c'est mon plaisir*, Perrin, 2002.
Langlois Caroline, Reynaud Michel (dir.), *Elles et eux de la Résistance. Pourquoi leur engagement ?*, Éditions Tirésias, 2003.
Larminat Edgar de, *Chroniques irrévérencieuses*, Plon, 1952.
Lazarus Jacques, *Juifs au combat. Témoignage sur l'activité d'un mouvement de Résistance*, Éditions du Centre, 1947.
La Vie à en mourir. Lettres de fusillés, 1941-1944, préface de François Marcot, lettres choisies et présentées par Guy Krivopissko, Tallandier, 2003.
Leduc Victor, *Les Tribulations d'un idéologue*, Syros, 1985.
Lefranc Pierre, *Le Vent de la liberté, 1940-1945*, Plon, 1976.
Leo Gerhard, *Un train pour Toulouse*, Messidor, 1989.
Les Réseaux. Action de la France combattante, 1940-1944, Amicale des réseaux Action de la France combattante, 1986.
Les témoins qui se firent égorger, Éditions Défense de la France, 1946.
Lettres de fusillés, préface de Lucien Scheler, Éditions France d'abord, 1946.
Lettres de fusillés, préface de Jacques Duclos, Éditions sociales, 1958.
Levy Jean-Pierre, *Mémoires d'un franc-tireur. Itinéraire d'un résistant (1940-1944)*, Éditions Complexe-IHTP-CNRS, « Histoire du temps présent », 1998.
London Lise, *La Mégère de la rue Daguerre. Souvenirs de résistance*, Le Seuil, 1995.
Lusseyran Jacques, *Et la lumière fut*, La Table ronde, 1953.
Malraux André, *Œuvres complètes*, Gallimard, « Bibliothèque de la Pléiade », t. 3, 1996.
Manouchian Mélinée, *Manouchian*, Éditeurs français réunis, 1974.
Marin Jean, *Petit Bois pour un grand feu : la naissance de la France libre*, Fayard, 1994.

Marshall Bruce, *Le Lapin blanc*, préface de Gilberte Pierre-Brossolette, Gallimard, 1953.
Martin-Chauffier Simone, *À bientôt quand même*, Calmann-Lévy, 1976.
Martinet (Dupont), *Combats dans l'ombre*, Lyon, P. Derain, 1945.
Marty André, *Un de ceux qui créent la France nouvelle : Pierre Semard*, 2e édition, Alger, Éditions Liberté, 1944.
Maspero François, *Les Abeilles et la Guêpe*, Le Seuil, « Points », 2002.
Massip Renée et Roger, *Les Passants du siècle*, Grasset, 1981.
Massu Suzanne, *Quand j'étais Rochambelle. De New York à Berchtesgaden*, Grasset, 2000.
Mayer Daniel, *Les Socialistes dans la Résistance. Souvenirs et documents*, PUF, 1968.
Mémorial de « L'Insurgé », textes et documents rassemblés par Marie-Gabriel Fugère, Lyon, Imprimerie nouvelle lyonnaise, 1968.
Mémorial des compagnons de la Libération. Compagnons morts entre le 18 juin 1940 et le 8 mai 1945, grande chancellerie de l'ordre de la Libération, 1961.
Mendès France Pierre, *Liberté, liberté chérie...*, New York, Didier, 1943.
Meurillon Jules, *Julien Léonard. Un résistant ordinaire éditeur clandestin de* Libération *(1940-1945)*. Cet ouvrage (dépôt légal du 1er trimestre 2000) est consultable à la Bibliothèque nationale de France et à l'Institut d'histoire du temps présent.
Michelet Edmond, *Rue de la Liberté. Dachau, 1943-1945*, Le Seuil, 1955.
Moreau Émilienne, *La Guerre buissonnière. Une famille française dans la Résistance*, Solar, 1970.
Moulin Jean, *Premier Combat*, Éditions de Minuit, 1947.
Moulin Laure, *Jean Moulin. Biographie*, Presses de la Cité, 1969 ; rééd. Les Éditions de Paris Max Chaleil, 2001.
Nisand Léon, *De l'étoile jaune à la Résistance armée (1942-1944). Combat pour la dignité humaine*, Éditions Safed, 2003.
Nocher Jean, *Les Clandestins. La vie secrète et ardente de la Résistance*, Gallimard, 1946.
« Notes de prison de Bertrande d'Astier de la Vigerie (15 mars-4 avril 1941) », *Cahiers de l'IHTP*, no 25, octobre 1993.
Ouzoulias Albert, *Les Bataillons de la jeunesse*, Éditions sociales, 1967.
Ozouf René, *Pierre Brossolette. Héros de la Résistance*, Librairie Gedalge, 1946.

Paillole Paul, *Services spéciaux (1939-1945)*, Robert Laffont, 1975.
Pannequin Roger, *Ami si tu tombes*, Le Sagittaire, 1976.
Parrot Louis, *L'Intelligence en guerre*, La Jeune Parque, 1945 ; rééd., Le Castor astral, 1990.
Passy colonel, *2e Bureau Londres*, Monte-Carlo, R. Solar, 1947 ; *10, Duke Street Londres*, Monte-Carlo, R. Solar, 1948 ; *Missions secrètes en France*, Plon, 1951 ; rééd., Odile Jacob, 2000, préface de Jean-Louis Crémieux-Brilhac, sous le titre : *Souvenirs du chef des services secrets de la France libre*.
Paulhan Jean, *alias* Juste, « L'Abeille », *Les Cahiers de la Libération*, nº 3, février 1944.
Paulhan Jean, *Lettre aux directeurs de la Résistance*, Éditions de Minuit, 1952.
Pierre-Bloch Jean, *Londres capitale de la France libre*, Éditions Carrère, 1986.
Pineau Christian, *La Simple Vérité, 1940-1945*, René Julliard, 1960 ; rééd., Éditions Phalanx, 1983.
Prenant Marcel, *Toute une vie à gauche*, Encre, 1980.
Postel-Vinay André, *Un fou s'évade. Souvenirs de 1941-1942*, Éditions du Félin, 1997.
Ravanel Serge, *L'Esprit de résistance*, Le Seuil, 1995.
Rémy, *Mémoires d'un agent secret de la France libre, juin 1940-juin 1942*, Aux Trois Couleurs, 1945.
Renault Gilbert, *On m'appelait Rémy*, Plon, 1951.
Roland Jean-Jacques, *La Résistance française*, Alger, Office français d'édition, 1944.
Rosencher Henri, *Le Sel, la cendre, la flamme*, Éditions du Félin, 2000.
Roure André, *Valeur de la vie humaine*, PUF, 1948.
Scamaroni Marie-Claire, *Fred Scamaroni. Mort pour la France*, France-Empire, 1986 ; rééd., 2001.
Schumann Maurice, *La Voix du couvre-feu. Cent allocutions, 1940-1944*, Plon, 1964.
Seligmann Françoise, *Liberté, quand tu nous tiens*, Fayard, 2000.
Sheffer Eugene Jay, *« La République du silence »*, dans A.J. Liebling et Eugene Jay Sheffer (dir.), *The Story of French Resistance*, New York-Harcourt, Brace and C°, 1946.
Sicé Adolphe (médecin général), *L'Afrique-Équatoriale et le Cameroun au service de la France*, PUF, 1946.
Sonneville Pierre, *Les Combattants de la liberté. Ils n'étaient pas 10 000*, La Table ronde, 1968.
Soustelle Jacques, *Envers et contre tout* ; t. 1, « De Londres à Alger 1940-1942 » ; t. 2, « D'Alger à Paris 1942-1944 », Robert Laffont, 1947 et 1950.

Sudreau Pierre, *Au-delà de toutes les frontières*, Odile Jacob, 1991.
Teitgen Pierre-Henri, *Faites entrer le témoin suivant. 1940-1958. De la Résistance à la Ve République*, Rennes, Ouest-France, 1988.
Terrenoire Élisabeth, *Combattantes sans uniforme. Les femmes dans la Résistance*, Bloud et Gay, 1946.
Texcier Jean, *Écrit dans la nuit*, La Nouvelle Édition, 1945.
Texcier Jean, *Un homme libre*, Albin Michel, 1960.
Thomas Édith, Lecompte-Boinet Jacques, Larminat Edgar de, Char René, Vercors, *Berthie Albrecht, Pierre Arrighi, général Brosset, Dominique Corticchiato, Jean Prévost, cinq parmi d'autres*, Éditions de Minuit, 1947.
Tillon Charles, *Les FTP. Témoignage pour servir à l'histoire de la Résistance*, René Julliard, 1962.
Tillon Charles, *On chantait rouge*, Robert Laffont, 1977.
Tollet André, *La Classe ouvrière dans la Résistance*, Éditions sociales, 1969.
Tollet André, *Ma traversée du siècle : mémoires d'un syndicaliste révolutionnaire*, propos recueillis par Claude Lecomte, Montreuil, Vie ouvrière Éditions, 2002.
Torrès Tereska, *Une Française libre. Journal, 1939-1945*, Phébus, 2000.
Trepper Léo, *Le Grand Jeu*, Albin Michel, 1975.
Vailland Roger, *Drôle de jeu*, Éditions Corréa, 1945.
Vercors, *La Bataille du silence. Souvenirs de minuit*, Paris, Presses de la Cité, 1967.
Verdier Robert, *La Vie clandestine du Parti socialiste*, Éditions de la Liberté, 1944.
Verity Hugh, *Nous atterrissions de nuit*, Éditions France-Empire, 1982.
Vernant Jean-Pierre, *Entre mythe et politique*, Le Seuil, 1996.
Vernant Jean-Pierre, *La Traversée des frontières*, Le Seuil, « La librairie du XXIe siècle », 2004.
Vers la clarté, Valmy, 1950 (à propos de Raymond Burgard, fondateur de « Valmy »).
Viannay Philippe, *Du bon usage de la France. Résistance, journalisme, Glénans*, édition annotée par Claire Paulhan, Ramsay, 1988.
Vildé Boris, « Journal et lettres de prison, 1941-1942 », présentation de François Bédarida et Dominique Veillon, notes de François Bédarida, *Cahiers de l'IHTP*, n° 7, février 1988 ; rééd., Allia, 1997.

Villon Pierre, *Pierre Villon, membre fondateur du CNR, résistant de la première heure*, entretien avec Claude Willard, Éditions sociales, 1983.

Waysand Georges, *Estoucha*, Denoël, 1997.

Wetterwald François, *Vengeance. Histoire d'un corps franc*, Mouvement Vengeance, 1947.

Weil Curiel André, *Le jour se lève à Londres*, Éditions du Myrte, 1945.

Weil Curiel André, *Éclipse en France*, Éditions du Myrte, 1946.

Weil Curiel André, *Un voyage en enfer*, Éditions du Myrte, 1947.

Wertz Léon, *Déposition. Journal, 1940-1944*, Bernard Grasset, 1946.

Yung-de Prévaux Aude, *Un amour dans la tempête de l'histoire. Jacques et Lotka de Prévaux*, Éditions du Félin, « Résistance Liberté Mémoire », 1999.

Index des noms de personnes

Table

RÉALISATION : CURSIVES À PARIS
IMPRESSION : NORMANDIE ROTO IMPRESSION S.A.S. À LONRAI
DÉPÔT LÉGAL : AVRIL 2005. N° 54112-2 (08-0237)
IMPRIMÉ EN FRANCE

Dans la collection « Points Histoire »,
série « L'Histoire en débats »

DÉJÀ PARUS

Marcel Gauchet (éd.)
Philosophie des sciences historiques
2002

Fanny Cosandey et Robert Descimon
L'Absolutisme en France
Histoire et historiographie
2002

Antoine Prost et Jay Winter
Penser la Grande Guerre
Un essai d'historiographie
2004

Philippe Poirrier
Les Enjeux de l'histoire culturelle
2004

Collection Points

SÉRIE HISTOIRE

DERNIERS TITRES PARUS

H125. Histoire de France, *sous la direction de Jean Carpentier et François Lebrun*
H126. Empire colonial et Capitalisme français *par Jacques Marseille*
H127. Genèse culturelle de l'Europe (Ve-VIIIe siècle) *par Michel Banniard*
H128. Les Années trente, *par la revue « L'Histoire »*
H129. Mythes et Mythologies politiques, *par Raoul Girardet*
H130. La France de l'an Mil, *Collectif*
H131. Nationalisme, Antisémitisme et Fascisme en France *par Michel Winock*
H132. De Gaulle 1. Le rebelle (1890-1944) *par Jean Lacouture*
H133. De Gaulle 2. Le politique (1944-1959) *par Jean Lacouture*
H134. De Gaulle 3. Le souverain (1959-1970) *par Jean Lacouture*
H135. Le Syndrome de Vichy, *par Henry Rousso*
H136. Chronique des années soixante, *par Michel Winock*
H137. La Société anglaise, *par François Bédarida*
H138. L'Abîme 1939-1944. La politique étrangère de la France *par Jean-Baptiste Duroselle*
H139. La Culture des apparences, *par Daniel Roche*
H140. Amour et Sexualité en Occident, *par la revue « L'Histoire »*
H141. Le Corps féminin, *par Philippe Perrot*
H142. Les Galériens, *par André Zysberg*
H143. Histoire de l'antisémitisme 1. L'âge de la foi *par Léon Poliakov*
H144. Histoire de l'antisémitisme 2. L'âge de la science *par Léon Poliakov*
H145. L'Épuration française (1944-1949), *par Peter Novick*
H146. L'Amérique latine au XXe siècle (1889-1929) *par Leslie Manigat*
H147. Les Fascismes, *par Pierre Milza*
H148. Histoire sociale de la France au XIXe siècle *par Christophe Charle*
H149. L'Allemagne de Hitler, *par la revue « L'Histoire »*
H150. Les Révolutions d'Amérique latine *par Pierre Vayssière*

H151. Le Capitalisme « sauvage » aux États-Unis (1860-1900) *par Marianne Debouzy*
H152. Concordances des temps, *par Jean-Noël Jeanneney*
H153. Diplomatie et Outil militaire *par Jean Doise et Maurice Vaïsse*
H154. Histoire des démocraties populaires
1. L'ère de Staline, *par François Fejtö*
H155. Histoire des démocraties populaires
2. Après Staline, *par François Fejtö*
H156. La Vie fragile, *par Arlette Farge*
H157. Histoire de l'Europe, *sous la direction de Jean Carpentier et François Lebrun*
H158. L'État SS, *par Eugen Kogon*
H159. L'Aventure de l'Encyclopédie, *par Robert Darnton*
H160. Histoire générale du XXe siècle
4. Crises et mutations de 1973 à nos jours *par Bernard Droz et Anthony Rowley*
H161. Le Creuset français, *par Gérard Noiriel*
H162. Le Socialisme en France et en Europe, XIXe-XXe siècle *par Michel Winock*
H163. 14-18 : Mourir pour la patrie, *par la revue « L'Histoire »*
H164. La Guerre de Cent Ans vue par ceux qui l'ont vécue *par Michel Mollat du Jourdin*
H165. L'École, l'Église et la République, *par Mona Ozouf*
H166. Histoire de la France rurale
1. La formation des campagnes françaises (des origines à 1340) *sous la direction de Georges Duby et Armand Wallon*
H167. Histoire de la France rurale
2. L'âge classique des paysans (de 1340 à 1789) *sous la direction de Georges Duby et Armand Wallon*
H168. Histoire de la France rurale
3. Apogée et crise de la civilisation paysanne (de 1789 à 1914) *sous la direction de Georges Duby et Armand Wallon*
H169. Histoire de la France rurale
4. La fin de la France paysanne (depuis 1914) *sous la direction de Georges Duby et Armand Wallon*
H170. Initiation à l'Orient ancien, *par la revue « L'Histoire »*
H171. La Vie élégante, *par Anne Martin-Fugier*
H172. L'État en France de 1789 à nos jours *par Pierre Rosanvallon*
H173. Requiem pour un empire défunt, *par François Fejtö*
H174. Les animaux ont une histoire, *par Robert Delort*
H175. Histoire des peuples arabes, *par Albert Hourani*
H176. Paris, histoire d'une ville, *par Bernard Marchand*

H177. Le Japon au XXe siècle, *par Jacques Gravereau*
H178. L'Algérie des Français, *par la revue « L'Histoire »*
H179. L'URSS de la Révolution à la mort de Staline, 1917-1953 *par Hélène Carrère d'Encausse*
H180. Histoire médiévale de la Péninsule ibérique *par Adeline Rucquoi*
H181. Les Fous de la République, *par Pierre Birnbaum*
H182. Introduction à la préhistoire, *par Gabriel Camps*
H183. L'Homme médiéval *Collectif sous la direction de Jacques Le Goff*
H184. La Spiritualité du Moyen Âge occidental (VIIIe-XIIIe siècle) *par André Vauchez*
H185. Moines et Religieux au Moyen Âge *par la revue « L'Histoire »*
H186. Histoire de l'extrême droite en France, *Ouvrage collectif*
H187. Le Temps de la guerre froide, *par la revue « L'Histoire »*
H188. La Chine, tome 1 (1949-1971) *par Jean-Luc Domenach et Philippe Richer*
H189. La Chine, tome 2 (1971-1994) *par Jean-Luc Domenach et Philippe Richer*
H190. Hitler et les Juifs, *par Philippe Burrin*
H192. La Mésopotamie, *par Georges Roux*
H193. Se soigner autrefois, *par François Lebrun*
H194. Familles, *par Jean-Louis Flandrin*
H195. Éducation et Culture dans l'Occident barbare (VIe-VIIIe siècle) *par Pierre Riché*
H196. Le Pain et le Cirque, *par Paul Veyne*
H197. La Droite depuis 1789, *par la revue « L'Histoire »*
H198. Histoire des nations et du nationalisme en Europe *par Guy Hermet*
H199. Pour une histoire politique, *Collectif sous la direction de René Rémond*
H200. « Esprit ». Des intellectuels dans la cité (1930-1950) *par Michel Winock*
H201. Les Origines franques (V^e^-IXe siècle) *par Stéphane Lebecq*
H202. L'Héritage des Charles (de la mort de Charlemagne aux environs de l'an mil), *par Laurent Theis*
H203. L'Ordre seigneurial (XIe-XIIe siècle) *par Dominique Barthélemy*
H204. Temps d'équilibres, Temps de ruptures *par Monique Bourin-Derruau*
H205. Temps de crises, Temps d'espoirs, *par Alain Demurger*
H206. La France et l'Occident médiéval de Charlemagne à Charles VIII *par Robert Delort* (à paraître)

H207. Royauté, Renaissance et Réforme (1483-1559)
par Janine Garrisson
H208. Guerre civile et Compromis (1559-1598)
par Janine Garrisson
H209. La Naissance dramatique de l'absolutisme (1598-1661)
par Yves-Marie Bercé
H210. La Puissance et la Guerre (1661-1715), *par François Lebrun*
H211. La Monarchie des Lumières (1715-1786), *par André Zysberg*
H212. La Grèce préclassique, *par Jean-Claude Poursat*
H213. La Grèce au ve siècle, *par Edmond Lévy*
H214. Le IVe Siècle grec, *par Pierre Carlier*
H215. Le Monde hellénistique (323-188)
par Pierre Cabanes
H216. Les Grecs (188-31), *par Claude Vial*
H218. La République romaine, *par Jean-Michel David*
H219. Le Haut-Empire romain en Occident
d'Auguste aux Sévères, *par Patrick Le Roux*
H220. Le Haut-Empire romain.
Les provinces de Méditerranée orientale,
d'Auguste aux Sévères, *par Maurice Sartre*
H221. L'Empire romain en mutation,
des Sévères à Constantin (192-337)
par Jean-Michel Carrié et Aline Rousselle
H225. Douze Leçons sur l'histoire, *par Antoine Prost*
H226. Comment on écrit l'histoire, *par Paul Veyne*
H227. Les Crises du catholicisme en France, *par René Rémond*
H228. Les Arméniens, *par Yves Ternon*
H229. Histoire des colonisations, *par Marc Ferro*
H230. Les Catholiques français sous l'Occupation
par Jacques Duquesne
H231. L'Égypte ancienne, *présentation par Pierre Grandet*
H232. Histoire des Juifs de France, *par Esther Benbassa*
H233. Le Goût de l'archive, *par Arlette Farge*
H234. Économie et Société en Grèce ancienne
par Moses I. Finley
H235. La France de la monarchie absolue 1610-1675
par la revue « L'Histoire »
H236. Ravensbrück, *par Germaine Tillion*
H237. La Fin des démocraties populaires, *par François Fejtö et Ewa Kulesza-Mietkowski*
H238. Les Juifs pendant l'Occupation, *par André Kaspi*
H239. La France à l'heure allemande (1940-1944)
par Philippe Burrin
H240. La Société industrielle en France (1814-1914)
par Jean-Pierre Daviet
H241. La France industrielle, *par la revue « L'Histoire »*

H242. Éducation, Société et Politiques.
Une histoire de l'enseignement en France de 1945 à nos jours
par Antoine Prost
H243. Art et Société au Moyen Âge, *par Georges Duby*
H244. L'Expédition d'Égypte 1798-1801, *par Henry Laurens*
H245. L'Affaire Dreyfus, *Collectif Histoire*
H246. La Société allemande sous le IIIe Reich
par Pierre Ayçoberry
H247. La Ville en France au Moyen Âge
par André Chédeville, Jacques Le Goff
et Jacques Rossiaud
H248. Histoire de l'industrie en France
du XVIe siècle à nos jours, *par Denis Woronoff*
H249. La Ville des Temps modernes
sous la direction d'Emmanuel Le Roy Ladurie
H250. Contre-Révolution, Révolution et Nation
par Jean-Clément Martin
H251. Israël. De Moïse aux accords d'Oslo
par la revue « L'Histoire »
H252. Une histoire des médias des origines à nos jours
par Jean-Noël Jeanneney
H253. Les Prêtres de l'ancienne Égypte, *par Serge Sauneron*
H254. Histoire de l'Allemagne, des origines à nos jours
par Joseph Rovan
H255. La Ville de l'âge industriel
sous la direction de Maurice Agulhon
H256. La France politique, XIXe-XXe siècle, *par Michel Winock*
H257. La Tragédie soviétique, *par Martin Malia*
H258. Histoire des pratiques de santé
par Georges Vigarello
H259. Les Historiens et le Temps, *par Jean Leduc*
H260. Histoire de la vie privée
1. De l'Empire romain à l'an mil
par Philippe Ariès et Georges Duby
H261. Histoire de la vie privée
2. De l'Europe féodale à la Renaissance
par Philippe Ariès et Georges Duby
H262. Histoire de la vie privée
3. De la Renaissance aux Lumières
par Philippe Ariès et Georges Duby
H263. Histoire de la vie privée
4. De la Révolution à la Grande Guerre
par Philippe Ariès et Georges Duby
H264. Histoire de la vie privée
5. De la Première Guerre mondiale à nos jours
par Philippe Ariès et Georges Duby

H265. Problèmes de la guerre en Grèce ancienne
sous la direction de Jean-Pierre Vernant
H266. Un siècle d'école républicaine
par Jean-Michel Gaillard
H267. L'Homme grec
Collectif sous la direction de Jean-Pierre Vernant
H268. Les Origines culturelles de la Révolution française
par Roger Chartier
H269. Les Palestiniens, *par Xavier Baron*
H270. Histoire du viol, *par Georges Vigarello*
H272. Histoire de la France
L'Espace français, *sous la direction*
de André Burguière et Jacques Revel
H273. Histoire de la France
Héritages, *sous la direction*
de André Burguière et Jacques Revel
H274. Histoire de la France
Choix culturels et Mémoire, *sous la direction*
de André Burguière et Jacques Revel
H275. Histoire de la France
La Longue Durée de l'État, *sous la direction*
de André Burguière et Jacques Revel
H276. Histoire de la France
Les Conflits, *sous la direction*
de André Burguière et Jacques Revel
H277. Le Roman du quotidien
par Anne-Marie Thiesse
H278. La France du XIXe siècle, *par Francis Démier*
H279. Le Pays cathare, *sous la direction de Jacques Berlioz*
H280. Fascisme, Nazisme, Autoritarisme
par Philippe Burrin
H281. La France des années noires, tome 1
sous la direction de Jean-Pierre Azéma
et François Bédarida
H282. La France des années noires, tome 2
sous la direction de Jean-Pierre Azéma
et François Bédarida
H283. Croyances et Cultures dans la France d'Ancien Régime
par François Lebrun
H284. La République des instituteurs
par Jacques Ozouf et Mona Ozouf
H285. Banque et Affaires dans le monde romain
par Jean Andreau
H286. L'Opinion française sous Vichy, *par Pierre Laborie*
H287. La Vie de saint Augustin, *par Peter Brown*
H288. Le XIXe siècle et l'Histoire, *par François Hartog*
H289. Religion et Société en Europe, *par René Rémond*

H290. Christianisme et Société en France au XIXe siècle
par Gérard Cholvy
H291. Les Intellectuels en Europe au XIXe, *par Christophe Charle*
H292. Naissance et Affirmation d'une culture nationale
par Françoise Mélonio
H293. Histoire de la France religieuse
Collectif sous la direction de Philippe Joutard
H294. La Ville aujourd'hui, *sous la direction de Marcel Roncayolo*
H295. Les Non-conformistes des années trente
par Jean-Louis Loubet del Bayle
H296. La Création des identités nationales
par Anne-Marie Thiesse
H297. Histoire de la lecture dans le monde occidental
Collectif sous la direction de Guglielmo Cavallo et Roger Chartier
H298. La Société romaine, *Paul Veyne*
H299. Histoire du continent européen
par Jean-Michel Gaillard, Anthony Rowley
H300. Histoire de la Méditerranée
par Jean Carpentier (dir.), François Lebrun
H301. Religion, Modernité et Culture
au Royaume-Uni et en France
par Jean Baubérot, Séverine Mathieu
H302. Europe et Islam, *par Franco Cardini*
H303. Histoire du suffrage universel en France.
Le Vote et la Vertu. 1848-2000, *par Alain Garrigou*
H304. Histoire juive de la révolution à l'État d'Israël
Faits et documents, *par Renée Neher-Bernheim*
H305. L'Homme romain
Collectif sous la direction d'Andrea Giardina
H306. Une histoire du Diable, *par Robert Muchembled*
H307. Histoire des agricultures du monde
par Marcel Mazoyer et Laurence Roudart
H308. Le Nettoyage ethnique.
Documents historiques sur une idéologie serbe
par Mirko D. Grmek, Marc Gjidara et Neven Simac
H309. Guerre sainte, jihad, croisade, *par Jean Flori*
H310. La Renaissance européenne, *par Peter Burke*
H311. L'Homme de la Renaissance
Collectif sous la direction d'Eugenio Garin
H312. Philosophie des sciences historiques,
textes réunis et présentés, *par Marcel Gauchet*
H313. L'Absolutisme en France, *par Fanny Cosandey et Robert Descimon*
H314. Le Monde d'Ulysse, *par Moses I. Finley*
H315. Histoire des juifs sépharades, *par Esther Benbassa et Aron Rodrigue*

H316. La Société et le Sacré dans l'Antiquité tardive
par Peter Brown
H317. Les Cultures politiques en France
sous la direction de Serge Berstein
H318. Géopolitique du XVIe siècle, *par Jean-Michel Sallmann*
H319. Les Relations internationales
2. De la guerre de 30 ans à la guerre de succession d'Espagne, *par Claire Gantet*
H320. Des traités : de Rastadt à la chute de Napoléon
par Jean-Pierre Bois
H323. De Nuremberg à la fin du XXe siècle
(tome 6, Nouvelle histoire des relations internationales/inédit)
par Frank Attar
H324. Histoire du visuel au XXe siècle
par Laurent Gervereau
H325. La Dérive fasciste. Doriot, Déat, Bergery. 1933-1945
par Philippe Burrin
H326. L'Origine des Aztèques, *par Christian Duverger*
H327. Histoire politique du monde hellénistique
par Edouard Will
H328. Le Saint Empire romain germanique
par Francis Rapp
H329. Sparte, histoire politique et sociale
jusqu'à la conquête romaine, *par Edmond Lévy*
H330. La Guerre censurée, *par Frédéric Rousseau*
H331. À la guerre, *par Paul Fussel*
H332. Les Français des années troubles, par Pierre Laborie
H333. Histoire de la papauté
par Yves-Marie Hilaire
H334. Pouvoir et Persuasion dans l'Antiquité tardive
par Peter Brown
H336. Penser la Grande Guerre, *par Antoine Prost et Jay Winter*
H337. Paris libre 1871, *par Jacques Rougerie*
H338. Napoléon. De la mythologie à l'histoire
par Nathalie Petiteau
H339. Histoire de l'enfance, tome 1
par Dominique Julia et Egle Becchi
H340. Histoire de l'enfance, tome 2
par Dominique Julia, Egle Becchi
H341. Une histoire de l'édition à l'époque contemporaine
XIXe-XXe siècle, *par Elisabeth Parinet*
H345. Histoire culturelle de la France, tome 3,
par Jean-Pierre Rioux & Jean-François Sirinelli
H346. Histoire culturelle de la France, tome 4,
par Jean-Pierre Rioux & Jean-François Sirinelli
H348. La Résistance française : une histoire périlleuse
par Laurent Douzou